LA GUERRE DES GAULES

CÉSAR

LA GUERRE
DES GAULES

Traduction, préface,
chronologie et notes
par
Maurice RAT

GF Flammarion

PRÉFACE

Les *Commentaires* ou « aide-mémoire » qui ont trait aux campagnes de César forment plusieurs ouvrages, dont deux seulement sont de César lui-même : *La Guerre des Gaules* (à l'exception du dernier livre qui a été rédigé par Hirtius) et *La Guerre civile*, demeurée inachevée.

Les *Commentaires de la guerre des Gaules* ont été écrits, si l'on en croit Hirtius, « avec une grande facilité et une grande célérité » par César, et tout porte à penser qu'ils ont été rédigés en trois mois, à l'automne de l'année 52, au moment où César, venant de vaincre Vercingétorix, voulut faire connaître à l'opinion romaine, avant sa candidature à un second consulat, les épisodes de sa belle conquête. Les adversaires de César répandaient alors mille bruits sur son compte, tantôt racontant qu'il avait perdu sa cavalerie, tantôt disant qu'il avait fait massacrer une légion et avait dû céder devant les Bellovaques. La rédaction de *La Guerre des Gaules* fut donc, avant tout, un acte — celui d'un chef vainqueur, qui rétablit les faits à son profit et coupe court aux intrigues et aux calomnies de ses ennemis politiques.

Aussi peut-on se demander — et l'on n'a point manqué de le faire — jusqu'à quel point César est véridique en narrant ses conquêtes. Il a écrit ses *Commentaires* en puisant à ses rapports adressés après chaque campagne au Sénat ; aux rapports particuliers que ses lieutenants lui avaient envoyés sur tel ou tel point des campagnes ; à ses souvenirs personnels enfin, que complétaient peut-être certaines notes. Or il va de soi que les rapports de César au Sénat présentaient les faits sous un jour qui était favorable à César, que les rapports de ses lieutenants mettaient en évidence leurs mérites, et que des souvenirs, quelque précise que fût la mémoire de

César, peuvent comporter des omissions ou des erreurs. Néanmoins il ne semble pas que les récits de César soient entachés de graves inexactitudes historiques et, si les inadvertances géographiques y sont plus nombreuses ou plus importantes, c'est que César avait sous les yeux des cartes erronées et qu'il annexait en outre à son récit, pour aller plus vite, des détails préparés à son intention par tel secrétaire, qui compilait sans grand esprit critique, des descriptions de géographes grecs.

Cependant, en dépit de tous les points qu'on a pu contester, il n'y a dans les *Commentaires de la guerre des Gaules*, ni une omission capitale ni un mensonge. Trop habile pour travestir la vérité, César se contentait de la présenter adroitement, et de passer avec opportunité sur les légers détails qui auraient pu lui nuire.

C'est ainsi qu'il se garde, tout naturellement, d'accorder à ses adversaires que la véritable cause de la conquête des Gaules fut son ambition effrénée. Lui, ambitieux ? Quelle erreur ! S'il est intervenu contre les Helvètes, n'est-ce point à la demande expresse des Éduens et des Allobroges, unis par une longue amitié aux Romains ? S'il a fait campagne contre les Germains, n'est-ce point à la prière de Diviciac, qui les voyait déjà les maîtres de la Gaule ? S'il a pris quelquefois l'offensive, n'est-ce point parce qu'elle est le meilleur procédé de défense ? Il a attaqué les Helvètes ? C'était pour protéger « la Province ». La Bretagne ? Parce qu'elle était un foyer de pernicieuse résistance. Et partout et toujours il a eu soin d'agir en se couvrant de l'exemple traditionnel de Rome, et en s'abritant derrière l'autorité du Sénat, dont il est le simple mandataire !

Autant que les causes de la guerre, la façon dont César l'a conduite est indemne de reproche. Après être entré en campagne avec une seule légion, n'a-t-il pas terminé, dès la première année, deux grandes guerres, obtenu, la seconde année, trois « supplications » du Sénat ? A côté de ces glorieux exploits et de ces témoignages magnifiques, une discrète allusion à la mort de Clodius établit le contraste entre son œuvre en Gaule et l'anarchie à Rome... S'il ne dissimule pas les heures difficiles de la conquête, c'est pour mieux faire encore ressortir ses mérites, puisqu'à la fin il a triomphé de tant de difficultés. Pour le reste, n'a-t-il pas fait montre de bonté envers ses soldats, de clémence envers les populations ? n'a-t-il point cherché toujours la pacification en faisant la guerre et accepté toutes les ouvertures de l'ennemi, sauf lorsque celui-ci manquait de sincérité ?

Quel habile avocat que César dans *La Guerre des Gaules* et aussi quel habile narrateur !

Par le style nu, dépouillé, qui lui est habituel, en usant de ce vocabulaire très simple dont il s'est fait une règle, et qui « fuit comme un écueil tout mot nouveau et insolite », en allant toujours droit au but, César donne à ses *Commentaires* le ton impersonnel, « objectif » d'un communiqué. L'effet devant le lecteur est de tout point merveilleux : on croit lire le langage de la vérité même.

Nulle rhétorique, du moins apparente. Rien que des faits. Les harangues des *Commentaires* ne sont pas des amplifications ni des hors-d'œuvre littéraires, comme chez la plupart des historiens latins. Ce sont des discours réalistes, où chaque argument porte par sa propre substance. Ce sont des actes. Lorsque près de Besançon, à l'idée de combattre les Germains, la panique s'empare des légionnaires, César ne fait pas de belles phrases à ses soldats : il commence par leur dire qu'ils se mêlent de ce qui ne regarde que lui ; puis, consentant à discuter avec eux, il les rassure par des faits : 1° Rome a déjà vaincu les Germains ; 2° les Helvètes eux-mêmes, très inférieurs aux Germains, les ont vaincus aussi ; 3° l'armée est riche d'approvisionnements, etc. Enfin, et pour conclure, il leur déclare que s'ils ne le suivent pas, il marchera avec la dixième légion seule. Aucun appel au sentiment ; rien que du solide. C'est un chef qui parle à ses hommes, et qui sait ce qui a prise sur eux.

Le plus souvent d'ailleurs, il résume au style indirect ses discours : l'impression de l'*objectivité* est plus forte. Il ne transcrit ses harangues en style direct que pour traduire un mouvement plus vif de l'orateur. Et, même lorsqu'il insère des discours de chefs gaulois dans son récit, ces discours donnent l'impression d'être authentiques : n'est-il point renseigné d'ailleurs par des transfuges ? Et si l'on s'étonne que les harangues de Vercingétorix soient si bien composées, c'est qu'on oublie que le chef arverne avait appris à l'école des Druides, et probablement à celle d'un rhéteur grec, les règles de l'éloquence.

La même nudité, le même ton impersonnel se retrouvent dans le récit. Point de digressions, point de dissertations. C'est un général qui écrit, selon le mot juste de Quintilien, « avec le même esprit qu'il fait la guerre ». De là, ce dédain des préambules, chers à Salluste et à Tite-Live, et cette entrée brusque en matière. De là, répandus dans son livre au fur et à mesure des événements, ces détails sur l'origine et le genre de vie des peuples barbares qu'il combat. De là, dans les descriptions cet absolu mépris du pittoresque. César ne tient pas à être dramatique, sensible, à piquer la curiosité du lecteur ; il expose, avec une clarté lumineuse et tranquille, la situation des lieux, l'itinéraire des troupes, les phases d'un combat ou d'un siège. C'est tout.

Les mérites de ce style, sa nudité, sa rapidité, son élégance directe, ont été justement célébrés par Cicéron, qui écrit dans le *Brutus* : « Les *Commentaires* sont dépouillés, comme on fait d'un vêtement, de tout ornement oratoire... Au reste, en se proposant de fournir des matériaux où puiseraient ceux qui voudraient écrire l'histoire, (César) a fait sans doute quelque chose d'agréable aux sots, qui seront tentés d'y porter leur fer à friser ; mais il a enlevé l'envie d'écrire aux hommes de bon sens : car il n'est rien de plus agréable, en histoire, qu'une concision lumineuse et pure. » On ne saurait mieux dire, et il faut reconnaître que la main de celui qui les écrit double la valeur de pareils éloges, puisque les qualités maîtresses du grand écrivain qu'est Cicéron ne sont point, il convient de l'avouer, la brièveté et l'absence d'ornement oratoire.

La langue de César est pure comme son style. Elle n'emploie que des mots courants. Elle a une syntaxe des plus nettes. Aussi bien César a-t-il écrit les *Commentaires de la guerre des Gaules* avec l'élégance naturelle qui le caractérise, mais sans oublier jamais qu'il s'adressait à un vaste public, et qu'il lui fallait, pour être entendu de tous, user des mots de tout le monde. De même que le premier mérite de son style est de faire oublier le style, le premier mérite de sa langue et de sa syntaxe est de ne point dérouter le lecteur par des termes spéciaux et par des constructions compliquées.

D'ailleurs, dans cet instrument de propagande personnelle que sont les *Commentaires*, et sous cette objectivité apparente, tout concorde à mettre en valeur le génie du grand homme qui a conquis la Gaule. L'action rapide, foudroyante, du chef éclate dans maints passages, tels que la délivrance du camp de Cicéron, le début de la campagne de 52, l'expédition de Litaviccus. Sa promptitude à prendre les décisions utiles se manifeste dans l'organisation des descentes en Bretagne, de ses incursions transrhénanes, dans la mise en état de défense de « la Province », en 58 et en 52. La lecture des *Commentaires* nous montre continuellement l'ascendant du chef sur ses troupes, la confiance qu'il leur inspire, le dévouement qu'il obtient d'elles, la douceur et la clémence d'un homme qui, s'il faisait cruellement la guerre, obéissait en cela aux lois de son époque, et ne faisait que répondre par des horreurs semblables aux horreurs des Gaulois eux-mêmes. Oui, osons le dire, comme le pensaient les contemporains, César, en dépit du carnage des Usipètes et des Tenctères, en dépit du sac d'Orléans et du massacre des quarante mille assiégés de Bourges, en dépit même du supplice infligé aux défenseurs d'Uxellodunum, faisait figure aux yeux des Romains d'un chef plein de mansuétude, parce qu'il ne commettait pas de massacres inutiles, mais faisait ce qu'il fallait pour intimider l'adversaire et marquer aux vaincus sa force.

Croyons-en sur ce point Hirtius, qui ne voit dans l'épisode sanglant d'Uxellodunum qu'un moyen d'intimidation — cet Hirtius, qui fut l'ami et sans doute le secrétaire de César, et qui écrivit le huitième livre de *La Guerre des Goules*. Préteur en 46, propréteur en Gaule en 45, consul désigné en 44, Hirtius écrivit ce huitième livre après la mort de César, et avant de trouver lui-même la mort à Modène. Il est loin d'égaler César, dont il n'a ni la clarté ni l'élégance, mais du moins il l'imite, avec une admiration dont témoigne sa préface, une bonne volonté évidente, et il a réussi à n'être pas trop indigne de lui.

MAURICE RAT.

CHRONOLOGIE SOMMAIRE
DE LA VIE DE CÉSAR

101 av. J.-C. — Naissance de César (*C. Julius Caesar*), dont la famille patricienne, les Jules (*gens Julia*), prétendait descendre de Iule (ou Ascagne), fils d'Énée, qui d'après la légende descendait lui-même de la déesse Vénus.

C'est en 101 également que Marius défit les Cimbres à Verceil, en Italie, après avoir l'année précédente écrasé les Teutons à Aix[-en-Provence].

86-78 av. J.-C. — Marius étant mort, qui disputait à Sylla le commandement contre Mithridate, César se voit privé par Sylla, qui voyait en lui « plusieurs Marius », du sacerdoce (flaminat de Jupiter), de la dot de sa femme Cornélie, fille de Cinna quatre fois consul, et de ses héritages de famille. Puis, ayant obtenu le pardon du dictateur, il fait ses premières armes en Asie et apprend en Cilicie la mort de Sylla. Il revient aussitôt à Rome.

77-63 av. J.-C. — Tandis que Pompée bat Lépide qui voulait renverser la constitution de Sylla (77) et lutte victorieusement tour à tour contre Sertorius, ancien lieutenant de Marius insurgé en Espagne, contre les esclaves révoltés conduits par Spartacus (71), contre les pirates (67), et accule Mithridate au suicide (63), l'année même où Cicéron consul réprime la conjuration de Catilina, César affirme et affermit prudemment sa puissance.

60 av. J.-C. — Premier triumvirat (entre Pompée, le richissime Crassus et César, qui a dilapidé en faveur du peuple des sommes considérables).

60-58 av. J.-C. — Après avoir épousé Calpurnie, fille de Pison, qui devait lui succéder au consulat, et marié à Pompée sa fille Julie, César, fort des suffrages de son beau-père et de son gendre, obtient le gouvernement de la Gaule cisalpine, de l'Illyrie et de la Gaule chevelue.

58-51 av. J.-C. — Conquête des Gaules par César résumée ainsi par Suétone (*Vie de César*, XXV) : « En neuf ans, il réduisit en provinces toute la Gaule renfermée entre les défilés des Pyrénées, les Alpes, les monts Cévennes et les cours du Rhin et du Rhône, et qui forme un circuit de trois millions deux cent mille pas environ, sans compter les villes alliées ou qui avaient bien mérité de Rome. Il lui imposa un tribut annuel de quarante millions de sesterces. Le premier des Romains, après avoir construit un pont sur le Rhin, il attaqua les Germains qui habitent au-delà du fleuve et leur infligea de grandes défaites. Il attaqua aussi les Bretons, inconnus jusqu'alors, les battit et exigea d'eux de l'argent et des otages. Parmi tant de succès il n'éprouva en tout que trois échecs : en Bretagne où sa flotte fut presque anéantie par une violente tempête ; en Gaule, où, devant Gergovie, une de ses légions fut mise en déroute ; et aux confins de la Germanie, où ses lieutenants furent massacrés dans une embuscade. »

En 53, le triumvir Crassus ayant été tué dans une expédition contre les Parthes, ne restaient plus en présence pour la conquête du pouvoir que Pompée et César.

49-48 av. J.-C. — Guerre civile entre César et Pompée : César franchit le Rubicon ; Pompée prend la fuite ; César le bat à Pharsale ; Pompée est assassiné en Égypte.

47 av. J.-C. — Guerre d'Alexandrie : César, maître de l'Égypte, bat Pharnace, roi du Bosphore (*Veni, vidi, vici* « Je suis venu, j'ai vu, j'ai vaincu »).

46 av. J.-C. — Guerre d'Afrique : César bat les Pompéiens à Thapsus ; leur chef Caton se tue à Utique. La même année, Vercingétorix, le héros de l'indépendance gauloise, que César tenait dans les chaînes depuis

la reddition d'Alésia, orne le quadruple triomphe de
César et meurt étranglé sur l'ordre de son vainqueur.

45-44 av. J.-C. — Guerre d'Espagne : César bat les
fils de Pompée à Munda : fin de la guerre civile.

Nommé dictateur à vie, *imperator*, c'est-à-dire
général commandant en chef de toutes les armées et
praefectus morum, préfet des mœurs, César, au moment
où il allait se faire nommer roi, est assassiné par Brutus
et ses complices (ides de mars 44).

LIVRE PREMIER

I. — La Gaule, dans son ensemble, est divisée en trois parties, dont l'une est habitée par les Belges, l'autre par les Aquitains, la troisième par ceux qui dans leur propre langue se nomment Celtes, et, dans la nôtre, Gaulois. Tous ces peuples diffèrent entre eux par la langue, les coutumes, les lois. Les Gaulois sont séparés des Aquitains par le cours de la Garonne, des Belges par la Marne et la Seine. Les plus braves de tous ces peuples sont les Belges, parce qu'ils sont les plus éloignés de la civilisation et des mœurs raffinées de la Province, parce que les marchands vont très rarement chez eux et n'y importent pas ce qui est propre à amollir les cœurs, parce qu'ils sont les plus voisins des Germains qui habitent au-delà du Rhin et avec qui ils sont continuellement en guerre. Il en est de même des Helvètes, qui surpassent aussi en valeur le reste des Gaulois, parce qu'ils sont presque chaque jour aux prises avec les Germains, soit pour les empêcher de pénétrer sur leurs territoires, soit pour porter eux-mêmes la guerre dans leur pays. La partie de la Gaule, qu'occupent, comme nous l'avons dit, les Gaulois, commence au fleuve Rhône et a pour limites le fleuve Garonne, l'Océan et la frontière des Belges ; elle touche aussi au fleuve Rhin du côté des Séquanais et des Helvètes. Le pays des Belges commence aux confins extrêmes de la Gaule ; il s'étend jusqu'à la partie inférieure du cours du Rhin ; il regarde vers le septentrion et l'orient. L'Aquitaine s'étend du fleuve Garonne aux monts Pyrénées et à la partie de l'Océan qui baigne l'Espagne ; elle regarde entre l'occident et le septentrion [1].

II. — Chez les Helvètes, Orgétorix était de beaucoup le plus noble et le plus riche. Sous le consulat de Marcus

Messala et de Marcus Pison, poussé par le désir d'être
roi, il forma une conjuration de la noblesse et persuada à
ses concitoyens de sortir de leur pays avec toutes leurs
forces : « rien n'était plus facile, puisqu'ils dépassaient en
courage tous les autres, que d'étendre leur pouvoir sur
toute la Gaule ». Il les en persuada d'autant plus facilement que les Helvètes, par la nature des lieux, sont de
toutes parts enfermés : d'un côté par le cours du Rhin,
aussi large que profond, qui sépare le territoire des
Helvètes de celui des Germains ; d'un autre, par la très
haute chaîne du Jura, qui s'élève entre les Séquanais
et les Helvètes ; d'un troisième côté, par le lac Léman
et le cours du Rhône, qui sépare notre Province des
Helvètes. Cette situation les contraignait à porter moins
loin leurs incursions vagabondes, et moins facilement
la guerre chez leurs voisins, et ils en éprouvaient, en
hommes ayant la passion de la guerre, une profonde
affliction. Ils jugeaient que le chiffre de leur population,
et le sentiment qu'ils avaient de leur gloire militaire
et de leur bravoure rendaient trop étroit pour eux un
pays qui avait deux cent quarante mille pas de longueur
sur cent quatre-vingt mille de largeur [2].

III. — Poussés par ces considérations et entraînés par
l'autorité d'Orgétorix, ils décidèrent de préparer tout ce
qui intéressait leur départ : acheter bêtes de somme et
chariots en aussi grand nombre que possible ; ensemencer
toutes les terres cultivables, afin de s'assurer du blé dans
leur marche ; consolider avec les états voisins leurs rapports de paix et d'amitié. Ils pensèrent que deux ans leur
suffiraient pour mettre au point ces préparatifs ; ils fixent
par une loi le départ à la troisième année. Orgétorix est
choisi pour mettre au point ces préparatifs. S'étant chargé
des négociations avec les états, il persuade à Casticus,
fils de Catamantaloédis, Séquanais, dont le père avait
longtemps exercé le pouvoir royal chez les Séquanais, et
avait reçu du Sénat du peuple romain le titre d'ami,
de s'emparer dans son état du pouvoir royal que son
père avait exercé avant lui ; il persuade de même à
l'Éduen Dumnorix, frère de Diviciac, qui occupait alors
le premier rang dans son état et qui avait la faveur populaire, de tenter la même entreprise, et il lui donne sa fille
en mariage. Il leur prouve qu'il est très facile de mener
à bien ces entreprises, pour la raison qu'il est lui-même
sur le point d'obtenir le pouvoir suprême dans son pays :

« on ne peut douter que les Helvètes ne soient le plus
puissant peuple de toute la Gaule ; il leur assure qu'il
leur fera obtenir l'autorité royale grâce à ses ressources
et à son armée ». Séduits par ce langage, ils se lient entre
eux par des serments de fidélité, et ils espèrent qu'une
fois rois, leurs trois peuples, qui sont les plus puissants
et les plus forts, leur permettront de s'emparer de toute
la Gaule.

IV. — Ce projet fut dénoncé aux Helvètes, qui, selon
leurs usages, forcèrent Orgétorix à plaider sa cause
chargé de chaînes : condamné, il devait subir comme
peine le châtiment du feu. Mais, au jour fixé pour son
audition, Orgétorix fit comparaître au tribunal tous les
siens, environ dix mille hommes, qu'il avait rassemblés
de toutes parts, et il y fit venir aussi tous ses clients et
ses débiteurs, dont le nombre était grand : grâce à eux,
il put se soustraire à l'obligation de se défendre. Ses
concitoyens indignés par cette façon de faire voulaient
maintenir leur droit par les armes, et déjà les magistrats
rassemblaient un grand nombre d'hommes de la campagne, lorsque Orgétorix mourut : et l'on n'est pas sans
soupçonner (c'est l'opinion des Helvètes) qu'il se donna
lui-même la mort.

V. — Après sa mort, les Helvètes n'en persistent pas
moins dans le projet qu'ils avaient formé de sortir de
leurs frontières. Dès qu'ils se sont estimés prêts pour
cette entreprise, ils mettent le feu à toutes leurs villes
(une douzaine), à leurs villages (quatre cents environ)
et aux maisons isolées qui restent ; ils brûlent tout le
blé qu'ils n'avaient point l'intention d'emporter, afin
qu'en s'enlevant l'espoir de retourner chez eux, ils
fussent mieux préparés à affronter tous les périls ; ils
donnent l'ordre à chacun d'emporter de la farine pour
trois mois. Ils persuadent aux Rauraques, aux Tulinges et
aux Latovices, leurs voisins, de suivre la même conduite,
de brûler leurs villes et leurs villages et de partir avec
eux ; et ils associent à leur projet et s'adjoignent les
Boïens, qui avaient habité au delà du Rhin et qui étaient
passés dans le Norique, pour mettre le siège devant Noréia.

VI. — Il y avait en tout deux routes qui leur permettaient de sortir de chez eux : l'une, par les terres des
Séquanais : route étroite et malaisée [3], entre la montagne
du Jura et le fleuve Rhône, où les chariots passaient à

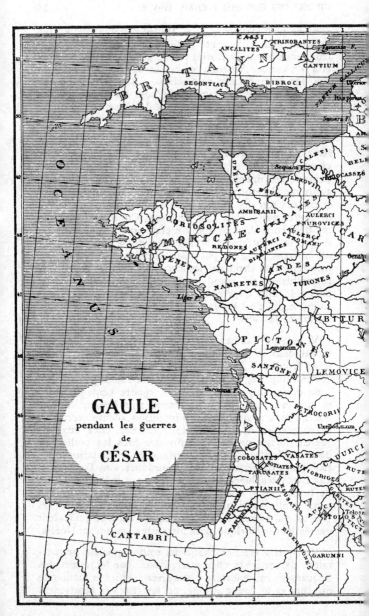

GAULE
pendant les guerres
de
CÉSAR

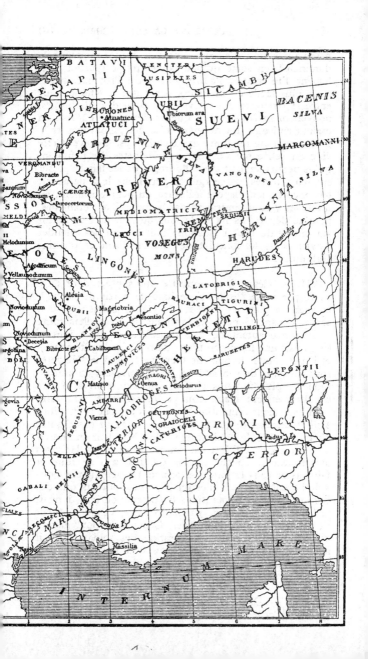

peine un à un ; d'ailleurs une très haute montagne la
dominait [4], en sorte qu'une faible troupe pouvait facilement l'interdire ; l'autre, par notre Province, beaucoup plus facile et plus sûre, parce que le Rhône coule
entre le territoire des Helvètes et celui des Allobroges,
nouvellement soumis [5], et que ce fleuve est guéable en
maints endroits. La dernière ville des Allobroges et la
plus proche du territoire des Helvètes est Genève. Cette
ville est reliée par un pont aux Helvètes. Ils pensaient
qu'ils persuaderaient aux Allobroges de les laisser passer
sur leurs terres, parce que ce peuple ne leur paraissait
pas encore bien disposé à l'égard du peuple romain, ou
qu'ils les y contraindraient par la force. Tout étant prêt
pour le départ, ils fixent le jour où l'on doit se réunir
sur la rive du Rhône : ce jour était le cinq des calendes
d'avril, sous le consulat de Lucius Pison et d'Aulus
Gabinius [6].

VII. — César, à la nouvelle qu'ils prétendent faire
route par notre Province, se hâte de partir de Rome [7],
et gagne à marches forcées [8] la Gaule ultérieure, où il
arrive devant Genève. Il ordonne de lever dans toute
la Province autant de soldats qu'elle en peut fournir
(il y avait une légion en tout [9] dans la Gaule ultérieure),
et il fait couper le pont de Genève. Quand les Helvètes
sont instruits de son arrivée, ils lui envoient en ambassade les plus illustres citoyens de leur état, à la tête
desquels étaient Namméius et Veruclœtius, pour dire
« qu'ils avaient l'intention de faire route par la Province
sans y commettre aucun dommage, n'ayant pas d'autre
chemin ; qu'ils le priaient de vouloir bien leur en donner
la permission ». César, se souvenant que les Helvètes
avaient tué le consul Lucius Cassius, mis en fuite et
fait passer sous le joug son armée, ne pensait pas pouvoir l'accorder ; et il n'estimait point d'ailleurs que des
hommes animés d'intentions hostiles, si on leur donnait
la faculté de faire route par la Province, s'abstiendraient
de désordres et de dommages. Cependant, pour gagner
du temps jusqu'à la concentration des soldats dont il
avait ordonné la levée, il répondit aux envoyés qu'il
allait prendre un moment pour réfléchir et que, s'ils
voulaient quelque chose, ils revinssent aux ides d'avril.

VIII. — Dans cet intervalle, il employa la légion
qu'il avait et les soldats qui étaient venus de la Province,

à élever, depuis le lac Léman qui se déverse dans le
fleuve Rhône jusqu'au mont Jura, qui sépare les territoires des Séquanais de ceux des Helvètes, un mur de
dix-neuf mille pas de longueur [10] et de la hauteur de
seize pieds, et il y joint un fossé. Cet ouvrage achevé, il
établit des postes, dispose des redoutes, pour pouvoir
repousser plus facilement l'ennemi, s'il essayait de passer
malgré lui. Quand vint le jour, dont il était convenu avec
les envoyés, et que les envoyés revinrent, il leur dit « que
les traditions et les usages du peuple romain ne lui
permettent d'accorder à personne le passage par la
Province », et leur laisse voir que, « s'ils veulent passer
de force, il s'y opposera ». Les Helvètes, déchus de cet
espoir, essayèrent de passer le Rhône, les uns sur des
bateaux joints ensemble et sur des radeaux construits
en grand nombre, les autres à gué, aux endroits où le
fleuve est le moins profond, quelquefois de jour, plus
souvent de nuit ; mais ils se heurtèrent aux ouvrages
de défense ainsi qu'à l'attaque et aux traits de nos
soldats, et renoncèrent à cette entreprise.

IX. — Il ne leur restait qu'une route, par le pays des
Séquanais, mais où ils ne pouvaient s'engager malgré les
Séquanais, à cause des défilés. Ne pouvant les persuader
par eux-mêmes, ils envoient des ambassadeurs à l'Éduen
Dumnorix, pour qu'à sa prière les Séquanais y consentent. Dumnorix, par sa popularité et ses largesses,
pouvait beaucoup auprès des Séquanais, et était l'ami
des Helvètes, par son mariage avec la fille d'Orgétorix
qui était de ce pays ; de plus, poussé par le désir de
régner, il favorisait les changements politiques et voulait s'attacher le plus de nations possible en leur rendant
des services. Il se charge donc de l'affaire : il obtient
des Séquanais qu'ils laissent passer les Helvètes par leurs
territoires, et réussit à ce qu'ils se donnent des otages
mutuellement, les Séquanais s'engageant à ne point
empêcher de passer les Helvètes, les Helvètes à passer
sans commettre de dommage et de désordre.

X. — On rapporte à César que les Helvètes se proposent, en passant par le territoire des Séquanais et des
Éduens, de gagner le pays des Santons, qui n'est pas
loin du pays des Tolosates [11], lequel fait partie de
la Province. Il comprenait que, si cette opération s'ac-
complissait, il en résulterait un grand danger pour la Pro-

vince, qui aurait pour voisins, dans un pays ouvert et
riche en blé, des hommes belliqueux et ennemis du
peuple romain. Il confie donc à son lieutenant Titus
Labiénus le commandement de la ligne fortifiée qu'il
avait établie ; pour lui, il gagne l'Italie par grandes
étapes, y lève deux légions [12], en retire trois [13] de leurs
quartiers d'hiver autour d'Aquilée, et, avec ces cinq
légions, se hâte de gagner la Gaule ultérieure en passant
au plus court [14] par les Alpes. Là, les Ceutrons, les
Graiocèles, les Caturiges, qui avaient occupé les positions dominantes, tentent de barrer la route à son armée.
Après les avoir repoussés en plusieurs rencontres, il se
rend en sept jours d'Ocèle, qui est la dernière place de
la Province citérieure, au territoire des Voconces, dans
la Province ultérieure ; de là, il mène son armée sur le
territoire des Allobroges, et de chez les Allobroges chez
les Ségusiaves [15]. Ce sont les premiers habitants hors de
la Province au delà du Rhône.

XI. — Les Helvètes avaient déjà fait passer leurs
troupes par les défilés [16] et le territoire des Séquanais, et
étaient arrivés sur le territoire des Éduens, dont ils
ravageaient les champs. Les Éduens, ne pouvant se
défendre, eux et leurs biens, envoient des ambassadeurs
demander secours à César ; « ils avaient, disaient-ils, trop
bien mérité en tout temps [17] du peuple romain pour
qu'on ne permît pas que presque sous les yeux de notre
armée leurs champs fussent dévastés, leurs enfants
emmenés en servitude, leurs places prises d'assaut ». En
même temps les Ambarres, amis des Éduens et de même
sang qu'eux, informent César que leurs champs sont
ravagés et qu'ils ont du mal à défendre leurs villes des
violences de l'ennemi. De même des Allobroges, qui
avaient des villages et des propriétés au delà du Rhône,
se réfugient auprès de César, et lui déclarent qu'il ne
leur reste plus que le sol de leurs champs. Ému par ces
plaintes, César décide qu'il ne faut pas attendre qu'après
avoir consommé la ruine de nos alliés les Helvètes parviennent chez les Santons.

XII. — La Saône est une rivière qui, à travers le pays
des Éduens et des Séquanais, coule vers le Rhône avec
une si incroyable lenteur, que l'œil ne peut juger la
direction de son cours. Les Helvètes la passaient sur des

radeaux et sur des barques jointes ensemble. Quand
César sut par ses éclaireurs que les Helvètes avaient déjà
fait passer cette rivière aux trois quarts de leurs troupes,
et que le quatrième quart restait encore en deçà de la
Saône, il partit de son camp [18] à la troisième veille avec
trois légions et atteignit ce quart qui n'avait pas encore
passé la rivière. Les ayant attaqués sans qu'ils s'y atten-
dissent et au moment où ils étaient encombrés de leurs
bagages, il en mit en pièces un grand nombre ; les autres
cherchèrent leur salut dans la fuite et se cachèrent dans
les forêts voisines. Ils appartenaient au canton des Tigurins : car l'ensemble de l'état helvète est divisé en quatre
cantons. C'était ce seul canton qui, ayant quitté son
pays, au temps de nos pères, avait tué le consul Lucius
Cassius, et fait passer son armée sous le joug. Ainsi, soit
effet du hasard, soit dessein des dieux immortels, cette
partie de l'état d'Helvétie, qui avait infligé un insigne
désastre au peuple romain, fut la première à en porter
la peine. En ces circonstances, César vengea non seulement l'injure faite à son pays, mais encore celle qu'on
avait faite à sa famille, puisque l'aïeul de son beau-père
Lucius Pison, le lieutenant Lucius Pison, avait été tué
par les Tigurins dans la même bataille que Cassius.

XIII. — Après avoir livré ce combat, il fait jeter un
pont sur la Saône pour pouvoir poursuivre le reste des
Helvètes, et fait passer ainsi la rivière à son armée. Les
Helvètes, bouleversés par son arrivée soudaine, à l'idée
qu'il avait accompli en un seul jour un passage qu'ils
avaient eu beaucoup de peine à effectuer en vingt, lui
envoient des ambassadeurs : le chef de cette ambassade
était Divicon, qui avait été le général des Helvètes, dans
la guerre contre Cassius. Il dit à César « que si le peuple
romain faisait la paix avec les Helvètes, les Helvètes se
rendraient et s'établiraient dans les lieux que César voudrait bien leur fixer ; mais que s'il persistait à leur faire la
guerre, il se rappelât l'ancien désagrément éprouvé par
le peuple romain et l'antique valeur des Helvètes ; que,
pour avoir assailli à l'improviste un canton, quand ceux
qui avaient passé la rivière ne pouvaient pas lui porter
secours, il ne devait ni trop présumer de sa valeur ni trop
les mépriser ; qu'ils avaient appris de leurs pères et de
leurs ancêtres à se fier à leur courage plus qu'à des entreprises de ruse et à des embûches ; qu'il prît donc garde
de rendre le lieu même où ils s'étaient établis à jamais

célèbre dans la mémoire des hommes par le désastre du
peuple romain et la destruction de son armée. »

XIV. — César leur répondit « qu'il hésitait d'autant
moins à agir que les faits que les ambassadeurs helvètes
avaient rappelés étaient présents à sa mémoire, et qu'il
avait d'autant plus de peine à en supporter l'idée que le
peuple romain avait moins mérité son malheur : s'il avait
eu la conscience, en effet, de quelque tort envers eux, il se
serait tenu aisément sur ses gardes, mais il avait été surpris, parce qu'il voyait qu'il n'avait rien fait qui pût leur
inspirer des craintes et qu'il ne pensait pas qu'il dût
craindre sans motif. Et même s'il voulait oublier l'ancien
outrage, pouvait-il effacer le souvenir de torts tout
récents : tentatives pour passer, malgré lui, de force par
la Province ; violence contre les Éduens, les Ambarres
et les Allobroges ? L'orgueil plein d'insolence que leur
inspirait leur victoire, leur étonnement d'être restés si
longtemps impunis, le conduisaient aux mêmes résolutions : car souvent les dieux immortels, pour faire sentir
plus péniblement les revers de fortune aux gens qu'ils
veulent châtier pour leurs crimes, leur accordent parfois
des succès et une impunité assez longue. Quoi qu'il en
soit, s'ils lui donnent pourtant des otages comme garants
de leurs promesses, s'ils donnent satisfaction aux Éduens,
pour les torts qu'eux et leurs alliés ont subis, et aux
Allobroges pareillement, il fera la paix avec eux. » Divicon
répondit « que les Helvètes tenaient de leurs ancêtres
l'habitude de recevoir, et non point de donner des otages ;
que le peuple romain en avait eu la preuve. » Sur cette
réponse, il se retira.

XV. — Le lendemain ils lèvent le camp. César fait de
même et envoie en avant toute sa cavalerie, au nombre
de quatre mille hommes, qu'il avait levée dans l'ensemble
de la Province et chez les Éduens et leurs alliés, pour
voir de quel côté se dirigeait l'ennemi [19]. Ces cavaliers,
ayant poursuivi l'arrière-garde avec trop d'ardeur,
engagent le combat avec la cavalerie des Helvètes dans
un lieu désavantageux, et un petit nombre des nôtres
reste sur le terrain. Exaltés par ce succès, les Helvètes,
qui avaient avec cinq cents cavaliers repoussé une cavalerie si nombreuse, se mirent à nous faire tête avec plus
d'audace, et quelquefois à harceler les nôtres avec leur
arrière-garde. César retenait les siens de combattre et

se contentait pour le moment présent d'empêcher les
rapines, approvisionnements de fourrages et destructions
de l'ennemi. On marche ainsi environ quinze jours, sans
que l'arrière-garde des ennemis et notre avant-garde
fussent séparées de plus de cinq ou six mille pas.

XVI. — Cependant César pressait chaque jour les
Éduens de lui livrer le blé qu'ils lui avaient promis officiellement : car, à cause du froid (la Gaule, comme on
l'a dit précédemment, ayant une situation septentrionale) non seulement les moissons n'étaient pas mûres dans
les champs, mais le fourrage même n'était pas en quantité suffisante ; quant au blé qu'il avait fait remonter la
Saône sur des navires, il ne pouvait pas l'utiliser, parce
que les Helvètes s'étaient écartés de la Saône et qu'il ne
voulait pas perdre contact avec eux. Les Éduens laissaient passer les jours ; disaient qu'on rassemblait les
grains, qu'on les transportait, qu'ils arrivaient. Quand
il vit que les choses traînaient trop et que le jour approchait où il fallait distribuer leur ration de blé aux soldats,
il convoque les principaux Éduens, qui étaient en grand
nombre dans son camp, entre autres Diviciac et Lisc ;
celui-ci détenait la magistrature suprême, que les Éduens
appellent vergobret, charge annuelle et qui donne le droit
de vie et de mort sur ses concitoyens. César leur reproche
vivement de ne point venir à son aide, quand on ne peut
ni acheter des vivres ni en prendre dans les campagnes,
et cela, en un moment si critique, quand l'ennemi est si
proche ; il se plaint d'autant plus vivement d'un pareil
abandon que c'est en grande partie poussé par leurs
prières qu'il a entrepris la guerre.

XVII. — C'est seulement alors que Lisc, poussé par le
discours de César, déclare ce qu'il avait tu jusque-là :
« qu'il y avait un certain nombre de personnages, ayant
auprès du peuple une influence prépondérante, et un plus
grand pouvoir, privément, que les magistrats eux-
mêmes ; que ces hommes, par des discours séditieux et
criminels, détournent la masse d'apporter le blé qu'elle
doit fournir, en disant que, s'ils ne pouvaient être les
maîtres de la Gaule, ils devaient du moins préférer la
domination des Gaulois à celle des Romains et ne pas
douter que, si les Romains triomphaient des Helvètes,
ils enlèveraient leur liberté aux Éduens en même temps
qu'au reste de la Gaule ; que c'étaient ces mêmes hommes

qui informaient l'ennemi de nos projets et de ce qui se
passait dans le camp ; qu'il n'avait pas le pouvoir de les
réprimer ; bien plus, qu'il savait à quel péril l'exposait
cette déclaration, qu'il avait faite à César sous l'éperon
de la nécessité, et que c'était la raison pour laquelle il
s'était tu aussi longtemps que possible. »

XVIII. — César sentait que ce discours de Lisc visait
Dumnorix, frère de Diviciac ; mais, ne voulant pas traiter
cette affaire devant plusieurs témoins, il congédie rapidement l'assemblée et retient Lisc. Il le questionne seul
à seul sur ce qu'il avait dit dans l'assemblée. Lisc parle
avec plus de liberté et d'audace. César interroge en secret
d'autres personnes ; il constate que Lisc a dit vrai :
« C'était bien Dumnorix, homme plein d'audace, que sa
libéralité avait mis en grande faveur auprès du peuple
et qui voulait un bouleversement politique ; depuis plusieurs années il avait obtenu à vil prix la perception des
péages et autres impôts des Éduens, parce que, lorsqu'il
enchérissait, personne n'osait enchérir contre lui ; par ce
moyen il avait accru son patrimoine et s'était mis en état
de prodiguer des largesses ; il entretenait à ses frais, sans
arrêt, une nombreuse cavalerie, qui l'entourait, et il
avait non seulement un grand pouvoir sur son pays, mais
encore sur les états voisins ; en vue du pouvoir, il avait
fait épouser à sa mère un des hommes les plus nobles et
les plus puissants chez les Bituriges ; lui-même avait
pris femme chez les Helvètes ; il avait marié sa sœur du
côté maternel et ses parents dans d'autres états ; il aimait
et favorisait les Helvètes par cette union ; en outre il
haïssait mortellement César et les Romains, dont l'arrivée
avait diminué son pouvoir et rétabli son frère Diviciac
dans son ancien crédit et ses honneurs. Si les Romains
échouaient, il concevait l'espérance suprême de devenir
roi, grâce aux Helvètes, tandis qu'avec la domination
du peuple romain il perdait l'espoir non seulement de
régner, mais même de conserver le crédit qu'il avait. »
César apprenait encore en menant son enquête que
l'échec du combat de cavalerie qui avait eu lieu quelques
jours auparavant était dû à Dumnorix et à ses cavaliers
qui avaient donné l'exemple de la fuite (car c'est lui,
Dumnorix, qui commandait la cavalerie auxiliaire
envoyée à César par les Éduens) et que c'était leur fuite
qui avait effrayé et entraîné le reste de la cavalerie.

XIX. — Aux soupçons que ces renseignements éveillaient se joignaient des preuves certaines : c'était lui qui avait fait passer les Helvètes par le pays des Séquanais, qui avait pris soin de faire procéder entre eux à des échanges d'otages, qui avait agi en tout cela non seulement sans l'ordre de César et de ses concitoyens, mais même à leur insu, lui qui était accusé par le premier magistrat des Éduens. César estimait qu'il avait assez de motifs pour sévir lui-même ou inviter sa cité à sévir. Une seule considération, en dépit de toutes les autres, le retenait, c'est de savoir l'entier dévouement de son frère Diviciac au peuple romain, son extrême attachement à sa personne, sa fidélité incomparable, sa droiture, sa modération : il craignait, en effet, de s'aliéner Diviciac en envoyant son frère au supplice. Aussi, avant de rien entreprendre, il fait appeler Diviciac, et, renvoyant ses interprètes de chaque jour, il s'entretint avec lui par le truchement de Caius Valérius Procillus, l'un des chefs de la province de Gaule, son ami, et qui avait son entière confiance. Il lui rappelle ce qu'on a dit de Dumnorix, dans l'assemblée des Gaulois, en sa présence ; il lui fait connaître ce que chacun lui en a appris séparément ; il l'engage et l'exhorte à ne point s'offenser si lui-même décide de son sort après avoir entendu sa cause ou s'il invite son état à le juger.

XX. — Diviciac, tout en larmes, embrasse César et le conjure de ne pas être trop sévère pour son frère : « il savait que tout était vrai, et personne n'en avait plus de chagrin que lui, qui, alors qu'il avait un immense crédit dans son pays et dans le reste de la Gaule, tandis que son frère, à cause de son jeune âge, n'en avait point du tout, avait contribué à l'élever et le voyait user de la fortune et de la puissance qu'il lui devait non seulement pour affaiblir son crédit, mais encore pour le conduire presque à sa perte. Cependant, l'amour fraternel et l'opinion publique agitaient son âme. S'il lui arrivait malheur du fait de César, quand lui-même occupait un si haut rang dans son amitié, personne ne croirait que c'eût été contre son gré et il verrait se détourner de lui les cœurs de tous les habitants de la Gaule. » Il parlait avec abondance et pleurait ; César lui prend la main, le console, lui demande de cesser ses prières, lui annonce qu'il fait assez de cas de son amitié pour sacrifier à son désir et à ses prières le tort fait à l'état et son propre ressentiment. Il fait appeler Dumnorix, et, en présence de son frère, lui dit ce qu'il lui reproche, lui expose les soupçons qu'il a contre lui et les plaintes de ses concitoyens, l'avertit d'éviter toute suspicion à l'avenir, lui dit qu'en faveur de son frère Diviciac il lui fait grâce du passé. Il apposte des gardes auprès de Dumnorix pour savoir ce qu'il fait et avec qui il parle.

XXI. — Le même jour, averti par ses éclaireurs que l'ennemi s'était arrêté au pied d'une montagne [20], à huit mille pas de son camp [21], il envoya reconnaître la nature de cette montagne et l'accès qu'offraient ses contours. On lui rapporte qu'il était facile. Il ordonne à Titus Labiénus, légat propréteur, d'aller, à la troisième veille, occuper le sommet de cette montagne avec deux légions et avec les mêmes guides qui avaient reconnu la route ; il lui dévoile son plan. Pour lui, à la quatrième veille, il marche à l'ennemi par le même chemin que celui-ci avait pris et détache en avant toute sa cavalerie. A la tête des éclaireurs est Publius Considius, qui passait pour un soldat très habile, et qui avait servi dans l'armée de Lucius Sylla, puis dans celle de Marcus Crassus [22].

XXII. — Au point du jour, comme Titus Labiénus occupait le sommet de la montagne et que lui-même n'était qu'à quinze cents pas du camp des ennemis, sans qu'ils eussent eu connaissance, comme on le sut ensuite des prisonniers, ni de son approche ni de celle de Labiénus, Considius accourt vers lui à bride abattue, annonçant que la montagne que Labiénus avait reçu l'ordre d'occuper est tenue par l'ennemi, qu'il a reconnu les armes et les enseignes gauloises. César ramène ses troupes sur une colline voisine et les range en bataille. Labiénus, qui avait l'ordre de ne point engager le combat, avant d'avoir vu près du camp ennemi les troupes de César, afin que l'attaque contre les ennemis se fît simultanément sur tous les points, attendait les nôtres après s'être emparé de la montagne et se gardait de combattre. Ce n'est que fort avant dans la journée que César apprit par ses éclaireurs que c'étaient les siens qui occupaient la montagne, que les Helvètes avaient levé le camp et que Considius, affolé par la peur, avait fait un faux rapport en croyant avoir vu ce qu'il n'avait pas vu. Ce même jour, César suit les ennemis à la distance habituelle et établit son camp à trois mille pas de leur camp [23].

XXIII. — Le lendemain, comme il ne restait plus que deux jours jusqu'au moment où il faudrait distribuer du blé à l'armée, et qu'on n'était qu'à dix-huit mille pas de Bibracte, de beaucoup la plus grande et la plus riche ville des Éduens, il jugea qu'il fallait pourvoir à l'approvisionnement, laissa là les Helvètes et se dirigea vers Bibracte [24]. Des transfuges de Lucius Émilius, décurion de la cavalerie gauloise, en avertissent l'ennemi. Les Helvètes, attribuant à la crainte la retraite des Romains, d'autant plus que la veille, étant maîtres des hauteurs, ils n'avaient point engagé le combat, ou peut-être espérant de leur couper les vivres, modifièrent leurs projets et, faisant demi-tour, se mirent à suivre et à harceler leur arrière-garde.

XXIV. — Quand il s'en aperçut, César ramena ses troupes sur une colline voisine [25], et envoya sa cavalerie pour soutenir l'attaque de l'ennemi. En même temps, il rangea quatre légions de vétérans sur trois lignes, au milieu de la colline, et, au-dessus de lui au sommet, deux légions qu'il avait récemment levées dans la Gaule citérieure, avec toutes les troupes auxiliaires ; ayant ainsi garni d'hommes toute la montagne, il fit en même temps rassembler tous les bagages en un seul endroit et fortifier celui-ci par les troupes établies sur la position la plus haute. Les Helvètes, qui le suivaient avec tous leurs chariots, réunirent en un seul endroit leurs bagages ; et, quant à eux, après avoir rejeté notre cavalerie grâce à leurs bataillons serrés, ils formèrent la phalange, et s'approchèrent de notre première ligne.

XXV. — César, renvoyant et faisant mettre hors de vue son cheval d'abord, puis ceux de tous les officiers, afin de rendre le péril égal pour tous et l'espoir de fuir impossible, exhorta les siens et engagea le combat. Nos soldats, lançant leurs javelots d'en haut, rompirent facilement la phalange des ennemis. Les Gaulois étaient fort empêtrés pour combattre : plusieurs de leurs boucliers étaient percés et cloués ensemble par des javelots qui les avaient frappés du même coup ; le fer s'était recourbé ; ils ne pouvaient ni l'arracher ni, leur bras gauche gêné, combattre commodément ; un grand

nombre, après avoir longtemps secoué leur bras, préfé-
rèrent jeter bas leurs boucliers et combattre à découvert.
Finalement, accablés de blessures, ils commencèrent à
lâcher pied et à se replier vers une montagne [26], à mille
pas environ. Ils s'emparèrent de la montagne et les nôtres
les y suivaient, quand les Boïens et les Tulinges, qui,
au nombre de quinze mille environ, fermaient la marche
et soutenaient l'arrière-garde des ennemis nous prirent
en flanc et nous enveloppèrent. A cette vue, les Helvètes,
qui s'étaient repliés sur la montagne, se mirent à réat-
taquer et à reprendre le combat. Les Romains, tournant
leurs enseignes, firent face des deux côtés : ils opposent
leur première et leur seconde ligne à ceux qui avaient
été battus et forcés de se replier, et leur troisième aux
nouveaux assaillants.

XXVI. — Cette double bataille fut longue et acharnée.
Quand ils ne purent pas supporter plus longtemps nos
assauts, les uns se replièrent sur la montagne, comme
ils l'avaient fait une première fois, les autres se portèrent
du côté de leurs bagages et de leurs chariots. Pendant
toute cette lutte, où l'on se battit depuis la septième heure
jusqu'au soir, personne ne put voir un ennemi tourner
le dos. Fort avant dans la nuit, on se battit encore auprès
des bagages : ils s'étaient fait, en effet, un rempart de
leurs chariots, et de là ils déversaient sur les nôtres
qui venaient à l'assaut une grêle de traits ; certains lançaient aussi par-dessous, entre les chariots et les roues,
des piques et des javelots qui blessaient nos soldats.
Après une longue lutte, les nôtres s'emparèrent des
bagages et du camp. La fille d'Orgétorix et un de ses
fils y furent faits prisonniers. Après cette bataille, il
leur restait environ cent trente mille hommes, qui marchèrent sans relâche toute la nuit, et qui, sans interrompre
leur marche même nuitamment, arrivèrent le quatrième
jour sur les terres des Lingons, les nôtres, retenus trois
jours par les soins des blessés et la sépulture des morts,
n'ayant pu les poursuivre. César invita les Lingons, par
ses lettres et ses envoyés, à ne leur accorder ni vivres,
ni aucun secours, avec menace, s'ils le faisaient, de les
traiter tout comme les Helvètes. Lui-même, au bout de ces
trois jours, se mit à leur poursuite avec toutes ses troupes.

XXVII. — Les Helvètes, réduits à toute extrémité, lui
envoyèrent des députés pour traiter de leur reddition.

Ceux-ci le rencontrèrent en route, se jetèrent à ses pieds, et, avec des supplications et des larmes, lui demandèrent la paix ; il leur ordonna d'attendre son arrivée au lieu même où ils se trouvaient : ils obéirent. Une fois arrivé là, César leur réclama des otages, leurs armes, les esclaves qui s'étaient enfuis auprès d'eux. Tandis qu'on recherche et qu'on rassemble ce qu'il demande, dès le lendemain six mille hommes environ du pays appelé Verbigène, craignant qu'on ne les mît à mort après les avoir désarmés ou peut-être espérant que, dans une si grande multitude d'hommes qui se rendaient, leur fuite passerait inaperçue ou serait complètement ignorée, sortirent du camp des Helvètes au début de la nuit et partirent vers le Rhin et les frontières de la Germanie.

XXVIII. — Quand César le sut, il ordonna aux peuples sur les terres desquels ils étaient passés, de les rechercher et de les ramener, s'ils voulaient ne pas être regardés par lui comme leurs complices ; une fois qu'ils furent ramenés, il les traita en ennemis ; quant aux autres, après avoir livré otages, armes et transfuges, ils virent leur reddition acceptée. Il ordonna aux Helvètes, aux Tulinges, aux Latobriges, de retourner aux pays d'où ils étaient partis ; comme ils avaient détruit toutes leurs récoltes et qu'ils n'avaient plus rien chez eux pour se nourrir, il ordonna aux Allobroges de leur fournir du blé, et il leur enjoignit à eux-mêmes de relever les villes et les villages qu'ils avaient incendiés. Il agit ainsi parce qu'avant tout il ne voulait point laisser désert le pays qu'avaient abandonné les Helvètes, de peur que la qualité du sol n'attirât de leur pays dans celui des Helvètes les Germains d'outre-Rhin, et qu'ils ne devinssent ainsi voisins de la Province et des Allobroges. Il satisfit la demande des Éduens, qui, connaissant leur bravoure remarquable, voulaient installer sur leur territoire les Boïens : ils leur donnèrent de tout, et, par la suite, les admirent à jouir des droits et libertés dont ils jouissaient eux-mêmes.

XXIX. — On trouve dans le camp des Helvètes des tablettes écrites en caractères grecs, et qui furent remises à César. Ces tablettes contenaient la liste nominative de tous les émigrants en état de porter les armes, ainsi qu'une liste séparée des enfants, des vieillards et des femmes. Le total s'en élevait à deux cent soixante-trois

mille Helvètes, trente-six mille Tulinges, quatorze mille
Latovices, vingt-trois mille Rauraques, trente-deux mille
Boïens ; parmi eux, quatre-vingt-douze mille environ
pouvaient porter les armes. Au total, il y avait environ
trois cent soixante-huit mille individus. Ceux qui retournèrent chez eux furent recensés, sur l'ordre de César : on
trouva que leur nombre était de cent dix mille.

XXX. — Une fois la guerre contre les Helvètes terminée, des députés de presque toute la Gaule, et les principaux citoyens de chaque cité vinrent féliciter César.
« Ils comprenaient, disaient-ils, que le peuple romain, en
faisant la guerre aux Helvètes, avait vengé de vieilles
injures, mais la terre de la Gaule n'en tirait pas moins
de profit que Rome ; car les Helvètes n'avaient quitté
leur pays en pleine prospérité que pour porter la guerre
à travers toute la Gaule, s'en rendre maîtres, choisir
parmi tant de contrées celle qu'ils jugeraient la plus favorable et la plus facile de toute la Gaule et rendre les autres
états tributaires. Ils lui demandèrent la permission de
fixer un jour avec son consentement pour l'assemblée
générale de toute la Gaule, où ils traiteraient de certaines
affaires qu'ils voulaient d'un commun accord lui soumettre. » César y consentit ; ils fixèrent le jour de l'assemblée [27], et s'engagèrent par serment à n'en rien révéler que
sur mandat donné par le consentement de tous.

XXXI. — Quand l'assemblée se fut séparée, les mêmes
chefs d'état qui avaient déjà paru devant César revinrent
le trouver et lui demandèrent la faveur de l'entretenir
en particulier d'une chose qui intéressait leur salut et
celui de tout le pays. Ayant obtenu cette audience, ils
se jetèrent tous à ses pieds en pleurant. « Leur désir,
disaient-ils, qu'on ne révélât pas ce qu'ils diraient n'était
pas moins vif ni anxieux que celui d'obtenir ce qu'ils
voulaient ; car, si on les révélait, ils se voyaient destinés
aux pires supplices. » L'Éduen Diviciac se fit leur porte-
parole : il dit « que l'ensemble de la Gaule comprenait
deux partis, dont l'un avait pour chef les Éduens, l'autre,
les Arvernes. Après de longues années d'une lutte
acharnée pour la prééminence, on avait vu les Arvernes
et les Séquanais attirer des Germains mercenaires. Quinze
mille d'entre eux environ franchirent d'abord le Rhin ;
puis le sol, la civilisation du pays, sa richesse plurent à
ces hommes sauvages et barbares, et en firent venir un

plus grand nombre ; il s'en trouvait maintenant cent
vingt mille environ en Gaule. Les Éduens et leurs clients
en étaient venus deux fois aux mains avec eux ; ils avaient
été repoussés, subissant un grand désastre, y perdant
toute leur noblesse, tout leur Sénat, toute la cavalerie.
Épuisés par ces combats désastreux, ils s'étaient vus dans
l'obligation, eux que leur courage et leurs liens d'hospitalité et d'amitié avec le peuple romain avaient rendus
naguère si puissants dans la Gaule, de donner en otages
aux Séquanais leurs plus nobles citoyens et d'engager
par serment leur état à ne pas redemander ces otages,
à ne pas implorer le secours du peuple romain, à ne
jamais essayer de se soustraire au joug impérieux de leurs
vainqueurs. Il était le seul, dans tout l'état des Éduens,
qui n'eût pu être amené à prêter serment ni à donner ses
enfants en otages ; il avait fui de son état et était venu
implorer à Rome [28] le secours du Sénat parce qu'il était
le seul qui ne fût retenu par aucun serment ni par aucun
otage. Mais les Séquanais vainqueurs avaient été plus
malheureux encore que les Éduens vaincus, car Arioviste,
roi des Germains, s'était établi dans leur pays, avait pris
le tiers du territoire séquanais, qui était le meilleur de
toute la Gaule, et leur ordonnait maintenant de déguerpir
d'un autre tiers, parce que peu de mois auparavant vingt-
quatre mille Harudes étaient venus le trouver, à qui il
fallait trouver une place où s'établir. Il allait arriver qu'en
peu d'années les Gaulois seraient chassés de leur pays,
et que tous les Germains passeraient le Rhin, car le sol
de la Germanie ne pouvait se comparer à celui de la
Gaule, non plus que la manière de vivre des deux pays.
Arioviste, d'ailleurs, depuis qu'il avait remporté sur les
forces gauloises [29] la victoire de Magétobrige, commandait
en tyran superbe et cruel, exigeait en otages les enfants
des plus nobles familles, et les livrait, pour l'exemple,
à toutes sortes de tortures, à la moindre chose contrariant
ses désirs ou ses ordres. C'était un homme barbare,
emporté, brouillon ; on ne pouvait plus longtemps souffrir
son despotisme ; s'ils ne trouvaient point d'aide près de
César et du peuple romain, il ne restait plus aux Gaulois
qu'à quitter leur pays, comme les Helvètes, à chercher
loin des Germains d'autres toits et d'autres demeures,
et à tenter la fortune, quelle qu'elle pût être. Si ces déclarations étaient révélées à Arioviste, on ne pouvait douter
qu'il tirât le plus effroyable supplice des otages qui étaient
en son pouvoir. César seul, par son prestige personnel

et celui de son armée, par sa récente victoire, par le nom
du peuple romain, pouvait empêcher qu'un plus grand
nombre de Germains ne passât le Rhin et défendre toute
la Gaule contre la violence d'Arioviste. »

XXXII. — Quand Diviciac eut tenu ce discours, tous
les assistants, fondant en larmes, se mirent à implorer
le secours de César. César remarqua que, seuls entre
tous, les Séquanais ne faisaient rien de ce que faisaient les
autres ; mais gardaient tristement la tête baissée et leurs
regards attachés au sol. Étonné il leur en demanda la
cause : les Séquanais ne répondaient rien, et gardaient
obstinément le même silence lugubre. Comme il réitérait
ces instances, sans pouvoir tirer un mot de leur bouche,
l'Éduen Diviciac reprit la parole : « Tel était, répondit-il,
le sort des Séquanais, plus lamentable et plus pénible
encore que celui des autres Gaulois, qu'ils n'osaient se
plaindre même en secret ni implorer son secours, tremblant de la cruauté d'Arioviste absent, comme s'il était
lui-même devant leurs yeux ; au moins les autres avaient
la ressource de s'enfuir, mais les Séquanais, qui avaient
reçu Arioviste sur leur territoire et dont toutes les
villes [30] étaient en sa possession, étaient réduits à endurer
tous les tourments. »

XXXIII. — César, instruit de ces détails, releva par
quelques mots le courage des Gaulois, et leur promit de
veiller sur leurs intérêts ; il avait, leur dit-il, grand espoir
d'amener par ses bienfaits et son autorité Arioviste à
cesser ses violences. Leur ayant tenu ce discours, il
congédia l'assemblée. Outre ces plaintes, beaucoup de
raisons l'engageaient à prendre cette situation en considération et à intervenir ; le principal était de voir les
Éduens, que le Sénat avait souvent salués du titre de
frères et d'alliés, soumis au joug et à la sujétion des
Germains et de savoir de leurs otages entre les mains
d'Arioviste et des Séquanais ce qui lui semblait, étant
donné la toute-puissance du peuple romain, une honte
pour lui-même et pour la république. Il voyait qu'il était
périlleux pour le peuple romain d'habituer peu à peu
les Germains à passer le Rhin et à venir en grand nombre
dans la Gaule ; et il estimait que ces hommes sauvages
et barbares, une fois maîtres de toute la Gaule, ne man-
queraient pas, à l'exemple des Cimbres et des Teutons,
de passer dans la Province, et de là à marcher sur l'Italie,

d'autant plus que le Rhône seul séparait les Séquanais de notre Province : périls auxquels, pensait-il, il fallait parer au plus tôt. De plus, l'orgueil et l'insolence d'Arioviste s'étaient exaltés au point qu'il ne le trouvait plus tolérable.

XXXIV. — Il résolut donc d'envoyer à Arioviste des députés pour lui demander de lui fixer un rendez-vous à mi-chemin des deux armées, voulant traiter, disait-il, avec lui d'affaires d'état très importantes pour tous les deux. Arioviste répondit à l'ambassade « que s'il avait besoin de César, il l'irait trouver ; que si César voulait lui demander quelque chose, il n'avait qu'à venir le voir ; il ajouta qu'il n'osait se rendre sans armée dans la partie de la Gaule qui était au pouvoir de César, et qu'une armée ne pouvait être rassemblée sans beaucoup d'approvisionnements et d'embarras ; qu'il lui paraissait d'ailleurs étonnant qu'il eût affaire avec César ou d'une façon générale avec Rome, dans la Gaule qui était à lui et qu'il avait conquise par ses armes. »

XXXV. — Cette réponse ayant été rapportée à César, il renvoie des députés à Arioviste avec les instructions suivantes : « Puisque pour toute reconnaissance des bienfaits qu'il avait reçus de lui-même et du peuple romain, quand, sous son consulat, il avait été salué du titre de roi et d'ami par le Sénat, il refusait de se rendre à l'entrevue à laquelle il était invité et de traiter avec lui de leurs intérêts communs, il lui signifiait ce qui suit : défense d'abord de faire passer le Rhin à de nouvelles hordes pour les établir en Gaule ; puis, ordre de rendre les otages qu'il tenait des Éduens ; et de laisser les Séquanais rendre les leurs avec son consentement ; interdiction de harceler de ses violences les Éduens et de leur faire la guerre ainsi qu'à leurs alliés. S'il agissait ainsi, il garderait à jamais sa faveur et son amitié et celles du peuple romain ; s'il n'acceptait pas, s'appuyant sur le décret du Sénat, rendu sous le consulat de Marcus Messala et de Marcus Pison, qui autorisait tout gouverneur de la Province à protéger, autant que le bien de l'État le permettrait, les Éduens et les autres amis du peuple romain, il ne laisserait pas impunies les violences qui seraient faites aux Éduens. »

XXXVI. — Arioviste répondit « que le droit de la guerre permettait aux vainqueurs de disposer à leur

gré des vaincus ; que le peuple romain n'avait point
l'habitude de s'en remettre à autrui, mais à lui-même
pour disposer des vaincus. Si lui-même ne prescrivait
pas au peuple romain l'usage qu'il devait faire de son
droit, il ne convenait pas que le peuple romain l'entravât
dans l'usage du sien. Les Éduens étaient devenus ses
tributaires pour avoir tenté le sort des armes, livré
bataille et s'être fait battre. César lui faisait un tort
grave en diminuant par son arrivée ses revenus. Il ne
rendrait pas les otages aux Éduens ; il ne leur ferait pas,
à eux ni à leurs alliés, une guerre injuste, s'ils restaient
dans les termes de leur convention et payaient chaque
année leur tribut ; dans le cas contraire, le titre de frère
du peuple romain leur servirait peu. Quant à l'avertis-
sement de César, disant qu'il ne laisserait pas impunies
les violences qui seraient faites aux Éduens, personne ne
s'était encore mesuré avec lui que pour son malheur.
Qu'il vînt l'attaquer quand il voudrait : il apprendrait
à connaître la valeur des Germains invaincus, très
entraînés aux armes, qui, depuis quatorze ans, n'avaient
pas couché sous un toit. »

XXXVII. — Au moment où César recevait cette
réponse, des députés des Éduens et des Trévires arrivaient ; les Éduens pour se plaindre que les Harudes,
récemment passés en Gaule, dévastaient leur pays et
que même en ayant donné des otages ils n'avaient pas
acheté la paix d'Arioviste ; les Trévires pour signaler
que cent cantons des Suèves s'étaient établis sur les
bords du Rhin et qu'ils s'efforçaient de passer le fleuve ;
qu'ils avaient à leur tête deux frères, Nasua et Cimbérius. Vivement ému de ces nouvelles, César estima qu'il
devait se hâter pour ne pas pouvoir résister moins facilement aux Suèves si leur nouvelle bande [31] se joignait
aux vieilles troupes d'Arioviste. Aussi, ayant rassemblé
des vivres en toute hâte, il marche à grandes étapes contre
Arioviste.

XXXVIII. — Après trois jours de marche, on lui
annonça qu'Arioviste marchait avec toutes ses troupes
sur Besançon, la plus forte place des Séquanais, et qu'il
était déjà à trois jours de marche de ses frontières.
César pensait qu'il fallait faire tous ses efforts pour
l'empêcher de prendre cette place, car elle était abondamment fournie de tout ce qui est nécessaire pour la

guerre et si fortifiée par sa position même qu'elle offrait de grandes facilités pour faire durer les hostilités : la rivière du Doubs entoure la place presque tout entière d'un cercle qu'on dirait tracé au compas ; l'espace laissé libre [32] par cette rivière n'a pas plus de six cents pieds, et il est fermé par une montagne d'une grande hauteur, dont la base touche des deux côtés aux bords de la rivière. Un mur qui l'entoure en fait une citadelle, et le joint à la ville. César marche sur elle jour et nuit à grandes étapes, s'empare de la place et y met une garnison.

XXXIX. — Pendant les quelques jours qu'il s'arrêta près de Besançon, pour se ravitailler en blé et autres vivres, les questions de nos soldats et les propos des Gaulois et des marchands, qui ne parlaient que de la haute stature des Germains, de leur incroyable valeur et entraînement militaires, de leur visage et de l'éclat de leurs regards qui bien souvent dans nos rencontres nous avaient été insoutenables, répandaient soudain une telle frayeur dans toute l'armée que les esprits et les cœurs de tous en furent profondément bouleversés. Elle commença par les tribuns militaires, les préfets et ceux qui, ayant suivi César par amitié, avaient plus d'expérience de la guerre ; les uns, invoquant des prétextes variés pour justifier la nécessité de leur départ, demandaient la permission de s'en aller ; certains, que le point d'honneur poussait à éviter le soupçon de lâcheté, restaient au camp ; mais ils ne pouvaient composer leurs visages ni parfois retenir leurs larmes : cachés dans leurs tentes, ils gémissaient sur leur sort ou déploraient avec leurs amis le danger commun. Dans tout le camp, on ne faisait que sceller des testaments. Ces propos, cette frayeur ébranlaient peu à peu ceux-là mêmes qui avaient une grande expérience des camps, soldats, centurions, commandants de cavalerie. Ceux qui parmi eux voulaient passer pour avoir moins peur disaient qu'ils ne craignaient pas l'ennemi, mais les défilés de la route, l'étendue des forêts placées entre eux et Arioviste, ou le manque en blé, si le ravitaillement se faisait mal. Certains annonçaient même à César qu'au moment où il ordonnerait de lever le camp et de marcher, les soldats n'obéiraient pas à ses ordres et, sous l'empire de la frayeur, ne marcheraient pas.

XL. — Voyant cela, après avoir convoqué le conseil
et appelé à ce conseil les centurions de toutes les cohortes,
il commença par leur reprocher avec véhémence « de vouloir pénétrer et discuter son but et ses desseins. Arioviste, sous son consulat, avait recherché avec empressement l'amitié du peuple romain : pourquoi supposer
qu'il s'écarterait si aveuglément de son devoir ? Il était
persuadé pour sa part, que quand il connaîtrait ses
demandes et verrait l'équité de ses conditions, il ne
renoncerait ni à son amitié ni à celle du peuple romain.
Et si, sous l'impulsion d'une fureur démente, il leur
faisait la guerre, qu'avaient-ils donc à craindre ? Pourquoi désespérer de leur valeur et de sa diligence ? On
avait déjà connu cet ennemi du temps de nos pères,
quand la victoire de Caïus Marius sur les Cimbres et les
Teutons n'acquit pas moins de gloire à l'armée qu'au
général lui-même ; on l'avait connu aussi naguère en
Italie, dans la révolte des esclaves, bien qu'alors l'ennemi
fût aidé par l'expérience et la discipline qu'il avait
reçues de nous. On pouvait juger par là des avantages
d'une ferme résolution, puisque ces esclaves que l'on
avait craints un moment sans raison quand ils étaient
désarmés, on les avait battus plus tard et lorsqu'ils
étaient armés et victorieux. Enfin, c'étaient les mêmes
hommes que les Helvètes avaient souvent rencontrés,
non seulement sur leur propre territoire, mais encore
sur le leur, et qu'ils avaient généralement battus, eux
qui pourtant n'avaient pu résister à notre armée. Si certains d'entre eux s'alarmaient de la défaite et de la fuite
des Gaulois [33], ils pouvaient en trouver la cause, s'ils
voulaient bien la chercher, dans la lassitude des lon-
gueurs de la guerre qu'éprouvaient les Gaulois, quand
Arioviste, après s'être enfermé plusieurs mois dans son
camp et ses marais sans faire aucune démonstration,
les avait attaqués tout à coup, déjà dispersés et désespérant de combattre et les avait vaincus par une habile
tactique plus que par la valeur de ses troupes. Une telle
tactique pouvait réussir avec des barbares sans expérience, mais il n'espérait sans doute pas lui-même l'employer sur nos armées. Quant à ceux qui, pour déguiser
leur crainte, alléguaient leurs inquiétudes au sujet du
ravitaillement et des difficultés des chemins, ils étaient
bien insolents avec leurs airs de n'avoir pas confiance en
leur général ou de lui prescrire son devoir. Il avait le
souci de ces difficultés ; les Séquanais, les Leuques, les

Lingons leur fournissaient du blé ; déjà les moissons
étaient mûres dans les champs ; quant à la route, ils en
jugeraient bientôt eux-mêmes. On prétendait que les
soldats n'obéiraient pas aux ordres et ne marcheraient
pas ! ces propos l'inquiétaient fort peu ; il savait qu'une
armée ne se révoltait que contre des généraux malheureux par leur faute ou convaincus, par quelque malver-
sation découverte, de cupidité. Pour lui, sa vie entière
témoignait de son intégrité, et la guerre contre les
Helvètes de sa chance. Aussi ferait-il tout de suite ce
qu'il voulait différer, et il lèverait le camp cette nuit,
à la quatrième veille, afin de connaître au plus tôt si
c'était l'honneur et le devoir ou si c'était la crainte qui
prévalait chez eux. Au demeurant si personne ne le
suivait, il partirait pourtant avec la seule dixième légion,
dont il ne doutait pas et qui serait sa cohorte préto-
rienne. » Cette légion était celle à qui César avait témoi-
gné le plus d'affection et dont la valeur lui inspirait le
plus de confiance.

XLI. — A la suite de ce discours, un merveilleux
changement se produisit dans tous les esprits, y faisant naître la plus vive ardeur et le plus vif désir de
combattre ; tout d'abord, la dixième légion envoya ses
tribuns militaires rendre grâces à César de l'excellente
opinion qu'il avait d'elle et lui confirmer qu'elle était
toute prête à combattre. Puis les autres légions envoyèrent
leurs tribuns militaires et les centurions des premiers
rangs présenter leurs excuses à César, disant « qu'elles
n'avaient jamais eu hésitation ni crainte et qu'elles
n'avaient jamais pensé que la conduite de la guerre
relevât de leur jugement, mais de celui du général
en chef. » César accepta leurs excuses, et après avoir
demandé un itinéraire à Diviciac, parce qu'il était celui
des Gaulois qui avait le plus sa confiance, il résolut,
pour mener l'armée par un pays ouvert, de faire un
détour [34] de plus de cinquante milles, et il partit, comme
il l'avait dit, à la quatrième veille. Après sept jours
d'une marche ininterrompue, il apprit par ses éclaireurs
que les troupes d'Arioviste étaient à vingt-quatre milles
des nôtres.

XLII. — Instruit de l'arrivée de César, Arioviste lui
envoie des députés : « Il acceptait, disait-il, l'entrevue
précédemment demandée, puisque César était plus près

et qu'il pensait pouvoir s'y rendre sans danger. » César
ne repoussa point cette demande : il croyait qu'Arioviste revenait à des idées plus saines, puisqu'il offrait de
son propre mouvement ce qu'il avait d'abord refusé ; il
se flattait de l'espoir que les bienfaits qu'il avait reçus
de lui et du peuple romain, une fois ses conditions
connues, fléchiraient sa ténacité. L'entrevue fut fixée au
cinquième du courant. Dans cet intervalle, on s'envoya de
fréquents messages de part et d'autre ; Arioviste demanda
« que César n'emmenât à l'entrevue aucun homme de
pied : il craignait de tomber dans une embûche ; tous les
deux viendraient avec des cavaliers ; autrement, il ne
viendrait pas. » César, qui ne voulait pas qu'un prétexte
supprimât l'entrevue et qui n'osait commettre son salut
à la cavalerie des Gaulois, jugea que le plus pratique
était de prendre leurs chevaux aux cavaliers gaulois et
de les faire monter par les soldats légionnaires de la
dixième légion, en qui il avait la plus grande confiance,
afin d'avoir, si besoin était, une garde aussi dévouée
que possible. Ce qui fut fait et fit dire assez plaisamment
à un soldat de la dixième légion que « César allait au-
delà de ses promesses, puisque ayant promis de les faire
prétoriens, il les faisait chevaliers ».

XLIII. — Dans une grande plaine [35], à une distance à
peu près égale des deux camps, s'élevait un tertre assez
étendu. C'est là que, comme convenu, les deux chefs
vinrent à une entrevue. César fit arrêter sa légion montée
à deux cents pas de ce tertre ; les cavaliers d'Arioviste
s'arrêtèrent à la même distance. Arioviste demanda qu'on
s'entretînt à cheval et que chacun amenât dix hommes
avec lui. Lorsqu'on fut arrivé, César prit la parole pour
lui rappeler d'abord ses bienfaits et ceux du Sénat ; « il
avait été salué par le Sénat du titre de roi, du titre d'ami,
et comblé des plus riches présents ; c'était là, lui ensei-
gnait-il, un privilège que le Sénat accordait à peu de
personnes, et, d'habitude, pour de grands services ; il
avait obtenu ces faveurs sans titre, sans juste motif de
les solliciter, grâce à la bienveillance et à la libéralité du
Sénat et de lui-même. Il lui apprenait encore combien
étaient vieilles et combien justifiées les raisons de l'amitié
qui liaient les Romains aux Éduens ; quels sénatus-
consultes, et combien honorables, avaient été souvent
rendus en leur faveur ; comment, de tout temps, avant
même qu'ils n'eussent recherché notre amitié, les Éduens

avaient exercé leur principat sur la Gaule entière. C'était
une habitude du peuple romain de vouloir que leurs
alliés et leurs amis, non seulement ne perdissent rien de
leur puissance, mais vissent augmenter leur crédit, leur
dignité, leur considération : en vérité, qui pourrait souffrir
qu'on leur arrachât ce qu'ils avaient apporté à l'amitié
du peuple romain ? » Il présenta ensuite les mêmes
demandes dont il avait confié le mandat à ses envoyés :
« ne faire la guerre ni aux Éduens ni à leurs alliés ; rendre
les otages ; et, s'il ne pouvait renvoyer chez eux aucune
fraction de ses Germains, ne pas souffrir au moins que
d'autres franchissent le Rhin. »

XLIV. — Arioviste répondit peu aux demandes de
César, mais s'étendit longuement sur ses propres mérites :
« Il n'avait point passé le Rhin de son propre mouvement,
mais à la prière et sur les instances des Gaulois ; ce n'était
point sans un grand espoir de riches récompenses qu'il
avait quitté son pays et ses proches ; les terres qu'il
occupait en Gaule lui avaient été concédées par les
Gaulois eux-mêmes ; les otages lui avaient été livrés par
eux volontairement, le tribut perçu selon les droits de la
guerre, en vertu de l'habitude qui veut que les vainqueurs
l'imposent aux vaincus ; ce n'était point lui qui avait pris
l'offensive contre les Gaulois, mais les Gaulois qui
l'avaient prise contre lui ; tous les états de la Gaule étaient
venus l'attaquer, et avaient opposé leurs armées à la
sienne ; il avait, dans un seul combat, dispersé et vaincu
toutes leurs forces. S'ils voulaient tenter une seconde
expérience, il était prêt à une seconde lutte ; s'ils voulaient pratiquer la paix, il était injuste de lui refuser le
tribut, qu'ils avaient volontairement payé jusqu'à ce jour.
Il pensait que l'amitié du peuple romain devait lui procurer honneur et appui, et non un détriment ; et c'est
dans cet espoir qu'il l'avait recherchée. Mais si, grâce
au peuple romain, son tribut lui est enlevé, et ses sujets
soustraits à ses lois, il renoncerait à l'amitié du peuple
romain aussi volontiers qu'il l'avait recherchée. S'il
faisait passer en Gaule un grand nombre de Germains,
c'était pour sa sûreté, non pour attaquer la Gaule : la
preuve en était qu'il n'était venu en Gaule que sur leur
prière, et qu'il n'avait point fait une guerre offensive,
mais défensive. Il était venu en Gaule avant le peuple
romain. Jamais jusqu'à ce jour une armée du peuple
romain n'avait passé les frontières de la province de

Gaule. Que lui voulait-on ? Pourquoi venait-on sur ses possessions ? Cette partie de la Gaule était sa province, comme l'autre était la nôtre. De même qu'on ne devait point lui permettre de pousser une pointe sur nos frontières, de même nous étions injustes en le troublant dans l'exercice de ses droits. Quant au titre de frères que le Sénat, disait César, avait donné aux Éduens, il n'était point assez barbare ni assez dénué d'expérience pour ignorer que, dans la dernière guerre des Allobroges, les Éduens n'avaient pas porté secours aux Romains, et n'avaient point reçu non plus d'aide du peuple romain dans leurs démêlés avec lui et avec les Séquanais. Il avait lieu de soupçonner que César, tout en se disant son ami, n'avait une armée en Gaule que pour le perdre. S'il ne s'éloignait et ne retirait ses troupes de cette région, il le traiterait non point en ami, mais en ennemi ; s'il le tuait, il ferait une chose agréable à beaucoup de nobles et de chefs politiques de Rome, ainsi qu'il l'avait appris par les messages de ceux dont sa mort lui vaudrait la faveur de l'amitié. Mais s'il se retirait et lui laissait la libre possession de la Gaule, il lui témoignerait sa grande reconnaissance en se chargeant des guerres qu'il voudrait entreprendre sans que César encourût ni fatigue ni danger. »

XLV. — De longues explications furent fournies par César, qui lui montra comment il ne pouvait se désister de son entreprise : « Il n'était ni dans ses habitudes ni dans celles du peuple romain de se résigner à abandonner des alliés très méritants, et il ne pensait d'ailleurs pas que la Gaule appartînt plus à Arioviste qu'au peuple romain. Les Arvernes et les Rutènes avaient été battus par Quintus Fabius Maximus [36], et le peuple romain leur avait pardonné sans réduire leur pays en province ni leur imposer de tribut. S'il fallait avoir égard aux droits de l'ancienneté, l'empire du peuple romain sur la Gaule était très justifié ; s'il fallait observer la décision du Sénat, la Gaule devait être libre, puisqu'il avait voulu que, vaincue à la guerre, elle conservât ses lois. »

XLVI. — Pendant ces pourparlers, on vint annoncer à César que les cavaliers d'Arioviste s'approchaient du tertre, poussaient leurs chevaux vers nos hommes et leur lançaient des pierres et des traits. César mit fin à l'entretien, se retira vers les siens et leur défendit de répondre aux ennemis, fût-ce en leur lançant un seul trait. Car, bien qu'il vît qu'un combat de sa légion d'élite contre de la cavalerie dût être sans péril, il ne voulait pas cependant s'exposer à ce qu'on pût dire, après la défaite des ennemis, qu'il les avait surpris perfidement au cours d'une entrevue. Lorsqu'on sut dans toute l'armée l'arrogance avec laquelle, au cours de l'entrevue, Arioviste avait interdit toute la Gaule aux Romains, et l'attaque de ses cavaliers sur les nôtres, incident qui avait amené la rupture des pourparlers, nos soldats sentirent redoubler leur ardeur et leur désir de se battre.

XLVII. — Deux jours après, Arioviste envoie des députés mander à César « son désir de reprendre l'entretien qu'ils avaient commencé et qui avait été interrompu, le priant, soit de fixer un jour pour une nouvelle entrevue, soit de lui envoyer tout au moins un de ses lieutenants ».

César ne pensa pas qu'il y eût lieu à entrevue, d'autant plus que, la veille, les Germains n'avaient pu s'empêcher de lancer des traits sur les nôtres. Il estimait aussi très dangereux d'envoyer un de ses lieutenants, de l'exposer à des hommes barbares. Il crut plus convenable de député Caïus Valérius Procillus, fils de Caïus Valérius Caburus, adolescent fort courageux et fort cultivé, dont le père avait reçu le droit de cité de Caïus Valérius Flaccus [37] : il était sûr, connaissait la langue gauloise, qu'une pratique déjà longue avait rendue familière à Arioviste, et les Germains n'avaient aucune raison de le maltraiter ; il lui adjoignit Marcus Mettius, que l'hospitalité liait à Arioviste. Il les chargea d'entendre ce que dirait Arioviste et de lui en faire le rapport. Quand Arioviste les vit devant lui dans son camp, il s'écria devant toute l'armée : Pourquoi venaient-ils ici ? Pour espionner ? Ils voulaient parler, il les en empêcha, et les fit jeter dans les fers.

XLVIII. — Il leva son camp le même jour et vint l'asseoir au pied d'une montagne [38] à six mille pas de celui de César. Le lendemain il fit passer ses troupes devant le camp de César et campa à deux mille pas plus loin, avec l'intention d'intercepter les convois de blé et autres vivres que lui enverraient les Séquanais et les Éduens. Pendant les cinq jours suivants, César fit sortir ses troupes en avant du camp et les tint rangées en bataille, pour laisser à Arioviste, s'il voulait engager le combat, la faculté de le faire. Mais Arioviste, pendant tous ces jours-là, garda son armée dans son camp, se bornant à un combat quotidien de cavalerie. Voici quel était le genre de combat, auquel s'étaient entraînés les Germains. Six mille cavaliers et autant de fantassins parmi les plus agiles et les plus braves s'étaient mutuellement choisis, en vue de leur propre sûreté. Les cavaliers combattaient avec les fantassins, se repliaient sur eux ; s'il y avait un coup dur, les fantassins accouraient ; si un cavalier, grièvement blessé, tombait de cheval, ils l'entouraient ; s'il fallait avancer assez loin ou se replier rapidement, l'exercice les avait rendus si agiles qu'en se tenant à la crinière des chevaux, ils les suivaient à la course.

XLIX. — Quand César se fut rendu compte que son adversaire se tenait enfermé dans son camp, ne voulant pas avoir les vivres coupés plus longtemps, il choisit, au delà de la position qu'avaient occupée les Germains, à environ six cents pas de ceux-ci, une position avantageuse pour camper, et y dirigea son armée, établie sur trois lignes. Il tint la première et la seconde ligne sous les armes, employa la troisième aux retranchements. Cette position était, comme on l'a dit, à six cents pas à peu près de l'ennemi. Arioviste y envoya environ seize mille hommes de troupes légères avec toute sa cavalerie, pour effrayer les nôtres et empêcher leurs travaux. Néanmoins, fidèle à son plan, César ordonna aux deux premières lignes de faire tête à l'ennemi et à la troisième d'achever son ouvrage. Une fois le camp fortifié, il y laissa deux légions et une partie des auxiliaires ; il ramena les quatre autres dans le grand camp.

L. — Le lendemain, selon son usage, César fit sortir ses troupes des deux camps, et s'étant avancé à quelque distance du grand camp, les rangea en bataille et offrit le combat à l'ennemi.

Quand il vit que même ainsi l'ennemi ne s'avançait pas, il ramena vers midi son armée dans le camp. Alors seulement Arioviste envoya une partie de ses troupes donner l'assaut au petit camp ; de part et d'autre, on se battit avec acharnement jusqu'au soir. Au coucher du soleil, Arioviste ramena ses troupes dans son camp, après des pertes considérables des deux côtés. César demanda aux prisonniers pourquoi Arioviste ne livrait

pas une bataille générale ; il apprit que c'était la coutume
chez les Germains que les femmes consultassent le sort
et rendissent des oracles [39] pour savoir si le moment de
combattre était venu ou non ; or, elles disaient « que
les Germains ne pourraient pas être vainqueurs, s'ils
engageaient le combat avant la nouvelle lune [40] ».

LI. — Le lendemain, César laissa, pour garder les deux
camps, les forces qui lui parurent suffisantes ; il plaça
toutes ses troupes auxiliaires à la vue de l'ennemi devant
le petit camp, voulant, comme le nombre de ses légionnaires était inférieur à celui des ennemis, faire illusion
sur leur nombre en employant ainsi les auxiliaires. Lui-
même, ayant rangé l'armée sur une triple ligne de bataille,
s'avança jusqu'au camp des ennemis. Alors seulement
les Germains, ne pouvant plus éviter le combat, firent
sortir leurs troupes de leur camp, et les placèrent, peuplade par peuplade, à des intervalles égaux, Harudes,
Marcomans, Tribocques, Vangions, Némètes, Sédusiens,
Suèves et, pour s'interdire tout espoir de fuite, formèrent autour d'eux une barrière avec les chariots et
les voitures : ils y firent monter leurs femmes, qui, tout
en pleurs et les mains ouvertes, suppliaient les soldats
partant pour le combat de ne les point livrer en esclavage aux Romains.

LII. — César mit à la tête de chaque légion un de
ses lieutenants et un questeur, pour que chacun les eût
comme témoins de son courage. Lui-même engagea le
combat sur l'aile droite, parce qu'il avait remarqué que
l'ennemi était peu solide de ce côté. Nos soldats, au
signal donné, s'élancèrent avec tant d'impétuosité, et de
son côté l'ennemi courut brusquement et si vite à leur
rencontre, qu'on n'eut pas l'espace de lancer les javelots.
Les javelots abandonnés, un combat corps à corps
s'engagea à l'épée. Mais les Germains, selon leur habitude, se formèrent promptement en phalange et soutinrent le choc de nos armes. Il se trouva un grand
nombre de nos soldats pour sauter sur ces phalanges,
arracher les boucliers aux mains adverses et frapper
l'ennemi de haut en bas. Tandis que l'aile gauche de
l'ennemi était enfoncée et mise en fuite, à droite les
nôtres étaient vivement pressés par le nombre. Le jeune
Publius Crassus, qui commandait la cavalerie, s'en
aperçut (car il était plus dégagé de l'action que ceux qui

combattaient dans la mêlée), et il envoya la troisième
ligne pour secourir nos soldats ébranlés.

LIII. — Cette mesure rétablit le combat ; tous les
ennemis firent volte-face et ne s'arrêtèrent dans leur
fuite que lorsqu'ils furent arrivés au Rhin, à cinquante
mille pas environ du champ de bataille. Là, un tout
petit nombre d'entre eux, ou bien, se fiant à leur force,
essayèrent de passer le fleuve à la nage, ou bien durent
leur salut à des barques qu'ils avaient trouvées. De ce
nombre fut Arioviste, qui trouva une embarcation
attachée au rivage et s'échappa ainsi [41] ; tous les autres [42]
furent taillés en pièces par nos cavaliers qui les poursuivaient. Arioviste avait deux femmes : l'une, de race
suève, qu'il avait emmenée de sa patrie avec lui ; l'autre,
du Norique, et sœur du roi Vocion, qui la lui avait
envoyée en Gaule où il l'épousa ; toutes deux périrent
dans la déroute. Il avait deux filles : l'une fut tuée,
l'autre prise. Caïus Valérius Procillus était entraîné par
ses gardiens dans leur fuite, chargé d'une triple chaîne,
lorsqu'il tomba aux mains de César lui-même, qui pour-
suivait l'ennemi avec ses cavaliers. Ce fut pour César un
plaisir égal à celui de la victoire même, que d'arracher
aux mains de l'ennemi et de se voir rendu l'homme le
plus honoré de la province de Gaule, son ami et son
hôte, et la fortune qui l'avait épargné avait voulu que
rien n'altérât sa joie et son triomphe. Procillus lui dit
qu'il avait vu trois fois consulter le sort pour décider
s'il serait brûlé sur-le-champ ou réservé pour un autre
temps, et qu'il était indemne de par la grâce du sort.
Marcus Mettius fut également retrouvé et ramené à
César.

LIV. — Quand on annonça cette bataille au delà du
Rhin, les Suèves, qui étaient déjà arrivés sur ses bords,
s'en retournèrent chez eux ; les peuples qui habitent
près du Rhin, voyant leur épouvante, les poursuivirent
et en tuèrent un grand nombre. César, ayant terminé
deux grandes guerres en un seul été, mena son armée
prendre ses quartiers d'hiver chez les Séquanais un peu
plus tôt que la saison ne l'exigeait ; il en confia le commandement à Labiénus, et partit pour la Gaule citérieure
afin d'y tenir ses assises.

LIVRE DEUXIÈME

I. — César était, comme nous l'avons dit plus haut, en quartiers d'hiver dans la Gaule citérieure, quand le bruit lui parvint à plusieurs reprises, confirmé par une lettre de Labiénus, que tous les Belges, qui forment, comme nous l'avons indiqué, le tiers de la Gaule, se liguaient contre le peuple romain et se donnaient mutuellement des otages. Les causes de la ligue étaient les suivantes : d'abord, ils craignaient qu'après avoir pacifié toute la Gaule notre armée ne marchât contre eux ; puis, un bon nombre de Gaulois les sollicitaient : ceux qui n'avaient pas voulu que les Germains prolongeassent leur séjour en Gaule n'avaient pas moins de peine à supporter qu'une armée du peuple romain hivernât en Gaule et s'y attardât ; d'autres, par inconstance et légèreté de caractère, désiraient changer de maîtres ; quelques-uns, enfin, à qui leur crédit et des richesses suffisantes pour soudoyer des hommes assuraient d'ordinaire le pouvoir, pouvaient moins facilement arriver à leurs fins sous notre domination.

II. — Inquiet de ces rapports et de cette lettre, César leva deux nouvelles légions [43] dans la Gaule citérieure et les envoya, au commencement de l'été, dans la Gaule intérieure, sous les ordres de Quintus Pédius, son lieutenant. Il rejoint lui-même l'armée, dès qu'on commence à pouvoir faire du fourrage ; il charge les Sénones et les autres Gaulois, qui étaient voisins des Belges, de savoir ce qui se passe chez eux et de l'en informer. Tous s'accordèrent à lui annoncer qu'on levait des troupes, et qu'une armée se rassemblait. Alors, il pensa qu'il ne fallait pas hésiter à marcher contre eux. Après s'être pourvu de blé, il lève le camp et arrive au bout de quinze jours environ sur la frontière des Belges.

III. — On ne s'attendait point à une marche si rapide [44], les Rèmes, qui sont, parmi les Belges, les plus voisins de la Gaule, lui envoyèrent deux députés, Iccius et Andecumborius, les premiers de leur état, pour lui dire « qu'ils remettaient leurs personnes et leurs biens, à la garde et sous la protection du peuple romain ; qu'ils n'avaient point partagé le sentiment des autres Belges, ni conspiré contre le peuple romain ; qu'ils étaient prêts à lui donner des otages, à exécuter ses ordres, à le recevoir dans leurs villes, à lui fournir des vivres et toute espèce de secours ; que tous les autres Belges étaient en armes ; que les Germains, qui habitaient en deçà du Rhin, s'étaient joints à eux ; et que l'animosité générale était telle qu'eux-mêmes, frères et alliés des Suessions, unis avec eux par la conformité des lois et du gouvernement, soumis au même chef de guerre et au même magistrat, n'ont pu les détourner de prendre part au mouvement ».

IV. — César demanda à ces députés quels étaient les peuples en armes, leur nombre et leurs forces ; il apprit « que la plupart des Belges étaient d'origine germaine ; qu'ils avaient jadis passé le Rhin, s'étaient fixés dans ces lieux à cause de la fertilité du sol, et en avaient chassé les habitants gaulois ; que seuls, du temps de nos pères, tandis que les Teutons et les Cimbres ravageaient toute la Gaule, ils les avaient empêchés d'entrer sur leurs territoires ; et que, par suite, ce souvenir leur inspirait une haute idée de leur importance et aussi de hautes prétentions militaires ». Quant à leur nombre, les Rèmes se disaient à même de le savoir exactement ; « car liés avec eux par le voisinage et la parenté, ils savaient ce que, dans l'assemblée générale des Belges, chacun avait promis pour cette guerre. Les plus puissants d'entre eux par le courage, l'influence, le nombre étaient les Bellovaques : ils pouvaient mettre sur pied cent mille hommes ; ils en avaient promis soixante mille d'élite et réclamaient pour eux la direction suprême de toute la guerre. Les Suessions, qui étaient leurs voisins, possédaient un territoire très étendu [45] et très fertile, sur lequel avait régné, de notre temps encore, Diviciac, le plus puissant chef de toute la Gaule, qui joignait à une grande partie de ces régions l'empire de la Bretagne ; aujourd'hui, ils avaient pour roi Galba, auquel tous les alliés ont, d'un commun accord, déféré le commandement pour sa prudence et son équité ; il avait douze

villes, promettait cinquante mille hommes. Les Nerviens, qui passent pour les plus barbares d'entre ces
peuples et qui sont les plus éloignés, en promettaient
autant. Les Atrébates, quinze mille ; les Ambiens, dix
mille ; les Morins, vingt-cinq mille ; les Ménapes, sept
mille ; les Calètes, dix mille ; les Véliocasses et les Viromanduens, autant ; les Atuatuques, dix-neuf mille ; les
Condruses, les Éburons, les Cérèses, les Pémanes, tous
compris sous la dénomination de Germains, environ
quarante mille [46]. »

V. — César encouragea les Rèmes, leur adressa des
paroles bienveillantes, ordonna à leur Sénat de se rendre
auprès de lui et aux principaux citoyens de lui amener
leurs enfants en otages. Toutes ces conditions furent
exactement remplies au jour marqué. Il fait lui-même
un pressant appel à l'Éduen Diviciac, lui représente
« combien il importe à la république et au salut commun
de diviser les forces de l'ennemi, pour n'avoir pas une
si grande multitude à combattre d'un seul coup. La chose
est possible, si les Éduens lancent leurs troupes sur le
territoire des Bellovaques et se mettent à ravager leurs
champs ». Il le renvoie avec cette mission. Quand il
vit que toutes les forces des Belges, après s'être concentrées, marchaient sur lui, quand il sut, par les éclaireurs qu'il avait envoyés et par les Rèmes, qu'ils n'étaient
plus bien loin, il se hâta de faire passer à son armée la
rivière de l'Aisne [47], qui est à l'extrême frontière des
Rèmes, et y plaça son camp [48]. De cette façon, la rivière
défendait un des côtés du camp ; ses derrières étaient
protégés de l'ennemi, et il pouvait sans péril faire venir
des convois de chez les Rèmes et les autres états. Il y avait
un pont sur cette rivière : il y établit un poste et laisse
sur l'autre rive son lieutenant Quintus Titurius Sabinus
avec six cohortes ; il fortifie son camp par un retranchement de douze pieds de haut et par un fossé de dix-huit
pieds.

VI. — A huit milles de ce camp était une ville des
Rèmes nommée Bibrax : les Belges lui livrèrent, en passant, un grand assaut. On n'y résista ce jour-là qu'à
grand'peine. Gaulois et Belges ont la même manière de
donner l'assaut. Ils commencent par se répandre en foule
autour des remparts, lancent de tous côtés des pierres sur
le mur, puis, quand le mur est dégarni de ses défenseurs,

ils s'approchent des portes en formant la tortue et sapent
le mur. Cette tactique était alors facile, car devant une
telle foule criblant les remparts de pierres et de traits,
personne ne pouvait rester sur le mur. La nuit mit fin
à l'assaut. Le Rème Iccius, homme d'une haute naissance
et d'un grand crédit auprès des siens, qui commandait
alors la place, l'un de ceux qui avaient été députés vers
César pour demander la paix, lui envoya dire « qu'il ne
pouvait tenir plus longtemps, s'il n'était secouru ».

VII. — Au milieu de la nuit, César, utilisant comme
guides ceux qui lui avaient apporté le message d'Iccius,
envoie au secours des assiégés des Numides, des archers
crétois et des frondeurs baléares ; leur arrivée, en rani-
mant l'espoir des défenseurs, leur communique une nouvelle ardeur pour la résistance, et enlève en même temps
aux ennemis l'espoir de prendre la place. Aussi, après un
léger temps d'arrêt devant la place, après avoir dévasté
les terres des Rèmes, brûlé tous les villages et tous les
édifices qu'ils pouvaient atteindre, ils marchèrent avec
toutes leurs forces vers le camp de César, et campèrent
à moins de deux mille pas ; leur camp, à en juger par la
fumée et les feux, s'étendait sur plus de huit milles.

VIII. — César, à cause du grand nombre des ennemis
et de leur excellente réputation de bravoure, résolut tout
d'abord de surseoir au combat. Cependant chaque jour,
par des combats de cavalerie, il éprouvait le courage de
l'ennemi et l'audace des nôtres. Quand il vit que les nôtres
ne leur étaient pas inférieurs, et que l'espace qui s'étendait devant le camp était naturellement favorable et
propre pour déployer une armée en bataille (parce que la
colline sur laquelle le camp était assis s'élevait insensiblement au-dessus de la plaine et était sur le devant
juste assez large pour y déployer une armée ; qu'elle
s'abaissait à ses deux extrémités et, se relevant légèrement vers le centre, revenait en pente douce vers la
plaine) il fit creuser aux deux extrémités de la colline
un fossé transversal d'environ quatre cents pas ; au bout
de ces fossés, il établit des forts et disposa des machines
pour empêcher que les ennemis, une fois qu'ils auraient
déployé l'armée en bataille, ne pussent, étant donné
leur nombre, prendre de flanc ses soldats et les envelopper
au cours de la bataille. Cela fait, il laissa dans le camp les
deux légions récemment formées, pour qu'elles pussent,

si besoin était, être amenées en renfort, et il rangea en
bataille les six autres légions devant le camp. L'ennemi
avait de même fait sortir et déployé ses troupes.

IX. — Un marais [49] peu étendu s'étendait entre notre
armée et celle des ennemis. Les ennemis attendaient,
pour voir si les nôtres le franchiraient ; les nôtres, de leur
côté, tenaient leurs armes prêtes pour tomber sur l'ennemi
au cas où celui-ci, prenant l'initiative de traverser les
marais, se trouverait en difficulté. Cependant un combat
de cavalerie se livrait entre les deux lignes. Mais aucun
des adversaires ne voulant hasarder le passage, César,
après avoir obtenu un avantage pour les nôtres dans le
combat de cavalerie, ramena ses soldats dans le camp. Les
ennemis aussitôt se portèrent droit sur l'Aisne, qui était,
comme on l'a dit, derrière notre camp. Ils y trouvèrent
des gués, essayèrent de faire passer une partie de leurs
troupes, avec l'intention de prendre, s'ils le pouvaient,
le retranchement commandé par le lieutenant Quintus
Titurius et de couper le pont, ou, s'ils n'y parvenaient
pas, de ravager le territoire des Rèmes, qui nous offraient
de grandes ressources dans cette guerre, et d'empêcher
notre ravitaillement.

X. — César, averti par Titurius, passe le pont avec
toute sa cavalerie, ses Numides armés à la légère, ses
frondeurs, ses archers et marche à l'ennemi. Il y eut en
cet endroit un combat acharné. Les nôtres ayant surpris
les ennemis dans les embarras du passage en tuèrent un
grand nombre ; les autres, remplis d'audace, essayaient
de passer sur les corps de leurs compagnons : ils furent
repoussés par une grêle de traits ; ceux qui avaient traversé les premiers furent enveloppés par la cavalerie et
massacrés. Quand les ennemis sentirent s'évanouir leur
espoir de s'emparer de la place et de traverser le fleuve,
quand ils virent que nous n'avancions pas, pour livrer
bataille, sur un terrain défavorable, et qu'ils commençaient eux-mêmes à manquer de vivres, ils tinrent conseil
et décidèrent que le mieux était de retourner chacun
chez soi, pour s'y tenir prêts à voler au secours de ceux
dont les Romains envahiraient d'abord le pays ; ils
combattraient avec plus d'avantage sur leur propre territoire que sur celui d'autrui et utiliseraient pour le ravitaillement les ressources intérieures du pays. Ce qui les
décida, entre autres causes, ce fut la nouvelle que Diviciac

et les Éduens approchaient de la frontière des Bellovaques. On ne pouvait convaincre ces derniers de rester
plus longtemps sans secourir les leurs.

XI. — Cette décision prise, ils sortirent du camp à la
seconde veille, à grand bruit, en tumulte, sans ordre ni
discipline, prenant chacun le premier chemin qui s'offrait et ayant hâte d'arriver chez eux, si bien que ce départ
ressemblait à une fuite. César en fut aussitôt prévenu
par ses espions, mais, démêlant mal encore la cause de
cette retraite, il craignit une embuscade et retint son
armée et sa cavalerie dans le camp. Au point du jour,
mieux instruit par les éclaireurs, il détacha toute sa
cavalerie pour retarder l'arrière-garde ; il mit à sa tête
ses lieutenants Quintus Pédius et Lucius Aurunculéius
Cotta ; le lieutenant Titus Labiénus eut ordre de suivre
avec trois légions. Ils atteignirent l'arrière-garde, la
poursuivirent pendant plusieurs milles, tuèrent un grand
nombre de fuyards : les derniers, une fois rattrapés,
firent halte et soutinrent vaillamment le choc de nos soldats ; mais ceux qui les précédaient, se voyant éloignés
du péril, et n'étant retenus ni par la nécessité ni par
l'ordre d'aucun chef, aussitôt qu'ils entendirent la clameur du combat, rompirent leurs rangs et mirent tous
leur salut dans la fuite. Ainsi les nôtres en tuèrent, sans
péril, autant que la durée du jour le leur permit ; au
coucher du soleil, ils cessèrent le carnage et se replièrent
sur leur camp, suivant l'ordre qu'ils avaient reçu.

XII — Le lendemain, César, avant que l'ennemi se
fût rallié et remis de son effroi, conduisit son armée
au pays des Suessions, qui étaient les plus proches voisins
des Rèmes, et arriva, après une longue marche [50], à la
place de Noviodunum. Il essaya de la prendre en passant,
parce qu'il entendait dire qu'elle était sans défenseurs ;
mais il ne put y réussir, en dépit du petit nombre de
ceux-ci, à cause de la largeur du fossé et de la hauteur
des murs. Il se mit alors à retrancher son camp, à faire
avancer des mantelets et à préparer tout ce qui était
nécessaire pour un siège. En attendant, toute la multitude
des Suessions en déroute s'enferma la nuit suivante dans
la place. On avait rapidement poussé les mantelets contre
la place, élevé le terrassement, construit les tours :
étonnés de la grandeur de ces travaux qu'ils n'avaient
encore jamais vus, dont ils n'avaient jamais ouï parler,

les Gaulois envoient des députés à César pour capituler ;
et, sur la prière des Rèmes, ils obtiennent la vie sauve.

XIII. — César, après avoir reçu comme otages les
premiers personnages de l'état ainsi que deux fils du roi
Galba lui-même, et après s'être fait livrer toutes les
armes de la place, reçut la soumission des Suessions et
marcha contre les Bellovaques. Ceux-ci s'étaient renfermés avec tous leurs biens dans la place de Bratuspantium ; César et son armée étaient à environ cinq mille
pas de cette place, lorsque tous les anciens, sortant de la
ville, tendirent leurs mains vers lui et prirent la parole
pour lui dire qu'ils se rendaient à sa discrétion et n'entreprenaient pas de lutter contre le peuple romain. Comme
il s'était approché de la place et établissait son camp,
les enfants et les femmes, du haut des murs, les mains
tendues dans le geste qui leur est habituel, demandèrent
la paix aux Romains.

XIV. — Diviciac parla en leur faveur (depuis la retraite
des Belges, il avait renvoyé les troupes éduennes et était
retourné auprès·de César). « Les Bellovaques, dit-il,
avaient été de tout temps les alliés et les amis de la nation
éduenne ; ils avaient été entraînés par leurs chefs, qui
leur disaient que les Éduens, réduits en esclavage par
César, enduraient toutes sortes d'injures et d'affronts ;
qu'ils s'étaient détachés des Éduens et avaient pris les
armes contre le peuple romain. Ceux qui avaient provoqué cette décision, sentant à quels malheurs ils avaient
livré l'état, s'étaient réfugiés en Bretagne. Ce n'étaient pas
seulement les Bellovaques qui le suppliaient, mais encore
les Éduens qui intervenaient en faveur de ceux-ci, pour
qu'il les traitât avec clémence et mansuétude. S'il agissait ainsi, il augmenterait le crédit des Éduens auprès
de tous les Belges, qui leur fournissaient d'ordinaire, en
cas de guerre, des troupes et des ressources. »

XV. — César répondit que, par considération pour
Diviciac et les Éduens, il accepterait leur soumission et
leur laisserait la vie ; mais comme leur état avait une
grande influence parmi les Belges et l'emportait par le
chiffre de la population, il leur réclama six cents otages.
Quand on les lui eut livrés et qu'on lui eut remis toutes
les armes de la place, il marcha vers le pays des Ambiens,
qui se rendirent aussitôt, corps et biens. Ils avaient pour

voisins de frontières les Nerviens. César s'informa du
caractère et des mœurs de ce peuple. Il apprit que les
marchands n'avaient point d'accès auprès d'eux ; qu'ils
interdisaient absolument l'importation en leur pays du
vin et des autres produits de luxe, parce qu'ils les
jugeaient propres à amollir les âmes et affaiblir le courage ; que c'étaient des barbares d'une grande bravoure ;
qu'ils reprochaient vivement aux autres Belges de s'être
donnés aux Romains et d'avoir abjuré la vertu de leurs
pères ; qu'ils affirmaient qu'ils n'enverraient pas de
députés et n'accepteraient la paix à aucune condition.

XVI. — Après trois jours de marche à travers leur
pays, César apprit de ses prisonniers « que la Sambre
n'était plus qu'à dix mille pas de son camp et que tous
les Nerviens s'étaient établis de l'autre côté de la rivière
pour y attendre l'arrivée des Romains. Ils étaient réunis
aux Atrébates et aux Viromanduens, leurs voisins (car ils
avaient persuadé ces deux peuples de tenter avec eux
la fortune de la guerre). Ils attendaient aussi les forces
des Atuatuques, qui étaient en route ; les femmes, et
ceux que leur âge semblait rendre inutiles au combat,
avaient été entassés en un lieu dont des marais défendaient l'accès à une armée. »

XVII. — Muni de ces renseignements, César envoie
des éclaireurs et des centurions pour choisir un terrain
convenable pour camper. Un grand nombre de Belges
soumis et d'autres Gaulois avaient suivi César et faisaient
route avec lui ; certains d'entre eux, comme on le sut
plus tard par les prisonniers, observèrent, pendant ces
derniers jours, l'ordre de marche de notre armée, se
rendirent de nuit auprès des Nerviens, et leur expli-
quèrent que chaque légion était séparée de la suivante
par une grande quantité de bagages, qu'il serait aisé
d'attaquer la première légion à son arrivée au camp,
quand les autres légions seraient encore à une grande
distance, et avant que les soldats eussent mis sac à
terre ; qu'une fois cette légion mise en fuite et ses bagages
pillés, les autres n'oseraient plus leur tenir tête. Le plan
des informateurs était d'autant mieux conçu que les
Nerviens, faibles en cavalerie (aujourd'hui même ils
négligent ce point, et toute leur force vient de leur infanterie), ont l'habitude antique, pour empêcher plus facilement les incursions de leurs voisins, de tailler et de

courber de jeunes arbres, dont les nombreuses branches
poussées en largeur et les ronces et buissons croissant
aux intervalles forment des haies semblables à des murs,
barrière impénétrable à l'œil même. Comme ces obstacles
entravaient la marche de notre armée, les Nerviens estimèrent que le conseil donné n'était point négligeable.

XVIII. — La nature du terrain que les nôtres avaient
choisi pour le camp était la suivante. Une colline, depuis
son sommet, s'inclinait insensiblement vers la Sambre
susnommée ; vis-à-vis, sur le bord opposé, s'élevait une
colline à pente aussi douce ; sa partie inférieure, sur
deux cents pas environ, était découverte ; sa partie supérieure, assez brisée pour que le regard n'y pût facilement
pénétrer. C'est dans ces bois que l'ennemi se tenait
caché ; dans la partie découverte, le long de la rivière,
on ne voyait que quelques postes de cavaliers. La profondeur du cours d'eau était d'environ trois pieds.

XIX. — César, précédé de sa cavalerie, suivait à peu
de distance avec toutes ses troupes. Mais le plan et
l'ordre de sa marche différaient de ce que les Belges
avaient rapporté aux Nerviens. En approchant de
l'ennemi, César, en effet, selon sa coutume, avait mis en
tête les six légions et placé les bagages de toute l'armée
derrière elles ; puis deux légions, celles qui avaient été
levées le plus récemment, fermaient la marche et gardaient les bagages. Nos cavaliers passèrent la rivière
avec les frondeurs et les archers et engagèrent un combat
avec la cavalerie des ennemis. Ceux-ci, tour à tour, se
repliaient à l'intérieur des bois, auprès des leurs, puis,
ressortant, chargeaient contre les nôtres ; mais les nôtres
n'osaient pas les poursuivre, quand ils se repliaient,
au delà de la limite du terrain découvert. Cependant,
les six légions, qui étaient arrivées les premières, tra-
cèrent l'enceinte du camp et se mirent à la fortifier.
Dès que les ennemis qui se tenaient dissimulés dans les
bois aperçurent les premiers bagages de notre armée
(c'était le moment dont ils avaient convenu pour engager
le combat), ils s'élancèrent soudain avec toutes leurs
forces, dans l'ordre de bataille qu'ils avaient adopté à
l'intérieur des bois et dont ils avaient affermi leur espoir,
et ils tombèrent sur nos cavaliers. Après les avoir facilement défaits et dispersés, ils coururent vers la rivière
avec une si incroyable vitesse qu'ils semblaient être

presque en même temps devant les bois, dans la rivière
et déjà aux prises avec les nôtres. Avec la même vitesse,
ils gravirent la colline opposée, marchant sur notre
camp et sur ceux qui étaient en train de le fortifier.

XX. — César avait tout à faire à la fois : il fallait
déployer l'étendard, qui donnait le signal de courir aux
armes, faire sonner la trompette, rappeler les soldats
du travail, envoyer chercher ceux qui s'étaient un peu
écartés à cause du remblai, ranger l'armée en bataille,
haranguer les troupes, donner le signal de l'attaque ; le
peu de temps et l'approche de l'ennemi rendaient une
grande partie de ces mesures impossible. Dans ces difficultés, deux choses aidaient César : l'habileté et l'entraînement des soldats, qui, exercés par les combats précédents, n'étaient pas moins capables de se tracer à eux-
mêmes leur conduite que de l'apprendre des autres ; et
ensuite, la défense faite par César à ses lieutenants de
s'éloigner chacun du travail et de sa légion, avant que
les travaux du camp fussent achevés. Chacun d'eux,
en raison de la proximité et de la vitesse de l'ennemi,
n'attendait pas maintenant les ordres de César, mais
prenait sur soi de faire ce qui lui semblait bon.

XXI. — César, après avoir donné les ordres nécessaires, courut haranguer les soldats du côté que le hasard
lui offrit, et tomba sur la dixième légion. Pour toute
harangue, il se borna à recommander aux soldats de se
souvenir de leur antique valeur, de ne point se troubler,
et de supporter avec courage le choc des ennemis. Comme
ceux-ci n'étaient plus qu'à une portée de javelot, il donna
le signal du combat. Puis, parti vers l'autre aile pour y
faire les mêmes exhortations, il trouva l'action engagée.
L'attaque avait été si rapide et l'ennemi si ardent à
combattre qu'on n'eut le temps ni de revêtir les insignes
ni même de mettre les casques et d'enlever les housses
des boucliers. Chacun, en revenant des travaux, se plaça
au hasard sous les premières enseignes qu'il aperçut,
pour ne point perdre le temps de la bataille à rechercher
les siennes.

XXII. — Comme l'armée s'était rangée en bataille
selon la nature du terrain et la pente de la colline, et
selon la nécessité pressante plutôt que suivant l'ordre
et la règle de l'art militaire, les légions, isolées, se défen-

daient contre les ennemis chacune de son côté, séparées
les unes des autres par ces haies très épaisses, qui, comme
nous l'avons dit plus haut, empêchaient de voir ; on ne
pouvait ni employer avec précision les réserves, ni pourvoir à ce qui était nécessaire sur chaque point, ni
conserver l'unité de commandement. Aussi, parmi une
telle inégalité des circonstances, la fortune des armes
fut-elle également très variée.

XXIII. — Les soldats de la neuvième et de la dixième
légion, qui se trouvaient placés à l'aile gauche de l'armée,
après avoir lancé leurs javelots, tombèrent sur les Atrébates (car c'étaient eux qui occupaient ce côté), harassés
par leur course et accablés de blessures, et les eurent
bien vite repoussés de la hauteur jusqu'à la rivière.
Ceux-ci essayaient de la franchir ; les nôtres, les poursuivant à l'épée, en tuèrent une grande partie. Eux-
mêmes n'hésitèrent pas à passer la rivière ; et, s'avançant sur un terrain défavorable, où l'ennemi se retourna
pour résister, ils le mirent en déroute après un second
combat. Pareillement, sur un autre point du front, deux
légions isolées, la onzième et la huitième, après avoir
battu les Viromanduens, qui leur étaient opposés, les
avaient pourchassés depuis la hauteur jusque sur les
rives mêmes du cours d'eau. Mais alors le camp se
trouvant presque entier découvert, au centre et sur la
gauche, comme la douzième légion s'était étalée à l'aile
droite avec la septième non loin d'elle, tous les Nerviens, en colonnes compactes, conduits par Boduognat,
leur chef suprême, se portèrent sur ce point ; et, tandis
que les uns enveloppaient nos légions par le flanc découvert, les autres gagnaient le sommet du camp.

XXIV. — Dans le même moment, nos cavaliers et
nos soldats d'infanterie légère, qui les avaient accompagnés et avaient été repoussés, ainsi que je l'ai dit, par
le premier choc des ennemis, les rencontrèrent de front
en se repliant dans le camp, et s'enfuirent de nouveau
dans une autre direction ; et les valets, qui, de la porte
décumane au sommet de la colline, avaient vu les
nôtres traverser la rivière en vainqueurs, étaient sortis
pour faire du butin : lorsqu'en se retournant, ils virent
l'ennemi dans notre camp, ils se mirent à fuir tête
baissée. En même temps, s'élevaient la clameur et le
bruit de ceux qui arrivaient avec les bagages, et qui,

épouvantés, s'enfuyaient de tous les côtés. Affolés par ce spectacle, les cavaliers Trévires particulièrement renommés pour leur bravoure chez les Gaulois, et que leur état avait envoyés comme auxiliaires à César, voyant notre camp plein d'ennemis, nos légions pressées et presque enveloppées, les valets, les cavaliers, les frondeurs, les Numides dispersés et fuyant dans toutes les directions, jugèrent notre situation désespérée et s'en retournèrent chez eux ; ils y annoncèrent que les Romains avaient été battus et mis en fuite, que l'ennemi avait pris leur camp et leurs bagages.

XXV. — César, après avoir exhorté la dixième légion, se rendit à l'aile droite ; il y vit ses soldats serrés de près, les enseignes rassemblées au même endroit, les soldats de la douzième légion entassés et se gênant eux-mêmes pour combattre ; tous les centurions de la quatrième cohorte tombés, le porte-étendard tué, l'étendard perdu, presque tous les centurions des autres cohortes blessés ou tués, entre autres le primipile Publius Sextius Baculus, soldat d'un très grand courage, atteint de blessures si nombreuses et si graves, qu'il ne pouvait plus se soutenir ; les autres étaient très abattus, quelques hommes des derniers rangs, cessant de combattre, se retiraient et se mettaient à l'abri des traits ; l'ennemi ne cessait de monter du pied de la colline vers notre centre et de nous presser sur les deux flancs ; la situation était critique, et, comme il n'y avait aucune réserve dont on pût attendre du secours, il prit le bouclier d'un soldat de l'arrière-garde, car il n'avait pas le sien, et, s'avançant en première ligne, s'adressa aux centurions en les appelant chacun par son nom, harangua les soldats, et donna l'ordre de faire avancer les enseignes et d'élargir les rangs, pour que l'emploi de l'épée pût être plus facile. Son arrivée rendit l'espoir aux soldats et leur redonna du courage ; chacun, sous les yeux du général en chef, chercha à faire de son mieux, même dans cette extrémité, et l'impétuosité de l'ennemi en fut un peu ralentie.

XXVI. — César, remarquant que la septième légion, qui s'était placée près de là, était aussi serrée de près par l'ennemi, avertit les tribuns militaires de rapprocher peu à peu les deux légions et de les adosser pour faire face à l'ennemi. De cette manière, les soldats se prêtaient un mutuel secours, et, ne craignant plus d'être pris par

derrière et cernés, commencèrent à résister plus hardiment et à combattre plus courageusement. Cependant
les soldats des deux légions, qui, à l'arrière-garde, veil-
laient sur les bagages, prenant le pas de course à l'annonce
des combats, se montraient aux ennemis sur le haut de
la colline. De son côté, Titus Labiénus, qui s'était emparé
du camp des ennemis et qui avait vu de la hauteur ce qui
se passait dans le nôtre, envoya la dixième légion à notre
secours. Ses soldats, comprenant par la fuite des cavaliers
et des valets quelle était la situation et en quel grand
danger se trouvaient le camp, les légions et le général,
ne négligèrent rien pour aller vite.

XXVII. — Leur arrivée changea tellement la face des
choses, que ceux des nôtres qui, épuisés par leurs blessures, gisaient sur le sol, s'appuyant sur leurs boucliers,
recommencèrent à se battre ; les valets, voyant l'ennemi
effrayé, se jetaient, même sans armes, sur les adversaires
tout armés ; les cavaliers, pour abolir par leur bravoure
la honte de leur fuite, devançaient en tout lieu les soldats
légionnaires. Mais les ennemis, même réduits à leur
dernière chance de salut, montrèrent tant de courage que,
quand les premiers d'entre eux étaient tombés, ceux qui
les suivaient montaient sur leurs corps et combattaient ;
et, quand ils tombaient à leur tour et que les cadavres
s'amoncelaient, les survivants, comme du haut d'un
tertre, lançaient des traits sur les nôtres et renvoyaient
les javelots qui manquaient le but : il fallait bien penser
alors que ce n'était point folie à des hommes si valeureux,
que d'avoir osé franchir une rivière aussi large, escalader
ses rives escarpées, monter à l'assaut d'une position très
peu favorable : la difficulté de l'entreprise avait été rendue
facile par leur grand courage.

XXVIII. — Après cette bataille, où la race et le nom
des Nerviens furent presque anéantis, les vieillards
qu'ils avaient, comme nous l'avons dit, réunis dans des
lagunes [51] et des marais avec les enfants et les femmes,
instruits de ce combat, ne voyant plus d'obstacle pour
le vainqueur ni de sûreté pour le vaincu, envoyèrent,
avec le consentement unanime des survivants, des députés
à César et se rendirent. Voulant peindre le malheur de
leur état, ils dirent que de six cents sénateurs il n'en
restait que trois, que de soixante mille soldats, il n'en
restait que cinq cents à peine qui pussent porter les

armes. César, pour montrer sa miséricorde envers ces in-
fortunés et ces suppliants, prit grand soin de leur conser-
vation, leur laissa la jouissance de leur territoire et de
leurs villes, et enjoignit à leurs voisins d'éviter d'outrager
et de léser leurs personnes.

XXIX. — Les Atuatuques, dont nous avons parlé plus
haut, venaient au secours des Nerviens avec toutes leurs
forces ; à la nouvelle de ce combat, ils rebroussèrent
chemin et rentrèrent chez eux ; abandonnant toutes leurs
places et tous leurs forts, ils réunirent tous leurs biens
dans une seule place que la nature avait remarquablement
fortifiée. Environnée sur tous les points de son enceinte
par des rochers à pic d'où la vue s'étendait, elle n'avait
pour unique accès qu'une pente douce, de deux cents
pieds de large tout au plus. Ils avaient défendu cet accès
par une double muraille très haute, couronnée de blocs
de pierre d'un grand poids et de poutres aiguisées. Eux-
mêmes descendaient des Cimbres et des Teutons, qui,
dans leur marche sur notre Province et l'Italie, avaient
laissé sur la rive gauche du Rhin les convois qu'ils ne
pouvaient emmener avec eux, avec six mille hommes
d'entre eux pour les garder et les surveiller. Ceux-ci,
après l'anéantissement de leur peuple, furent longtemps
en guerre avec leurs voisins, tour à tour attaquant ou
attaqués. Ils avaient enfin fait la paix, et d'un commun
accord élu domicile en ces lieux.

XXX. — Dans les premiers temps qui suivirent l'arrivée de notre armée, ils faisaient de fréquentes sorties et
engageaient avec les nôtres de petits combats ; puis,
quand on eut élevé une circonvallation de quinze mille
pieds de tour ainsi que de nombreuses redoutes, ils se
tinrent renfermés dans la place. Lorsqu'ils virent qu'après
avoir poussé des mantelets, élevé un terrassement, nous
construisions au loin une tour, ils se mirent à en rire du
haut de leur mur et à nous couvrir de sarcasmes : « Dans
quel but dressait-on une si grande machine à une telle
distance ? Quelles mains, quelles forces avaient donc ces
hommes, surtout d'une si petite taille (car aux yeux de
la plupart des Gaulois notre petite taille, à côté de leur
haute stature, est un objet de mépris) pour prétendre
placer sur leurs murs une tour d'un si grand poids ? »

XXXI. — Mais lorsqu'ils la virent s'ébranler et s'approcher de leurs remparts, vivement frappés de ce spec-

tacle nouveau et étrange, ils envoyèrent à César, pour demander la paix, des députés qui parlèrent à peu près de la sorte : « Ils ne pensaient point que les Romains fissent la guerre sans le secours des dieux, pour pouvoir avec tant de rapidité faire avancer des machines d'une telle hauteur », et ils déclarèrent qu'ils remettaient en leur pouvoir leurs personnes et leurs biens. « Leur seule demande, leur seule prière, au cas où César dont ils entendaient vanter la clémence et la douceur déciderait de laisser la vie aux Atuatuques, était qu'il ne les dépouillât pas de leurs armes. Presque tous leurs voisins étaient leurs ennemis et jalousaient leur valeur ; ils ne pourraient se défendre contre eux, s'ils remettaient leurs armes. Ils préféraient, s'ils étaient réduits à une telle infortune, souffrir n'importe quel sort du peuple romain plutôt que de périr dans les tourments de la main de ces hommes parmi lesquels ils avaient toujours dominé. »

XXXII. — César répondit que « sa clémence habituelle, plutôt que leur conduite, l'engageait à conserver leur nation, s'ils se rendaient avant que le bélier eût touché leur mur ; mais que la reddition était conditionnée par la remise des armes. Il ferait pour eux ce qu'il avait fait pour les Nerviens : il enjoindrait à leurs voisins de ne pas insulter un peuple qui s'était rendu aux Romains ». Après avoir rapporté la réponse de César aux leurs, les députés vinrent dire qu'ils se soumettaient à ses ordres. Du haut du mur ils jetèrent dans le fossé, qui était devant la place forte, une si grande quantité d'armes que leurs monceaux atteignaient presque la hauteur du mur et du terrassement ; et cependant, comme on le découvrit par la suite, ils en avaient caché et gardé environ un tiers dans la place ; ils ouvrirent les portes, et ce jour-là se passa dans la paix.

XXXIII. — Sur le soir, César fit fermer les portes et sortir ses soldats de la ville, pour prévenir les violences qu'ils auraient pu commettre la nuit contre les habitants. Mais ceux-ci, comme on s'en rendit compte, avaient concerté une surprise : ils avaient cru qu'après leur reddition nos portes seraient dégarnies, ou au moins gardées négligemment ; les uns prirent donc les armes qu'ils avaient gardées et cachées, les autres, des boucliers d'écorce ou d'osier tressé, qu'ils avaient subitement, car le temps pressait, garnis de peaux ; puis, à la troisième

veille, ils firent soudain une sortie avec toutes leurs
forces du côté où la montée vers nos retranchements
était la moins rude. Vite, suivant les prescriptions données d'avance par César, l'alarme fut donnée par des
feux ; on accourut de tous les forts voisins ; les ennemis,
luttant dans un lieu désavantageux contre nos soldats
qui lançaient sur eux des traits, du haut du retranchement et des tours, se battirent avec l'acharnement
d'hommes désespérés, qui mettent dans leur courage
leur suprême espoir de salut. On en tua environ quatre
mille ; le reste fut rejeté dans la place. Le lendemain,
on enfonça les portes, que personne ne défendait plus ;
nos soldats pénétrèrent dans la ville ; César fit tout vendre
à l'encan en un seul lot. Il apprit des acheteurs que le
nombre des têtes était de cinquante-trois mille.

XXXIV. — Dans le même temps, César fut informé
par Publius Crassus, qu'il avait envoyé avec une légion [52]
chez les Vénètes, les Unelles, les Osismes, les Coriosolites,
les Ésuviens, les Aulerques, les Redons, peuples marins
sur les côtes de l'Océan, que tous ces peuples étaient sous
la domination et au pouvoir du peuple romain.

XXXV. — Toute la Gaule se trouva pacifiée par ces
campagnes, et la renommée qui en parvint aux Barbares
fut telle que plusieurs des peuples [53] habitant au delà du
Rhin envoyèrent des députés à César pour lui promettre
des livraisons d'otages et leur soumission à ses ordres.
César, pressé de se rendre en Italie et en Illyrique, dit à
ces députations de revenir au début de l'été suivant. Il
amena ses légions prendre leurs quartiers d'hiver chez
les Carnutes, les Andes, les Turons et les peuples voisins
des régions où il avait fait la guerre, et partit pour
l'Italie. En raison de ces succès, à la suite d'un rapport
à César, on décréta quinze jours de supplications [54],
ce qui n'était encore arrivé à personne.

LIVRE TROISIÈME

I. — En partant pour l'Italie, César envoya Servius Galba, avec la douzième légion et une partie de la cavalerie chez les Nantuates, les Véragres et les Sédunes, dont le pays s'étend depuis les frontières des Allobroges, le lac Léman et le Rhône jusqu'aux hautes Alpes. La raison de cet envoi était le désir qu'il avait d'ouvrir un chemin à travers les Alpes [55], où les marchands ne pouvaient passer sans courir de grands risques et payer péage. Il permit à Galba, s'il le jugeait nécessaire, d'établir la légion en ces parages pour passer l'hiver. Galba, après un grand nombre de combats favorables et la prise de plusieurs forteresses, reçut de toutes parts des députés avec des otages, et fit la paix. Il décida de placer deux cohortes chez les Nantuates, et d'hiverner lui-même, avec les autres cohortes de la légion, dans un bourg des Véragres, qui s'appelle Octodures. Ce bourg situé dans une étroite vallée, est cerné de tous côtés par de très hautes montagnes. La rivière la coupant en deux, Galba laissa l'un aux Gaulois, et, après l'avoir fait évacuer, réserva l'autre à ses cohortes pour qu'elles y prissent leurs quartiers d'hiver. Il fortifia cette position d'un retranchement et d'un fossé.

II. — Plusieurs jours s'étaient passés dans ces quartiers d'hiver, et Galba venait de donner l'ordre d'y apporter du blé, quand il fut tout à coup informé par ses éclaireurs que la partie du bourg laissée aux Gaulois avait été complètement évacuée pendant la nuit, et qu'une immense multitude de Sédunes et de Véragres occupait les montagnes voisines. De nombreux motifs avaient inspiré aux Gaulois ce projet subit de recommencer la guerre et de tomber sur notre légion.

Ils savaient d'abord que cette légion n'était pas au complet, mais qu'on en avait détaché deux cohortes et qu'elle était privée d'un grand nombre d'isolés qu'on avait envoyés quérir des vivres, et ils la méprisaient pour son petit effectif ; puis, ils se flattaient, vu le désavantage de notre position, qu'au moment où ils lanceraient leurs traits et se précipiteraient des montagnes dans la vallée, ce premier choc ne pourrait même pas être soutenu par nos troupes. Ajoutez leur ressentiment d'avoir vu leurs enfants enlevés à titre d'otages, et leur conviction que les Romains cherchaient à occuper les cimes des Alpes moins pour détenir les routes que pour s'y établir à jamais et réunir ces régions à la Province limitrophe.

III. — A ces nouvelles, Galba qui n'avait pas encore entièrement achevé son camp d'hiver et ses défenses, ni fait des provisions suffisantes de blé et autres vivres, parce qu'il avait cru, après la reddition des Gaulois et l'acceptation des otages, qu'aucun acte de guerre n'était à craindre, convoqua à la hâte le conseil et se mit à recueillir les avis. Dans ce conseil, en face d'un danger si pressant et si inattendu, voyant presque toutes les hauteurs couvertes d'une foule d'ennemis en armes, n'attendant ni secours ni ravitaillement, puisque les chemins étaient coupés, devant une situation presque désespérée, plusieurs émettaient l'avis d'abandonner les bagages et de ne chercher le salut qu'en se faisant jour à travers les ennemis, par le même chemin qu'ils avaient suivi pour venir. La majorité cependant décida de réserver ce parti pour la dernière extrémité, d'attendre le cours des événements et de défendre le camp.

IV. — Peu après, à peine avait-on eu le temps de mettre à exécution les décisions prises, que les ennemis accourent de toutes parts à un signal donné et lancent sur le retranchement des pierres et des javelots. Les nôtres, qui avaient au début toutes leurs forces, firent une courageuse résistance, et de leur position dominante ne lançaient aucun trait qui ne portât : chaque fois qu'un point du camp, dégarni de défenseurs, semblait vivement pressé, ils couraient y porter secours ; mais l'ennemi avait l'avantage de remplacer par des troupes fraîches celles qu'avait épuisées la durée du combat ; leur petit nombre empêchait les nôtres d'en faire autant : non seulement, ils ne pouvaient, quand ils étaient épuisés, se retirer de l'action, mais les blessés même ne pouvaient quitter la porte où ils étaient placés pour se ressaisir.

V. — On combattait déjà depuis plus de six heures sans relâche ; les nôtres non seulement étaient au bout de leurs forces, mais n'avaient même plus de traits ; l'ennemi devenait plus pressant et, nos soldats faiblissant, il commençait à forcer le retranchement et à combler les fossés ; la situation était d'une gravité extrême. C'est alors que Publius Sextius Baculus, centurion primipile, le même que nous avons vu accablé de blessures à la bataille contre les Nerviens, et, avec lui, Caïus Volusénus, tribun militaire, homme aussi judicieux que valeureux, accourent auprès de Galba, et lui représentent que le seul moyen de salut est de tenter la suprême ressource d'une sortie. Il convoque donc les centurions et informe par eux les soldats de suspendre un instant le combat, de parer seulement les coups qu'ils recevraient et de refaire leurs forces ; puis, au signal donné, de s'élancer de leur camp et de n'attendre leur salut que de leur valeur.

VI. — Ils exécutent les ordres qu'ils ont reçus, et, sortant tout à coup par toutes les portes, ne laissent aux ennemis le moyen ni de comprendre ce qui se passe ni de se reformer. Ainsi, le combat change de face : ceux qui s'étaient flattés de s'emparer du camp sont enveloppés de toutes parts et massacrés ; de trente mille hommes et plus qu'on savait s'être portés à l'attaque du camp, plus du tiers fut tué ; les autres, effrayés, prennent la fuite et ne peuvent même pas rester sur les hauteurs. Ayant ainsi mis en déroute et forcé à abandonner leurs armes toutes les forces des ennemis, nos soldats se replient dans leur camp et dans leurs retranchements. Après cet engagement, Galba ne voulut pas tenter davantage la fortune, et se rappela qu'il avait pris ses quartiers d'hiver dans un tout autre dessein ; voyant où des circonstances imprévues l'avaient entraîné et fort ému surtout devant le manque de blé et de vivres, il fit brûler le lendemain toutes les habitations du bourg et prit le chemin de retour vers la Province ; aucun ennemi n'arrêta ni ne retarda sa marche. Il ramena sa légion sans perte chez les Nantuates, et de là chez les Allobroges, où il hiverna.

VII. — Après ces événements, César avait toute raison
de croire que la Gaule était pacifiée : les Belges avaient
été battus, les Germains chassés, les Sédunes vaincus
dans les Alpes ; il était, dans ces conditions, parti au
commencement de l'hiver pour l'Illyrique, dont il voulait aussi visiter les nations et connaître les contrées :
soudain, la guerre éclata en Gaule. Voici quelle en fut
la raison. Le jeune Publius Crassus, avec la septième
légion, était allé hiverner chez les Andes, à proximité
de l'Océan. Le blé faisant défaut dans ces parages [56],
il envoya un grand nombre de préfets et de tribuns militaires dans les états voisins pour y chercher du blé et
des vivres : Titus Terrasidius, entre autres, fut envoyé
chez les Unelles, Marcus Trébius Gallus chez les Coriosolites, Quintus Vélanius avec Titus Silius chez les
Vénètes.

VIII. — Ce dernier peuple est de beaucoup le plus
puissant de toute cette côte maritime : les Vénètes
possèdent le plus grand nombre des navires, avec lesquels
ils trafiquent en Bretagne, et surpassent les autres
peuples par leur science et leur expérience de la navigation ; ils occupent, d'ailleurs, sur cette grande mer
violente et orageuse, le petit nombre de ports qui s'y
trouvent, et ont pour tributaires presque tous ceux qui
naviguent habituellement dans ces eaux. Les premiers,
ils retiennent Silius et Vélanius, pensant recouvrer par
ce moyen les otages qu'ils avaient livrés à Crassus.
Poussés par leur exemple, leurs voisins, avec cette
prompte et soudaine résolution qui caractérise les Gaulois, arrêtent pour le même motif Trébius et Terrasidius ;
vite, ils s'envoient des députés, et s'engagent, par l'entremise de leurs chefs, de ne rien faire que d'un commun
accord et de courir tous la même chance ; ils pressent
les autres cités de conserver la liberté qu'elles avaient
reçue de leurs pères, plutôt que de supporter le joug
des Romains. Toute la côte est bientôt gagnée à leur
avis, et une ambassade commune a été envoyée à Publius
Crassus pour l'inviter à rendre les otages s'il veut qu'on
lui rende ses officiers.

IX. — Informé de ces événements par Crassus, César
ordonne de construire en l'attendant — car il était
très loin [57] — des navires de guerre sur la Loire, qui se
jette dans l'Océan, de lever des rameurs dans la Pro-

vince et de se procurer des matelots et des pilotes. Ces ordres sont promptement exécutés. Lui-même, dès que la saison le lui permit, se rendit à l'armée. Les Vénètes, ainsi que les autres états, quand ils savent l'arrivée de César, comprenant de quel crime ils s'étaient rendus coupables en retenant et en jetant dans les fers des ambassadeurs (dont la qualité chez toutes les nations fut toujours sacrée et inviolable), proportionnent leurs préparatifs guerriers à la grandeur du péril et pourvoient surtout à l'équipement de leurs navires ; leur espoir était d'autant plus fort que la nature du pays leur inspirait beaucoup de confiance. Ils savaient que les chemins de terre étaient coupés à marée haute par des baies, que toute navigation était entravée par l'ignorance où nous étions des lieux et le petit nombre des ports ; ils pensaient que le manque de vivres nous rendait impossible tout séjour prolongé chez eux, et, lors même que leur attente serait trompée en tout point, ils se savaient toujours les plus puissants sur mer. Ils savaient que les Romains n'avaient point de marine, qu'ils ne connaissaient ni les rades ni les ports ni les îles des pays où ils feraient la guerre, et que la navigation était tout autre sur une mer fermée que sur le vaste et immense Océan. Leurs résolutions prises, ils fortifient les places et transportent le blé de la campagne dans ces places ; ils rassemblent le plus de vaisseaux possible chez les Vénètes, contre lesquels ils pensaient que César ferait d'abord la guerre. Ils s'assurent pour cette guerre l'alliance des Osismes, des Lexoviens, des Namnètes, des Ambiliates, des Morins, des Diablintes, des Ménapes ; ils demandent des secours à la Bretagne, située vis-à-vis de ces contrées.

X. — Nous venons de montrer quelles étaient les difficultés de cette guerre ; et cependant plusieurs motifs commandaient à César de l'entreprendre : l'injure commise en retenant des chevaliers romains ; la révolte après la soumission ; la défection après la remise des otages ; la conjuration de tant d'états, et surtout la crainte que l'impunité laissée à ces peuples n'encourageât les autres à user des mêmes libertés. Il connaissait l'amour de presque tous les Gaulois pour le changement et leur promptitude à partir en guerre, et il savait, d'ailleurs, qu'il est dans la nature de tous les hommes d'aimer la liberté et de haïr l'esclavage. Sans donc attendre qu'un

plus grand nombre d'états entrassent dans la ligue, il
pensa qu'il lui fallait partager son armée et la répartir
sur une plus large étendue.

XI. — Aussi envoie-t-il avec de la cavalerie Titus
Labiénus, son lieutenant, chez les Trévires, peuple voisin
du Rhin ; il le charge de voir les Rèmes et autres Belges,
de les maintenir dans le devoir, et de fermer le passage
du fleuve aux Germains, que l'on disait appelés par les
Belges, s'ils essaient de le franchir avec leurs bateaux. Il
ordonne à Publius Crassus de se rendre en Aquitaine
avec douze cohortes légionnaires et une cavalerie nombreuse, pour empêcher les peuples de ce pays d'envoyer
des secours en Gaule et que des nations si grandes ne
s'unissent. Il envoie son lieutenant Quintus Titurius
Sabinus avec trois légions chez les Unelles, les Coriosolites et les Lexoviens, pour tenir ce côté en respect. Il
donne au jeune Décimus Brutus le commandement de
la flotte et des vaisseaux gaulois fournis, sur son ordre,
par les Pictons, les Santones et les autres régions pacifiées,
et lui dit de partir au plus tôt chez les Vénètes. Lui-
même s'y rend avec les troupes d'infanterie.

XII. — Presque toutes les villes de cette côte étaient
situées à l'extrémité de langues de terre et sur des pro-
montoires, et n'offraient d'accès ni aux piétons, quand la
mer était haute (ce qui se produit régulièrement deux
fois en vingt-quatre heures), ni aux vaisseaux, parce qu'à
marée basse les vaisseaux se seraient échoués sur des bas-
fonds. C'était là double entrave au siège de ces places.
Si par hasard, après des travaux considérables, on parve-
nait à contenir la mer par des digues et des terrassements
et à élever ces ouvrages jusqu'à la hauteur des murs, les
assiégés, lorsqu'ils désespéraient de leur fortune, rassemblaient de nombreux vaisseaux, dont ils avaient une
grande quantité, y transportaient tous leurs biens et se
retiraient dans des places voisines, où la nature leur
offrait les mêmes commodités pour se défendre. Cette
manœuvre leur fut d'autant plus facile durant une grande
partie de l'été, que nos vaisseaux étaient retenus par le
mauvais temps et qu'il était extrêmement difficile de
naviguer sur une mer vaste et ouverte, sujette à de
grandes marées, sans ports ou presque sans ports.

XIII. — Les vaisseaux des ennemis, eux, étaient
construits et armés de la manière suivante. Leur carène

était beaucoup plus plate que celle des nôtres, de sorte
qu'ils avaient moins à craindre les bas-fonds et le
reflux ; leurs proues étaient très relevées, et les poupes
appropriées également à la force des vagues et des tempêtes ; les navires tout entiers de chêne, pour soutenir
n'importe quel choc et n'importe quelle fatigue ; les
traverses avaient un pied d'épaisseur et étaient attachées
par des chevilles en fer de la grosseur d'un pouce ; les
ancres étaient retenues par des chaînes de fer, au lieu
de cordages, des peaux, au lieu de voiles, et des cuirs
minces et souples, soit qu'ils manquassent de lin ou n'en
sussent pas l'usage, soit, ce qui est plus vraisemblable,
qu'ils crussent peu facile de diriger avec nos voiles des
vaisseaux aussi lourds, à travers les tempêtes de l'Océan et
ses vents impétueux. Quand notre flotte se rencontrait
avec de pareils vaisseaux, son seul avantage était de les
surpasser en vitesse et en agilité ; tout le reste était en
faveur des navires ennemis, mieux adaptés et accommodés
à la nature de cette mer et à la violence de ses tempêtes ;
en effet les nôtres, avec leurs éperons, n'avaient point de
prise sur eux, tant ils étaient solides, et la hauteur de leur
construction faisait que les traits n'y atteignaient pas
facilement, et, en même temps, qu'il était peu commode
de les harponner. Ajoutez à cela que, si le vent venait à
s'élever, ils s'y abandonnaient, supportaient plus facilement les tempêtes, pouvaient mouiller en toute sécurité
sur des bas-fonds, et, si le reflux les abandonnait, ne
redoutaient ni les rochers ni les écueils, tandis que tous
ces dangers étaient pour nos vaisseaux très redoutables.

XIV. — Après avoir pris plusieurs places, César,
voyant qu'il se donnait tant de peine inutilement, et que
la prise de ses villes ne pouvait empêcher ni la retraite
de l'ennemi ni lui faire le moindre mal, décida d'attendre
sa flotte. Dès qu'elle arriva et aussitôt qu'elle fut aperçue
par l'ennemi, deux cent vingt de leurs vaisseaux environ,
tout prêts et parfaitement équipés, sortirent de leur port [58]
et vinrent se placer face aux nôtres. Brutus, qui commandait la flotte, et les tribuns militaires et centurions
qui avaient chacun un vaisseau, étaient indécis sur ce
qu'ils avaient à faire et sur la tactique du combat à
adopter. Ils savaient, en effet, que l'éperon était impuis-
sant ; et, si l'on élevait des tours, les vaisseaux barbares
les dominaient encore de par la hauteur de leurs poupes,
si bien que nos traits lancés d'en bas portaient mal,

tandis que ceux des Gaulois tombaient sur nous d'autant
plus vivement. Une seule invention préparée par les
nôtres fut d'un grand secours : c'étaient des faux extrêmement tranchantes, emmanchées de longues perches,
assez semblables à nos faux murales. Avec ces faux on
accrochait et l'on tirait à soi les cordages qui attachaient
les vergues aux mâts ; on les rompait en faisant force de
rames ; une fois rompues, les vergues tombaient forcément et les vaisseaux gaulois, en perdant leurs voiles et
les agrès sur lesquels ils fondaient tout leur espoir, étaient
du même coup réduits à l'impuissance. Le reste du
combat n'était plus qu'affaire de courage, et en cela nos
soldats avaient facilement l'avantage, surtout dans une
bataille livrée sous les yeux de César et de toute l'armée :
aucune action un peu belle ne pouvait rester inconnue ;
l'armée, en effet, occupait toutes les collines et toutes les
hauteurs d'où la vue s'étendait sur la mer toute proche.

XV. — Dès qu'un vaisseau avait eu ses vergues abat-
tues de la manière que nous avons dite, deux ou trois des
nôtres l'entouraient et nos soldats montaient de vive
force à l'abordage. Ce que voyant, les Barbares, qui
avaient perdu une grande partie de leurs navires et qui
n'avaient aucune riposte à cette manœuvre, cherchèrent
leur salut dans la fuite ; et déjà ils se disposaient à profiter des vents, quand soudain il survint un calme plat
qui leur rendit tout mouvement impossible. Cette circonstance compléta d'une façon très opportune notre
victoire : car les nôtres attaquèrent et prirent chaque
navire un à un, et ce n'est qu'un bien petit nombre
d'entre eux qui put, à la faveur de la nuit, regagner la
terre. Le combat avait duré depuis la quatrième heure
du jour environ jusqu'au coucher du soleil.

XVI. — Cette bataille mit fin à la guerre des Vénètes et
de tous les Etats maritimes de cette côte : car tous les
hommes jeunes et même tous les hommes d'un âge mûr,
distingués par leur rang ou leur sagesse, étaient réunis
là, et ils avaient rassemblé en outre sur ce seul point tout
ce qu'ils avaient de vaisseaux, et cette perte ne laissait
aux autres nul moyen de se replier ou de défendre leurs
places. Aussi se rendirent-ils corps et biens à César. César
décida de faire un exemple sévère, qui apprît aux Barbares
à mieux respecter à l'avenir le droit des ambassadeurs. Il
fit donc mourir tout le Sénat et vendit le reste à l'encan.

XVII. — Tandis que ces événements s'accomplis-
saient chez les Vénètes, Quintus Titurius Sabinus arriva,
avec les troupes que César lui avait confiées, sur le territoire des Unelles. Ceux-ci avaient à leur tête Viridorix,
qui commandait aussi à tous les états révoltés et qui en
avait tiré une armée fort nombreuse. Peu de jours après,
les Aulerques Éburovices et les Lexoviens, après avoir
massacré leur Sénat qui s'opposait à la guerre, fermèrent
leurs portes et se joignirent à Viridorix ; en outre, une
multitude considérable était venue de tous les points
de la Gaule, hommes perdus de crimes et bandits que
l'espoir du butin et l'amour de la guerre enlevaient à
l'agriculture et à leurs travaux journaliers. Sabinus était
campé sur un terrain à tous égards favorable et il s'y
tenait renfermé ; Viridorix, posté en face de lui à une
distance de deux milles, déployait tous les jours des
troupes et offrait la bataille, de sorte que Sabinus s'atti-
rait le mépris de l'ennemi et déjà même les sarcasmes
de nos soldats. Il donna tellement l'impression d'avoir
peur, que l'ennemi s'enhardissait jusqu'à venir au pied
de notre retranchement. En réalité, s'il agissait ainsi,
c'est qu'il ne pensait point qu'un lieutenant dût, surtout en l'absence du général en chef, combattre une
si grande multitude, sans avoir pour soi l'avantage du
terrain ou quelque occasion favorable.

XVIII. — L'impression qu'il avait peur étant bien
établie, il choisit un homme adroit et fin, un de ces
Gaulois qu'il avait près de lui comme auxiliaires, le
persuade, par de grands présents et des promesses, de
passer à l'ennemi et l'instruit de ce qu'il doit faire.
Celui-ci arrive en se donnant comme transfuge, et dépeint
la frayeur des Romains ; il dit que César lui-même est
mis en difficulté par les Vénètes ; que, sans tarder davantage, Sabinus, la nuit suivante, lèvera son camp en
secret pour aller le secourir. A cette nouvelle, tous
s'écrient qu'on ne doit pas laisser perdre une occasion
si belle : il faut marcher sur le camp. Plusieurs motifs
poussaient les Gaulois à cette décision : l'hésitation de
Sabinus les jours précédents ; les affirmations du transfuge ; le manque de vivres, auxquels ils avaient peu
pourvu ; l'espoir que suscitait la guerre des Vénètes ;
enfin cette facilité des hommes à croire presque toujours
ce qu'ils désirent. Entraînés par ces raisons, ils ne laissent
pas sortir du conseil Viridorix et les autres chefs qu'ils

n'aient donné l'ordre de prendre les armes et d'attaquer
le camp. Joyeux de ce consentement, et comme assurés
de la victoire, ils amassent des fascines et des branchages
pour en combler les fossés des Romains, et ils marchent
au camp.

XIX. — Le camp était sur une hauteur [59] où l'on
accédait par une douce montée d'environ mille pas. Ils
s'y portèrent d'une course rapide, afin de laisser aux
Romains le moins de temps possible pour se ressaisir et
prendre les armes, et ils arrivèrent hors d'haleine. Sabinus exhorte les siens et leur donne le signal qu'ils désirent.
Il leur ordonne de sortir brusquement par deux portes
et de tomber sur l'ennemi embarrassé des fardeaux
qu'il porte. L'avantage du terrain, l'inexpérience et
l'épuisement de l'ennemi, le courage de nos soldats,
l'entraînement qu'ils avaient acquis dans des combats
précédents, tout assura le succès ; les ennemis ne soutinrent même pas le premier choc et prirent aussitôt la
fuite. Gênés par leurs fardeaux, poursuivis par nos
soldats aux forces intactes, ils périrent en grand nombre ;
la cavalerie harcela le reste et n'en laissa échapper que
peu. Ainsi d'un seul coup, Sabinus fut instruit du combat
naval, et César de la victoire de Sabinus ; tous les états
se rendaient aussitôt à Titurius. Car, autant le Gaulois
est ardent et prompt à prendre les armes, autant il
manque, pour supporter les désastres, d'énergie et de
ressort.

XX. — Environ à la même époque, Publius Crassus
était arrivé dans l'Aquitaine, qui, par son étendue et
sa population, fait, comme on l'a dit plus haut, le tiers
de la Gaule. Voyant qu'il aurait à faire la guerre dans
les mêmes lieux où, peu d'années auparavant, le lieutenant Lucius Valérius Préconinus avait été vaincu et
tué, et d'où le proconsul Lucius Manlius avait dû s'enfuir
après avoir perdu ses bagages, il comprenait qu'il ne
pourrait déployer trop de diligence. Il pourvoit donc
aux provisions de blé, rassemble des auxiliaires et de
la cavalerie, convoque en outre individuellement un
grand nombre de braves soldats de Toulouse et de Narbonne, états de la province de Gaule qui sont voisins de
ces régions, et mène son armée sur les terres des Sontiates.
A la nouvelle de son arrivée, les Sontiates rassemblèrent
des troupes nombreuses et de la cavalerie, qui était

leur principale force, et attaquèrent notre armée dans sa marche ; ils livrèrent d'abord un combat de cavalerie, puis, comme leur cavalerie avait été repoussée et que les nôtres la poursuivaient, soudain, ils découvrirent leurs forces d'infanterie, qu'ils avaient placées en embuscade dans un vallon. Elles foncèrent sur nos soldats dispersés et le combat recommença.

XXI. — Il fut long et acharné : les Sontiates, forts de leurs victoires précédentes, croyaient que le salut de l'Aquitaine tout entière dépendait de leur valeur ; les nôtres voulaient montrer ce qu'ils pouvaient faire sous la conduite d'un tout jeune homme, en l'absence du général en chef et sans les autres légions. Enfin, les ennemis, couverts de blessures, prirent la fuite. Après en avoir tué un grand nombre, Crassus, sans s'arrêter, mit le siège devant la place forte des Sontiates. Comme ils résistaient avec courage, il fit avancer les mantelets et les tours. Les assiégés faisaient tour à tour des sorties ou pratiquaient des mines vers le terrassement et les mantelets (car les Aquitains sont fort habiles à ces ouvrages, leur pays étant plein de mines de cuivre et de carrières) ; mais, ayant compris que, devant la diligence des nôtres, ces moyens ne leur permettaient aucun résultat, ils envoient des députés à Crassus et lui demandent d'accepter leur soumission. Ils l'obtiennent, et, sur son ordre, ils lui livrent leurs armes.

XXII. — Tandis que tous les nôtres étaient attentifs à cette reddition, d'un autre côté de la place parut le chef suprême Adiatuanus [60], avec six cents hommes dévoués à sa personne, de ceux qu'ils appellent Solduriens. (La condition de ces hommes est la suivante : ils jouissent de tous les biens de la vie avec ceux auxquels ils se sont unis par les liens de l'amitié ; si leur chef périt de mort violente, ils partagent le même sort en même temps que lui, ou bien se tuent eux-mêmes ; et, de mémoire d'homme, il ne s'est encore trouvé personne qui refusât de mourir quand l'ami auquel il s'était dévoué était mort.) C'est avec cette escorte qu'Adiatuanus tentait une sortie : une clameur s'éleva de ce côté de nos défenses ; nos soldats coururent aux armes ; après un violent combat, Adiatuanus fut refoulé dans la place ; il n'en obtint pas moins de Crassus les mêmes conditions que les autres.

XXIII. — Après avoir reçu les armes et les otages,
Crassus partit pour le pays des Vocates et des Tarusates.
Alors les Barbares, bouleversés d'apprendre qu'en peu
de jours une place également défendue par la nature et
par l'art était tombée entre nos mains, envoient de
toutes parts des députés, échangent des serments, des
otages et apprêtent leurs forces. Ils envoient aussi des
députés aux états qui appartiennent à l'Espagne citérieure, voisine de l'Aquitaine : ils en obtiennent des
secours et des chefs. Leur arrivée leur permet de se
mettre en campagne avec une grande initiative et une
multitude d'hommes considérable. Ils choisissent pour
chefs ceux qui avaient longtemps servi sous Quintus
Sertorius et qui passaient pour très habiles dans l'art
militaire. Ils ont la manière romaine de prendre leurs
positions, de fortifier leurs camps, de nous couper les
vivres. Crassus s'en aperçut ; il sentit que ses troupes
étaient trop peu nombreuses pour être facilement divi-
sées, tandis que l'ennemi pouvait aller loin, tenir les
routes tout en laissant au camp une garde suffisante ;
que c'était la raison pour laquelle son ravitaillement était
peu facile, et que le nombre des ennemis augmentait de
jour en jour. Crassus pensa qu'il ne devait pas hésiter à
livrer bataille. Il en déféra au conseil, et quand il vit
que tous pensaient comme lui, il décida de combattre le
lendemain.

XXIV. — Au point du jour, il déploya en avant du
camp toutes ses troupes, réparties sur deux lignes,
plaça au milieu les auxiliaires et attendit de voir ce que
déciderait l'ennemi. Ceux-ci, étant donné leur multitude
et leur vieille gloire militaire, ainsi que notre petit
nombre, se croyaient sûrs de vaincre ; cependant, ils
trouvaient plus sûr encore d'obtenir la victoire sans coup
férir, en occupant les routes et nous coupant les vivres ;
et, si le manque de blé forçait les Romains à battre en
retraite, ils méditaient de les attaquer en pleine marche,
embarrassés de leurs convois et chargés de leurs bagages,
inférieurs ainsi en courage. Ce dessein fut approuvé de
leurs chefs : ils laissaient les Romains déployer leurs
troupes, et se tenaient dans leur camp. Ce que voyant,
Crassus, comme leurs hésitations et leur air d'avoir peur
avaient excité l'ardeur de nos troupes pour combattre,
et qu'un cri unanime se faisait entendre pour dire
qu'il ne fallait pas attendre davantage, harangua les

siens, et, cédant aux vœux de tous, marcha sur le camp
ennemi.

XXV. — Là, tandis que les uns comblaient les fossés ;
que les autres, lançant une grêle de traits, chassaient les
défenseurs du retranchement de nos lignes de défense ;
et que les auxiliaires, sur qui Crassus ne comptait pas
beaucoup pour le combat, fournissaient des pierres et
des traits, apportaient des mottes de gazon pour le
terrassement et faisaient croire ainsi qu'ils combattaient ;
l'ennemi, lui, combattait avec fermeté et sans peur
aucune, lançait d'en haut des traits qui n'étaient pas
perdus. Cependant des cavaliers, ayant fait le tour du
camp ennemi, rapportèrent à Crassus que, du côté de
la porte décumane, le camp était moins bien gardé, et
offrait un accès facile.

XXVI. — Crassus, après avoir exhorté les préfets de
la cavalerie à encourager leurs soldats par des récompenses et des promesses, leur expliqua ce qu'il voulait
faire. Ceux-ci, d'après l'ordre reçu, firent sortir les cohortes
qui avaient été laissées à la garde du camp et qui étaient
toutes fraîches, et, faisant un long détour pour dérober
leur marche au camp des ennemis, pendant que tous les
regards étaient fixés sur le champ de bataille, ils parvinrent rapidement à la partie du retranchement que
nous avons dite : ils le forcèrent, et s'établirent dans
le camp des ennemis, avant que ceux-ci pussent bien
voir ou savoir ce qui se passait. Alors, avertis par les cris
qui se font entendre de ce côté, les nôtres, sentant leurs
forces renaître, comme il arrive d'ordinaire quand on a
l'espoir de la victoire, pressèrent l'attaque avec plus d'ardeur. Les ennemis, enveloppés de toutes parts, et perdant
complètement courage, s'efforcèrent de franchir les lignes
de défense et de chercher leur salut dans la fuite. La
cavalerie les poursuivit en rase campagne, et, des cinquante mille Aquitains et Cantabres qui formaient cette
armée, un quart à peine lui avait échappé, quand elle
revint au camp fort avant dans la nuit.

XXVII. — Au bruit de ce combat, une grande partie
de l'Aquitaine se rendit à Crassus et envoya d'elle-même
des otages. De ce nombre furent les Tarbelles, les Bigerrions, les Ptianes, les Vocates, les Tarusates, les Élusates,
les Gates, les Ausques, les Garonnes, les Sibuzates, les

Cocosates. Un petit nombre d'états éloignés, se fiant sur la saison avancée, ne suivirent pas cet exemple.

XXVIII. — Environ le même temps, bien que l'été fût déjà près de sa fin, César cependant, voyant que seuls, dans toute la Gaule pacifiée, les Morins et les Ménapes restaient en armes et ne lui avaient jamais envoyé demander la paix, pensa que c'était là une guerre qui pouvait être achevée promptement et y conduisit son armée. Ces peuples suivirent une tactique guerrière toute différente de celle des autres Gaulois. Voyant en effet que les plus grandes nations qui avaient lutté contre César, avaient été repoussées et battues, et possédant un pays où se succèdent forêts et marais, ils s'y transportèrent corps et biens. César, parvenu à l'orée de ces forêts, avait commencé à s'y retrancher, sans qu'un seul ennemi eût paru, quand tout à coup, au moment où les nôtres étaient dispersés pour les travaux, les Barbares sortirent de tous les coins de la forêt et fondirent sur les nôtres. Nos soldats, saisissant vite leurs armes, les repoussèrent dans les forêts, et en tuèrent un grand nombre, perdant eux-mêmes quelques hommes, pour avoir poussé trop loin, dans des lieux difficiles, la poursuite de l'ennemi.

XXIX. — Les jours suivants, César entreprit d'abattre la forêt ; et pour empêcher une attaque de flanc sur nos soldats surpris et sans armes, il faisait entasser tout le bois coupé face à l'ennemi, sur les deux flancs, pour s'en faire un rempart. Avec une rapidité incroyable, en peu de jours, ce travail fut accompli sur une grande étendue ; et déjà nos soldats étaient maîtres des troupeaux et des derniers bagages de l'ennemi, qui s'enfonçait dans l'épaisseur des forêts, quand des orages continuels forcèrent d'interrompre la besogne, et, la pluie ne cessant pas, il ne fut plus possible de tenir les soldats sous les tentes. Aussi, après avoir ravagé tous les champs, brûlé les villages et les bâtisses, César ramena son armée et la mit en quartier d'hiver chez les Aulerques et les Lexoviens, ainsi que chez les autres peuples qui venaient de nous faire la guerre.

LIVRE QUATRIÈME

I. — L'hiver suivant [61], qui fut l'année du consulat de Cnéius Pompée et de Marcus Crassus, les Germains Usipètes et aussi les Tenctères passèrent le Rhin en grand nombre, non loin de l'endroit où il se jette dans la mer [62]. La raison de ce passage fut que depuis plusieurs années les Suèves leur faisaient une guerre sans répit et les empêchaient de cultiver leurs champs. Le peuple des Suèves est de beaucoup le plus grand et le plus belliqueux de toute la Germanie. On dit qu'ils forment cent cantons, de chacun desquels on tire tous les ans mille hommes pour aller guerroyer au dehors. Les autres, ceux qui sont restés au pays, pourvoient à leur nourriture et à celle de l'armée ; l'année suivante, ils prennent les armes à leur tour, tandis que les premiers demeurent au pays. Ainsi ni l'agriculture, ni la science ou la pratique de la guerre ne sont interrompues. Au reste aucun d'eux ne possède de terre en propre, et ne peut, pour la cultiver, demeurer plus d'un an dans le même lieu [63]. Ils consomment peu de blé, et vivent en grande partie du lait et de la chair des troupeaux ; ils sont de grands chasseurs. Ce genre de vie, leur alimentation, l'exercice quotidien, leur indépendance qui, dès l'enfance, ne connut jamais le joug d'aucun devoir, d'aucune discipline, cette habitude de ne rien faire contre leur gré, tout cela les fortifie et en fait des hommes d'une taille prodigieuse. De plus, ils ont pris l'habitude, sous un climat très froid, de n'avoir pour tout vêtement que des peaux (dont l'exiguïté laisse à découvert une grande partie de leur corps) et de se baigner dans les fleuves.

II. — Ils laissent venir chez eux les marchands, plutôt pour vendre le butin de guerre qu'ils ont fait que par

désir d'importer. Ils n'utilisent même pas ces chevaux
étrangers qui plaisent tant dans la Gaule, et qu'on y paie
si cher ; mais à force d'exercer chaque jour ceux de leur
pays, qui sont petits et mal faits, ils les rendent très endu-
rants. Dans les combats de cavalerie, il leur arrive souvent
de sauter à bas de leurs chevaux et de se battre à pied : ils
ont dressé les chevaux à rester en place, et ils les rejoi-
gnent vite, si besoin est ; rien, à leur idée, n'est plus honteux et ne prouve plus de mollesse que de faire usage
de selles. Aussi, quel que soit leur petit nombre, atta-
quent-ils sans hésiter une troupe nombreuse dont les
chevaux sont sellés. L'importation du vin est complètement interdite chez eux, parce qu'ils croient que cette
boisson énerve les hommes et affaiblit leur résistance.

III. — Ils tiennent que la plus grande gloire d'un état
est de faire à ses frontières le plus vaste désert ; cela
signifie qu'un grand nombre de nations est incapable de
résister à sa puissance. Aussi dit-on que d'un côté de
leurs frontières les campagnes sont désertes sur un
espace d'environ six cent milles [64]. De l'autre, ils sont pour
voisins les Ubiens, peuple autrefois nombreux et aussi
florissant que peut l'être un état germain : ils sont un peu
plus civilisés que les autres peuples de même race, parce
qu'ils touchent au Rhin et que les marchands vont
beaucoup chez eux, et aussi parce que le voisinage des
Gaulois les a façonnés à leurs mœurs. Les Suèves les
attaquèrent souvent, au cours de nombreuses guerres,
mais ne purent, à cause de leur puissance et de leur
nombre, les chasser de leur territoire ; ils en firent pourtant leurs tributaires et les réduisirent à un grand état
d'abaissement et d'affaiblissement.

IV. — Il en fut de même des Usipètes et des Tenctères,
nommés plus haut, qui résistèrent longtemps aux attaques
des Suèves ; cependant à la fin ils furent chassés de leur
territoire, et, après avoir erré trois ans dans maintes
régions de la Germanie, ils arrivèrent au Rhin. Ce fut
dans les régions habitées par les Ménapes, qui avaient
sur l'une et l'autre rive du fleuve des champs, des maisons et des bourgs ; mais, effrayés par l'arrivée d'une telle
multitude, ils quittèrent les maisons qu'ils avaient eues,
au delà du fleuve, et, disposèrent des forts de ce côté-ci du
Rhin, barrant la route aux Germains. Ceux-ci, après
avoir tout essayé, ne pouvant passer ni de vive force,

faute de bateaux, ni à la dérobée, à cause des gardes, fei-
gnirent de retourner vers leur pays de résidence, et, après
trois jours de marche, revenant sur leurs pas, accompli-
rent en une nuit avec leurs chevaux tout ce trajet, et
tombèrent inopinément et à l'improviste sur les Ménapes.
Ceux-ci, informés par leurs éclaireurs de la retraite des
Germains, étaient rentrés sans crainte dans leurs bourgs
au delà du Rhin. Ils furent massacrés, leurs navires
furent pris et le fleuve franchi avant que la partie des
Ménapes qui habitait l'autre rive fût informée de rien ;
toutes leurs maisons furent occupées et leurs provisions
alimentèrent les troupes pendant le reste de l'hiver.

V. — César, instruit de ces événements, et redoutant
la pusillanimité des Gaulois, qui sont prompts à changer
d'avis et d'ordinaire avides de nouveautés, ne crut pas
devoir s'en remettre à eux. On a, en effet, l'habitude, en
Gaule, de forcer les voyageurs à s'arrêter, même malgré
eux, et de les interroger sur tout ce que chacun d'eux a
appris ou connu. Dans les villes, le peuple entoure les
marchands, les oblige à dire de quel pays ils viennent et ce
qu'ils y ont appris. C'est sous le coup de ces potins et de
ces ouï-dire qu'ils décident souvent les affaires les plus
importantes, pour se repentir bientôt forcément d'avoir
cédé à des bruits incertains, et la plupart du temps
inventés pour leur plaire.

VI. — Connaissant cette habitude, César, pour ne
pas être en face d'une guerre plus dangereuse, part pour
l'armée [65] plus tôt que de coutume. Une fois arrivé là,
il apprit que ses prévisions s'étaient réalisées : plusieurs
états avaient envoyé des députations aux Germains, les
invitant à quitter le Rhin et déclarant qu'ils étaient
prêts à fournir tout ce qu'ils demanderaient. Poussés
par cet espoir, les Germains commençaient déjà à
s'étendre et étaient parvenus sur le territoire des Éburons et des Condruses, qui sont les clients des Trévires.
César, ayant convoqué les principaux de la Gaule, estima
devoir dissimuler ce qu'il avait appris : il les tranquil-
lisa, les rassura, leur ordonna de fournir de la cavalerie
et résolut de faire la guerre aux Germains.

VII. — Après s'être muni de provisions de blé, et
avoir recruté ses cavaliers, il se mit en route vers les
lieux où l'on disait qu'étaient les Germains. Il n'en était

plus qu'à quelques jours de marche, quand ils lui envoyèrent des députés, qui lui tinrent ce langage : « Les Germains ne commencent pas de faire la guerre au peuple
romain, mais pourtant ne refusent pas la lutte, si on
les attaque, car les Germains ont recueilli de leurs
ancêtres l'habitude de se défendre contre ceux, quels
qu'ils soient, qui leur font la guerre, et de ne pas implorer
la paix ; au reste, ils déclarent qu'ils sont venus contre
leur gré, parce qu'on les chassait de chez eux. Si les
Romains veulent bien de leur alliance, ils peuvent leur
être des amis utiles : qu'on leur assigne des terres ou
qu'on leur laisse celles qu'ils ont conquises par les armes.
Ils ne le cèdent qu'aux Suèves, que les dieux mêmes
ne sauraient égaler ; il n'est aucun autre peuple sur la
terre qu'ils ne puissent battre. »

VIII. — César répondit à ce discours ce qui lui parut
bon ; mais sa conclusion fut qu'il ne pouvait y avoir
d'amitié entre eux et lui, s'ils restaient en Gaule ; qu'il
n'était point juste que ceux qui n'avaient pu défendre
leurs terres s'emparassent de celles d'autrui ; qu'il n'y
avait point en Gaule de terrain vacant que l'on pût
donner sans injustice, surtout à une multitude si nombreuse ; mais qu'ils pouvaient, s'ils le voulaient, se fixer
sur le territoire des Ubiens, dont il a auprès de lui des
députés qui se plaignent des violences des Suèves et
réclament son secours ; qu'il en obtiendrait la permission
des Ubiens.

IX. — Les députés lui dirent qu'ils rapporteraient
cette réponse à leurs mandataires et qu'après délibéra-
tion, ils reviendraient auprès de lui sous trois jours ;
cependant, ils le prièrent de n'avancer point davantage. César leur dit qu'il ne pourrait accéder à cette
demande : il savait, en effet, qu'un bon nombre de
jours auparavant, ils avaient envoyé une grande partie
de leur cavalerie au delà de la Meuse, chez les Ambivarites, pour y prendre du butin et du blé. Il pensait
qu'on attendait ces cavaliers et que c'était la raison qui
les faisait demander un délai.

X. — La Meuse prend sa source dans les montagnes
des Vosges [66], qui sont sur le territoire des Lingons, et,
après avoir reçu un bras du Rhin, que l'on nomme le
Wahal, elle forme l'île des Bataves, et, à quatre-vingt

mille pas au plus, se jette dans l'Océan. Quant au Rhin,
il prend naissance chez les Lépontes, habitants des
Alpes, et traverse avec rapidité, dans son cours étendu,
les contrées des Nantuates, des Helvètes, des Séquanais,
des Médiomatrices, des Triboques, des Trévires ; en
approchant de la mer, il se divise en plusieurs bras, et
forme beaucoup d'îles très grandes, la plupart habitées
par des nations farouches et barbares, au nombre desquelles il y a des hommes qui vivent, croit-on, de poissons
et d'œufs d'oiseaux ; enfin, il se jette par beaucoup
d'embouchures dans l'Océan.

XI. — César n'était plus qu'à douze mille pas de
l'ennemi, quand les députés revinrent, au jour fixé ; ils
le rencontrèrent en marche et le supplièrent encore de
ne point aller plus avant. N'ayant pu l'obtenir, ils le
priaient au moins de faire donner à la cavalerie, qui
formait l'avant-garde, l'ordre de ne pas engager le
combat, et de leur laisser le temps d'envoyer des députés
aux Ubiens, protestant que, si les principaux et le Sénat
de cette nation s'y engageaient par serment, ils accepteraient les conditions proposées par César ; ils ne demandaient pour cela que trois jours. César pensait que tout
cela tendait au même but : obtenir un délai de trois
jours, pour donner à leurs cavaliers absents le temps
de revenir ; cependant, il leur dit qu'il ne s'avancerait,
ce jour-là, que de quatre milles, pour trouver de l'eau ;
il les invita à venir ici le lendemain, aussi nombreux que
possible, afin qu'il pût se prononcer sur leurs demandes.
En attendant, il fait dire aux préfets, qui marchaient
en avant avec toute la cavalerie, de ne pas attaquer
l'ennemi, et, s'ils étaient eux-mêmes attaqués, de tenir
ferme jusqu'à ce qu'il arrivât lui-même avec l'armée.

XII. — Mais, dès que les ennemis aperçurent nos
cavaliers, qui étaient au nombre de cinq mille, tandis
qu'eux-mêmes étaient huit cents à peine (car ceux qui
étaient allés chercher du blé au delà de la Meuse n'étaient
pas encore de retour), ils tombèrent sur eux et eurent
tôt fait de mettre le désordre en nos rangs ; les nôtres
étaient sans défiance, parce que les députés ennemis
venaient à peine de quitter César et avaient demandé
une trêve pour cette journée. Bientôt les nôtres se
reformant, ils mirent pied à terre, selon leur coutume,
éventrèrent les chevaux, jetèrent à bas un grand nombre

des nôtres, mirent les autres en fuite, et les frappèrent
tous d'une telle épouvante qu'ils ne s'arrêtèrent qu'à
la vue de notre armée. Dans ce combat soixante-quatorze de nos cavaliers trouvèrent la mort ; de ce nombre
fut un homme d'un grand courage, l'Aquitain Pison,
né d'une famille considérable, dont l'aïeul avait obtenu
la royauté dans son état et reçu de notre Sénat le titre
d'ami. En portant secours à son frère que les ennemis
enveloppaient et en l'arrachant au danger, il fut renversé
lui-même de son cheval qui avait été blessé, et se défendit avec courage aussi longtemps qu'il put ; et lorsque,
entouré de toutes parts, il tomba percé de coups, son
frère, déjà hors de la mêlée, l'aperçut de loin, lança son
cheval contre les ennemis et se fit tuer.

XIII. — Après ce combat, César estimait qu'il ne
devait plus entendre les députés ni recevoir les propositions de gens qui avaient commencé les hostilités par
un coup de traîtrise et une embuscade, en demandant
la paix. Attendre que le retour de leur cavalerie eût
complété leurs troupes aurait été, à son avis, le comble
de la folie ; connaissant la pusillanimité des Gaulois,
et sentant déjà l'impression énorme qu'un seul combat
avait faite sur eux, il ne voulait point leur laisser le temps
de prendre un parti. Aussi, après avoir bien arrêté ses
dispositions et communiqué son dessein à ses lieutenants et à son questeur, il résolut de ne plus différer la
bataille. Il arriva fort à propos que le lendemain matin
les Germains, conduits par le même esprit de perfidie
et de dissimulation, après avoir groupé un grand nombre
de leurs chefs et de leurs anciens, vinrent trouver César
dans son camp. C'était, disaient-ils, pour s'excuser
d'avoir engagé la veille le combat malgré leurs conven-
tions et leur propre demande, mais en même temps
pour obtenir, si possible, en nous trompant, quelque
prolongement à la trêve. César, se réjouissant de les
voir ainsi s'offrir, ordonna de les retenir [67] ; puis il fit
sortir du camp toutes ses troupes et mit à l'arrière-garde
la cavalerie, qu'il croyait encore dans l'épouvante de son
dernier combat.

XIV. — Ayant rangé son armée sur trois lignes, et
accompli rapidement une traite de huit milles, il arriva
au camp des ennemis avant qu'ils pussent savoir ce qui
se passait. Épouvantés soudain par toutes les circons-

tances : rapidité de notre arrivée, absence de leurs chefs, manque de temps pour délibérer ou prendre les armes, ils ne savaient, dans leur trouble, s'ils devaient marcher contre nous, défendre le camp ou chercher leur salut dans la fuite. Comme leur rumeur, leur tumulte annonçaient leur frayeur, nos soldats, animés par la perfidie de la veille, firent irruption dans le camp. Là, ceux qui furent assez prompts pour prendre les armes, firent aux nôtres quelque résistance et engagèrent le combat entre les chars et les bagages. Mais le reste, la multitude des enfants et des femmes (car tous ensemble avaient quitté leur pays et passé le Rhin), se mit à fuir de tous les côtés ; César envoya sa cavalerie à leur poursuite.

XV. — Les Germains, entendant une clameur derrière eux, et voyant qu'on massacrait les leurs, jetèrent leurs armes, abandonnèrent leurs enseignes militaires et s'échappèrent hors du camp. Arrivés au confluent de la Meuse et du Rhin, désespérant de poursuivre leur fuite, et ayant perdu un grand nombre des leurs, ceux qui restaient se jetèrent dans le fleuve et y périrent vaincus par la peur, la fatigue, la force du courant. Les nôtres, sans avoir perdu un seul homme et n'ayant qu'un tout petit nombre de blessés, délivrés d'une guerre si redoutable, où ils avaient affaire à quatre cent trente mille hommes, se replièrent sur leur camp. César donna à ceux qu'il avait retenus au camp la permission de partir ; mais ceux-ci, craignant les supplices et les tortures des Gaulois, dont ils avaient ravagé les champs, lui dirent qu'ils voulaient rester auprès de lui. César leur concéda la liberté.

XVI. — Après avoir terminé la guerre contre les Germains, César, pour de nombreuses raisons, se détermina à passer le Rhin. La meilleure était que, voyant la facilité avec laquelle les Germains se décidaient à passer en Gaule, il voulait leur inspirer les mêmes craintes pour leurs biens, en leur montrant qu'une armée du peuple romain pouvait et osait franchir le Rhin. Une autre raison s'ajoutait à celle-là, c'était que ceux des cavaliers Usipètes et Tenctères, qui, comme je l'ai dit plus haut, avaient passé la Meuse pour prendre du butin et du blé et n'avaient pas assisté au combat, s'étaient retirés, après la défaite de leurs compatriotes, au delà du Rhin, chez les

Sugambres, et s'étaient unis avec eux. César ayant envoyé
des députés demander aux Sugambres de lui remettre
ceux qui avaient porté les armes contre lui et contre les
Gaulois, ils répondirent que « l'empire du peuple romain
finissait au Rhin ; s'il ne trouvait pas juste que les Germains passassent en Gaule, malgré lui, pourquoi pré-
tendait-il à quelque pouvoir ou à quelque autorité au
delà du Rhin ? » Or les Ubiens, qui, seuls des Transrhénans, avaient envoyé des députés à César, lié amitié
avec lui, livré des otages, le priaient instamment « de les
secourir contre les Suèves, qui les pressaient vivement ;
ou, si les affaires de la République l'en empêchaient,
de porter seulement son armée au delà du Rhin : ce
serait un secours suffisant et une garantie pour l'avenir ;
le renom et le prestige de cette armée étaient tels, depuis
la défaite d'Arioviste et ce dernier combat, même chez
les peuplades les plus reculées de la Germanie, que la
pensée qu'ils étaient les amis du peuple romain leur
assurerait la sécurité ». Ils promettaient une grande
quantité de navires pour le transport de l'armée.

XVII. — César, pour les raisons que j'ai dites, avait
décidé de passer le Rhin [68] ; mais la traversée sur des
bateaux lui semblait un moyen peu sûr et peu convenable à sa dignité et à celle du peuple romain. Aussi,
malgré l'extrême difficulté de construire un pont à
cause de la largeur, de la rapidité et de la profondeur du
fleuve, il estimait cependant qu'il lui fallait tenter l'entreprise ou, sinon, renoncer à faire passer l'armée. Voici
le système de pont qu'il institua : il joignait ensemble,
à deux pieds l'une de l'autre, deux poutres d'un pied et
demi d'épaisseur, un peu aiguisées par le bas, et d'une
hauteur proportionnée à celle du fleuve ; il les descendait
dans le fleuve avec des machines et les enfonçait à coups
de mouton, non dans une direction verticale, comme des
pilotis ordinaires, mais suivant une ligne oblique et
inclinée selon le jet de l'eau ; en face, et à quarante pieds
de distance en aval, il en plaçait deux autres, assemblées
de la même manière, mais tournées contre la force et la
violence du courant ; sur ces deux paires, on posait des
poutres de deux pieds, qui s'enclavaient exactement entre
les pieux accouplés, et on plaçait de part et d'autre deux
chevilles qui empêchaient les couples de se rapprocher
par le haut ; ces pieux, ainsi écartés et retenus chacun en
sens contraire, donnaient tant de solidité à l'ouvrage,

et cela en vertu de la nature même des choses, que, plus
la violence du courant était grande, plus le système était
lié étroitement. On posait sur les traverses des fascines
longitudinales et, par-dessus, des lattes et des claies ; en
outre, on enfonçait vers la partie inférieure du fleuve,
des pieux obliques, qui, faisant contrefort, et appuyant
l'ensemble de l'ouvrage, brisaient la force du courant ;
d'autres encore étaient placés à une petite distance en
avant du pont, afin d'atténuer le choc des troncs d'arbres
et des bateaux que les Barbares pourraient lancer en vue
de jeter bas l'ouvrage, et d'en préserver le pont.

XVIII. — Tout l'ouvrage est achevé en dix jours, à
compter de celui où les matériaux avaient été apportés,
et l'armée passe [69]. César laissant une forte garde aux
deux têtes du pont, marche vers le pays des Sugambres.
Cependant, les députés de nombreux états vinrent lui
demander la paix et son amitié ; il leur fait une réponse
bienveillante et les invite à lui amener des otages. Mais
les Sugambres qui, sur les exhortations des Usipètes et
des Tenctères, qu'ils avaient parmi eux, avaient tout préparé pour fuir, du moment où l'on commença de
construire le pont, avaient quitté leur pays, emporté avec
eux tous leurs biens et étaient allés se cacher dans une
contrée déserte et couverte de forêts.

XIX. — César, après s'être arrêté quelques jours sur
leur territoire, et y avoir brûlé tous les bourgs et tous les
bâtiments et coupé le blé, se retira dans le pays des
Ubiens. Il leur promit son aide contre les Suèves, s'ils
étaient attaqués par eux, et fut par eux informé que les
Suèves, ayant appris par leurs éclaireurs la construction
du pont, avaient, selon leur coutume, tenu conseil, et
envoyé de tous les côtés l'ordre de quitter les villes, de
déposer dans les bois leurs femmes, leurs enfants et tous
leurs biens, et de rassembler ceux qui étaient en état de
porter les armes dans un même lieu, qui avait été choisi
à peu près au centre des régions occupées par les Suèves,
et d'y attendre l'arrivée des Romains pour livrer une
bataille décisive. Ainsi informé, César, ayant atteint
tous les buts qu'il s'était proposés quand il avait décidé
de faire passer le Rhin à son armée, comme de faire
peur aux Germains, châtier les Sugambres, délivrer
les Ubiens de la pression qu'ils subissaient, au bout de
dix-huit jours passés au delà du Rhin, crut avoir assez

fait pour la gloire et l'intérêt de Rome, revint en Gaule et coupa le pont derrière lui.

XX. — L'été étant fort avancé, César, bien que les hivers soient précoces dans ces régions (parce que toute la Gaule est orientée vers le nord), résolut cependant de partir pour la Bretagne, comprenant que, dans presque toutes les guerres contre les Gaulois, nos ennemis en avaient reçu des secours [70] ; il pensait du reste que, si la saison ne lui laissait pas le temps de faire la guerre, il lui serait cependant très utile d'avoir seulement abordé dans l'île, vu le genre d'habitants, reconnu les lieux, les ports, les accès, toutes choses qui étaient presque ignorées des Gaulois ; car nul autre que les marchands ne se hasarde à y aborder, et ceux-ci mêmes n'en connaissent que la côte et les régions qui font face à la Gaule. Aussi, ayant fait venir de partout des marchands, n'en put-il rien apprendre ni sur l'étendue de l'île, ni sur la nature et le nombre des nations qui l'habitent, ni sur leur manière de faire la guerre ou leurs institutions, ni sur les ports qui étaient capables de recevoir une grande quantité de gros vaisseaux.

XXI. — Voulant avoir ces renseignements avant de tenter l'entreprise, il envoie avec un navire de guerre Caïus Volusénus, qu'il juge propre à cette mission. Il lui donne mandat de faire une reconnaissance d'ensemble et de revenir au plus tôt. Lui-même, avec toutes ses troupes, part pour le pays des Morins, car c'est de là [71] que le trajet en Bretagne est le plus court. Il y rassemble des vaisseaux tirés de toutes les contrées voisines et fait venir la flotte qu'il avait construite, l'été précédent, pour la guerre des Vénètes. Cependant son projet s'étant ébruité et ayant été porté par les marchands à la connaissance des Bretons, de nombreux états de leur île lui envoient des députés, pour promettre de livrer des otages et de se soumettre à l'empire du peuple romain. Il les écoute, leur fait des promesses libérales, les exhorte à persévérer dans ces sentiments et les renvoie chez eux, accompagnés de Commius qu'il avait fait lui-même roi des Atrébates, après avoir battu cette nation [72]. C'était un homme dont il appréciait le courage et la prudence, qu'il jugeait fidèle à sa personne et dont l'autorité était très estimée dans ces contrées. Il lui ordonne de visiter le plus de peuples qu'il pourrait, de les exhorter à s'en remettre au peuple romain et de leur annoncer son arrivée prochaine. Volusénus, ayant reconnu les contrées autant qu'il put le faire et n'osant débarquer ni s'en remettre aux Barbares, revient au bout de cinq jours près de César et lui rend compte de ce qu'il avait vu.

XXII. — Tandis que César s'attardait dans ces lieux pour apprêter ses vaisseaux, une grande partie des Morins lui envoya des députés pour s'excuser de leur conduite passée et de la guerre qu'en hommes barbares et ignorants de notre caractère ils avaient faite au peuple romain ; ils promettaient de faire ce qu'ordonnerait César. Celui-ci, trouvant cette occasion assez favorable, car il ne voulait pas laisser d'ennemis derrière lui, la saison était trop avancée [73] pour faire la guerre, et l'expédition de Bretagne passait à son avis bien avant d'aussi minces soucis, exige un grand nombre d'otages. Ils lui sont amenés, et il reçoit leur soumission. Ayant rassemblé et fait ponter environ quatre-vingts vaisseaux de transport, nombre qu'il jugeait suffire pour transporter deux légions, il distribua ce qu'il avait en outre de vaisseaux de guerre à son questeur, à ses lieutenants et à ses préfets. A cette flotte s'ajoutaient dix-huit vaisseaux de transport qui étaient à huit milles de là [74], empêchés par le vent de parvenir au même port ; il les attribua à ses cavaliers, et fit partir le reste de l'armée, sous les ordres de Quintus Titurius Sabinus et de Lucius Aurunculéius Cotta, ses lieutenants, chez les Ménapes et dans les pays des Morins, qui ne lui avaient pas envoyé de députés ; il donna l'ordre à Publius Sulpicius Rufus, son lieutenant, de garder le port avec la garnison qu'il croyait suffisante.

XXIII. — Ces mesures prises, profitant d'un temps favorable pour la navigation, il leva l'ancre vers la troisième veille. Il ordonna aux cavaliers de gagner l'autre port [75], de s'y embarquer et de le suivre. Ceux-ci ayant procédé un peu trop lentement, il n'avait que ses premiers vaisseaux lorsqu'il atteignit la Bretagne, vers la quatrième heure du jour [76], et là, il´vit, sur toutes les collines, les troupes des ennemis sous les armes. La configuration du lieu était telle, la mer était si resserrée entre les monts [77], qu'on pouvait des hauteurs lancer des traits sur le rivage. Jugeant le lieu tout à fait impropre à un débarquement, César resta à l'ancre jusqu'à la

neuvième heure, attendant l'arrivée du reste des vaisseaux. Cependant, il rassembla ses lieutenants et ses
tribuns militaires, leur expliqua ce qu'il avait appris
de Volusénus et quelles étaient ses intentions ; il les
avertit d'agir au commandement et à l'instant voulu,
selon les exigences de la guerre et en particulier de la
guerre navale, où la force des choses a vite fait de changer. Quand il les eut renvoyés, il profita d'une marée
et d'un vent d'un même coup favorables, pour donner
le signal, et, levant l'ancre, il rangea ses navires à sept
mille pas de là environ sur une plage unie et découverte [78].

XXIV. — Mais les Barbares, s'étant aperçus du dessein des Romains, envoyèrent en avant leur cavalerie
et ces chars dont ils ont coutume de se servir dans les
combats, et les suivirent avec le reste de leurs troupes
pour s'opposer à notre débarquement. Plusieurs circonstances rendaient très difficile la descente : nos
vaisseaux, en raison de leur grandeur, ne pouvaient
s'arrêter qu'en pleine mer ; nos soldats, ignorant la
nature des lieux, les mains embarrassées, chargés du
poids considérable de leurs armes, devaient à la fois
s'élancer des navires, lutter contre les vagues, et se
battre avec l'ennemi ; tandis que celui-ci, combattant à
pied sec ou s'avançant très peu dans l'eau, entièrement
libre de ses membres, connaissant parfaitement les lieux,
lançait ses traits hardiment et poussait sur nous ses
chevaux qui avaient l'habitude de la mer. Nos soldats,
épouvantés par ces circonstances et du reste peu faits
à ce genre de combat, n'avaient pas la même ardeur et
le même entrain qu'ils avaient habituellement dans leurs
combats sur terre.

XXV. — Dès que César le vit, il fit un peu éloigner
des vaisseaux de transport ses vaisseaux de guerre, dont
l'aspect était nouveau pour les Barbares et la manœuvre
plus souple ; il leur ordonna de faire force de rames et
d'aller se placer sur le flanc droit de l'ennemi, d'où à
force de frondes, d'arcs et de balistes, ils devaient le
repousser et le refouler. Cette tactique fut d'un grand
secours pour les nôtres. Car, troublés par la forme de
nos navires, par le mouvement de leurs rames et par le
caractère singulier de nos machines, les Barbares s'arrêtèrent et reculèrent un peu. Nos soldats hésitaient encore
à cause de la profondeur de la mer ; alors celui qui por-

tait l'aigle de la dixième légion, après avoir invoqué les
dieux pour que son entreprise fût favorable à la légion :
« Compagnons, dit-il, sautez à la mer si vous ne voulez
pas livrer votre aigle à l'ennemi ; moi, du moins, j'aurai
fait mon devoir envers la République et le général. » A
ces mots, prononcés d'une voix forte, il s'élança du
navire et se mit à porter l'aigle vers l'ennemi. Alors les
nôtres, s'exhortant entre eux à ne point souffrir un tel
déshonneur, sautèrent, tous comme un seul homme,
hors du vaisseau ; ceux des navires voisins, témoins de
leur audace, les suivirent et marchèrent à l'ennemi.

XXVI. — On combattit de part et d'autre avec acharnement ; cependant, comme les nôtres ne pouvaient ni
garder leurs rangs, ni se maintenir sur une position
ferme, ni suivre leurs enseignes, et que sortant les uns
d'un navire, les autres d'un autre, ils se rangeaient sous
les enseignes qu'ils rencontraient, la confusion était des
plus grandes ; les ennemis, eux, connaissant tous les
bas-fonds, n'avaient pas plus tôt vu du rivage quelques
soldats isolés sortant de leur navire qu'ils poussaient
contre eux leurs chevaux, et les attaquaient dans cette
situation embarrassée. Ils cernaient à plusieurs un petit
groupe inférieur en nombre ; d'autres, prenant l'armée
sur son flanc découvert, l'accablaient tout entière de
leurs traits. Ce que voyant, César fit emplir de soldats
les chaloupes des vaisseaux longs et les bateaux de
reconnaissance, et il les envoyait en renfort à ceux
qu'il avait vus en danger. Dès que les nôtres se furent
reformés sur le rivage, et qu'ils se virent réunis, ils
fondirent sur l'ennemi et ils le mirent en fuite ; mais ils
ne purent le poursuivre bien loin, parce que la cavalerie
n'avait pu rester dans la bonne direction et atteindre
l'île. C'est la seule chose qui manqua à la fortune invé-
térée de César.

XXVII. — Les ennemis, après leur défaite, dès qu'ils
eurent cessé de fuir, se hâtèrent d'envoyer à César des
députés pour lui demander la paix, promettant de donner
des otages et d'exécuter ses ordres. En même temps
que ces députés vint Commius l'Atrébate, que César,
comme je l'ai dit plus haut, avait envoyé avant lui en
Bretagne. A son débarquement, et comme il leur signifiait, en qualité de porte-parole, le message du général
en chef, ils l'avaient saisi et jeté dans les fers ; puis, après

le combat, ils le renvoyèrent, et, en demandant la paix,
rejetèrent la responsabilité de cet attentat sur la multitude, en le priant d'excuser une faute due à leur ignorance. César, après s'être plaint qu'ils lui eussent fait
la guerre sans motif, alors qu'ils lui avaient d'eux-mêmes
envoyé demander la paix sur le continent, déclara qu'il
excusait leur imprudence et exigea des otages ; ils en
livrèrent une partie aussitôt, le reste devait venir d'assez
loin et être livré, promirent-ils, sous peu de jours. Cependant, ils renvoyèrent leurs soldats aux champs, et de
tous côtés les principaux habitants commencèrent de
venir, pour recommander à César leurs intérêts et ceux
de leurs états.

XXVIII. — La paix était ainsi assurée et l'on était
arrivé depuis quatre jours en Bretagne, lorsque les
dix-huit navires, dont il a été question plus haut, et qui
portaient la cavalerie, quittèrent le port du nord [79] par
un léger vent. Déjà, ils approchaient de la Bretagne et
on les voyait du camp [80], lorsque soudain il s'éleva une
si violente tempête qu'aucun d'eux ne put tenir sa
direction : les uns furent ramenés à leur point de départ ;
les autres, non sans courir un grand danger, poussés
vers la partie inférieure et occidentale de l'île ; ils y
jetèrent l'ancre, mais bientôt inondés par les vagues,
ils furent forcés de reprendre la haute mer en pleine
nuit et atteignirent le continent.

XXIX. — Le sort voulut que cette même nuit ce fût
la pleine lune [81], jour où les marées de l'Océan ont accou-
tumé d'être les plus hautes. Nos soldats l'ignoraient.
Aussi en un instant les vaisseaux longs, dont César
s'était servi pour le transport de l'armée, et qu'il avait
fait mettre à sec sur la grève, se trouvèrent-ils pleins
d'eau, tandis que les vaisseaux de transport, qu'on avait
mis à l'ancre, étaient battus par la tempête, sans que les
nôtres eussent aucun moyen de les manœuvrer ou de les
secourir. Un grand nombre de navires furent brisés ;
les autres, ayant perdu câbles, ancres et autres agrès,
étaient hors d'état de naviguer : cette situation, comme
il était inévitable, répandit une grande consternation
dans toute l'armée [82]. Il n'y avait point, en effet, d'autres
vaisseaux pour nous retransporter, on manquait de tout
ce qu'il eût fallu pour réparer ceux-ci, et, comme chacun
pensait qu'on devait hiverner en Gaule, on n'avait fait

aucune provision de blé pour passer l'hiver dans ces lieux.

XXX. — Quand ces circonstances leur furent connues, les principaux Bretons qui, après la bataille, étaient venus trouver César, tinrent conseil entre eux : voyant les Romains dépourvus de cavalerie, de vaisseaux et de blé, et jugeant du petit nombre de nos troupes par le peu d'étendue du camp, qui était d'autant plus resserré que César avait emmené ses légions sans bagages, ils crurent que le meilleur parti à prendre était de se révolter, nous couper le blé et les vivres, et faire durer la campagne jusqu'à l'hiver, comptant bien que s'ils parvenaient à nous battre ou à nous fermer le retour, personne n'aurait l'audace désormais de porter la guerre en Bretagne. Ayant donc reformé leur ligne, ils se mirent à quitter le camp peu à peu et à rappeler en secret les hommes qu'ils avaient renvoyés aux champs.

XXXI. — César ne connaissait pas encore leurs projets, mais l'accident survenu à ses navires et l'interruption dans la livraison des otages lui faisaient soupçonner ce qui se produisait. Aussi prenait-il des précautions pour parer à tout événement : chaque jour, il faisait apporter du blé de la campagne dans le camp ; et utilisait le bois et l'airain des vaisseaux qui avaient le plus souffert pour réparer les autres, se faisant apporter du continent tout ce qui était utile pour ces travaux. Et c'est ainsi que le zèle extrême déployé par les soldats mit, en sacrifiant douze navires, tous les autres en état de bien naviguer.

XXXII. — Cependant une légion, selon la coutume, avait été envoyée au blé (c'était la septième) et jusqu'alors rien ne faisait soupçonner des hostilités ; une partie des Bretons restait aux champs, d'autres même venaient souvent dans le camp, quand les soldats qui montaient la garde devant les portes annoncèrent à César qu'on voyait s'élever plus de poussière que d'habitude du côté où la légion s'était dirigée. César, soupçonnant ce qui se passait, c'est-à-dire quelque attaque imprévue de la part des Barbares, donne l'ordre aux cohortes de garde de partir avec lui de ce côté, à deux autres de prendre leur place, et à celles qui restaient de s'armer et de le suivre sur-le-champ. S'étant avancé à quelque dis-

tance du camp, il vit les siens pressés par l'ennemi et
résistant avec peine ; la légion, les rangs serrés, était
criblée de toutes parts par les traits de l'adversaire. Comme
en effet cet endroit était le seul où les blés ne fussent pas
coupés, les ennemis, soupçonnant que nous y viendrions,
s'étaient cachés la nuit dans les bois ; puis, voyant nos
soldats dispersés, sans armes, occupés à moissonner, ils
les avaient assaillis tout à coup, en avaient tué quelques-
uns et mis le reste, qui n'arrivait pas à se former régulièrement, dans un grand désordre ; en même temps leur
cavalerie et leurs chars les avaient enveloppés.

XXXIII. — Voici leur façon de combattre de ces
chars : d'abord, ils les font voler de tous côtés en lançant
des traits ; la seule crainte qu'inspirent les chevaux et
le bruit des roues jette d'ordinaire le désordre dans les
rangs ; puis, quand ils ont pénétré entre les escadrons, ils
sautent à bas de leurs chars et combattent à pied. Cependant, peu après, les conducteurs sortent de la mêlée,
et placent leurs chars de telle sorte que, si les combattants
sont pressés par le nombre, ils puissent se replier commodément sur eux. Ils réunissent ainsi dans le combat la
mobilité du cavalier et la solidité du fantassin, et l'effet
de leur entraînement et de leur exercice journalier est tel
qu'ils savent arrêter leurs chevaux lancés sur une piste
rapide, les modérer et les faire tourner rapidement,
courir sur le timon, se tenir ferme sur le joug, et, de là,
rentrer dans leurs chars en un instant.

XXXIV. — Ce nouveau genre de combat ayant jeté
le trouble chez nos soldats, César arriva fort à propos
pour les secourir ; car à son arrivée les ennemis s'arrêtèrent et les nôtres se ressaisirent. Ce résultat obtenu,
jugeant l'occasion peu favorable pour attaquer et livrer
bataille, il demeura sur place, et, après une brève attente,
ramena ses légions dans le camp. Pendant que ces événements se déroulaient et occupaient toutes nos troupes,
les Bretons restés dans la campagne se retirèrent. Les
jours qui suivirent virent se succéder une série de
mauvais temps, qui retint les nôtres dans leur camp et
empêcha l'ennemi d'attaquer. Dans cet intervalle, les
Barbares envoyèrent de tous côtés des députés, firent
connaître aux leurs la faiblesse de nos effectifs et leur
montrèrent la facilité qu'ils auraient de faire du butin et
de recouvrer à jamais leur liberté, s'ils chassaient les

Romains de leur camp. De cette façon ils eurent bientôt rassemblé une cavalerie et une infanterie nombreuses et ils marchèrent sur notre camp.

XXXV. — César prévoyait bien qu'il en serait de ce combat comme de ceux qui l'avaient précédé, et que l'ennemi, à peine repoussé, nous échapperait aisément par sa rapidité ; cependant il prit les trente cavaliers que Commius l'Atrébate, dont on a parlé plus haut, avait amenés avec lui, et rangea ses légions en bataille devant le camp. Le combat engagé, l'ennemi ne put longtemps soutenir le choc de nos soldats, et prit la fuite. Poursuivi aussi loin que les nôtres eurent la force de courir après lui, il perdit un grand nombre de soldats ; puis, après avoir tout détruit et brûlé sur une vaste étendue, nos troupes rentrèrent au camp.

XXXVI. — Le même jour, des députés vinrent trouver César de la part des ennemis pour lui demander la paix. César doubla le nombre des otages déjà exigés et ordonna de les lui amener sur le continent : l'équinoxe étant proche, il ne voulait pas exposer à une navigation d'hiver des vaisseaux peu solides. Profitant d'un vent favorable, il leva l'ancre peu après minuit, et regagna le continent avec tous ses vaisseaux intacts ; mais deux vaisseaux de transport ne purent entrer au même port que les autres, et furent poussés un peu plus bas.

XXXVII. — Ces navires portaient environ trois cents soldats, qui se dirigèrent vers le camp ; mais les Morins, que César, partant pour la Bretagne avait laissés pacifiés, séduits par l'espoir d'un butin, les entourèrent avec un nombre d'hommes d'abord peu considérable, et leur ordonnèrent de mettre bas les armes, s'ils ne voulaient pas être tués. Ceux-ci s'étant formés en cercle pour se défendre, aussitôt, aux cris des combattants, six mille hommes environ accoururent. A cette nouvelle, César envoya toute la cavalerie du camp au secours des siens. Cependant nos soldats soutinrent l'attaque de l'ennemi, et, pendant plus de quatre heures, combattirent avec un très grand courage ; ils reçurent peu de blessures et tuèrent beaucoup d'ennemis. Dès qu'apparut notre cavalerie, les ennemis jetèrent leurs armes et s'enfuirent ; on en massacra un grand nombre.

XXXVIII. — César, le lendemain, envoya Titus
Labiénus, son lieutenant, avec les légions ramenées de
Bretagne, contre les Morins qui s'étaient révoltés. Comme
les marais étaient à sec, ils se virent privés du refuge qui
les avait protégés l'année précédente et tombèrent
presque tous entre les mains de Labiénus. Par contre, les
lieutenants Quintus Titurius et Lucius Cotta, qui avaient
conduit les légions sur le territoire des Ménapes, après
avoir ravagé tous leurs champs, coupé les blés, brûlé les
habitations, se replièrent auprès de César, parce que les
Ménapes s'étaient tous cachés dans l'épaisseur des forêts.
César établit chez les Belges les quartiers d'hiver de
toutes ses légions. Deux états de la Bretagne en tout
lui envoyèrent là leurs otages ; les autres négligèrent de
le faire. Ces campagnes terminées, et à la suite d'une
lettre de César, vingt jours d'actions de grâces furent
décrétés par le Sénat.

LIVRE CINQUIÈME

I. — Sous le consulat de Lucius Domitius et d'Appius
Claudius, César, quittant ses quartiers d'hiver pour
aller en Italie, comme il avait coutume de faire chaque
année, ordonne aux lieutenants qu'il avait mis à la tête
de ses légions d'avoir soin, au cours de l'hiver, de construire le plus de vaisseaux qu'il serait possible et de
réparer les anciens. Il en détermine les dimensions et la
forme. Pour qu'on puisse les charger et les mettre à sec
rapidement, il les fait faire un peu plus bas que ceux dont
nous avons coutume d'user sur notre mer ; d'autant qu'il
avait observé que, par suite du flux et du reflux, les vagues
de l'Océan étaient moins fortes ; pour les charges et le
grand nombre de bêtes de somme qu'ils étaient destinés
à transporter, il les commande un peu plus larges que les
vaisseaux dont nous nous servons sur les autres mers.
Il ordonne qu'ils soient tous à voiles et à rames, ce que
leur peu de hauteur rend très facile. Il fait venir d'Espagne
tout ce qui est utile [83] à l'armement de ces navires. Puis,
après en avoir terminé avec ses assises dans la Gaule
citérieure, il part pour l'Illyrique, sur la nouvelle que les
Pirustes désolaient, par leurs incursions, la frontière de
cette province. Dès son arrivée, il ordonne aux états de
lever des troupes, et leur assigne un point précis de
concentration. A cette nouvelle, les Pirustes lui envoient
des députés, pour lui faire savoir que la nation n'est
pour rien dans tout cela, et se déclarent prêts à fournir
toutes les satisfactions exigées pour les actes de violence.
Après avoir accepté leurs excuses, César leur ordonne de
lui amener des otages et fixe le jour de la remise ; il
leur déclare qu'autrement il fera la guerre à leur état.
On amène les otages au jour fixé, conformément à ses
ordres ; il nomme des arbitres pour estimer les dommages
subis par chaque état et en fixer la réparation.

II. — Après avoir réglé ces affaires et clos ces assises, il
retourne dans la Gaule citérieure, et, de là, il part pour
l'armée [84]. Dès son arrivée, il visite tous les quartiers
d'hiver, et trouve que, malgré la pénurie de toutes choses,
l'activité régulière des soldats avait suffi pour construire
environ six cents navires du modèle que nous avons
décrit plus haut, et vingt-huit vaisseaux longs tout
armés [85] et prêts, ou peu s'en faut, à être mis en mer sous
peu de jours. Après avoir vivement félicité les soldats et
ceux qui avaient dirigé l'ouvrage, il leur explique ce
qu'il attend d'eux et leur donne l'ordre de se rassembler
tous au port Itius, d'où il savait que le trajet en Bretagne
est très commode, et qui est à environ trente mille pas du
continent ; il laisse le nombre de troupes qui lui parut
nécessaire à cette opération. Pour lui, il se rend avec
quatre légions sans bagages et huit cents cavaliers chez
les Trévires, parce qu'ils ne venaient point aux assemblées, et n'obéissaient pas à ses ordres, et essayaient,
dit-on, d'attirer les Germains Transrhénans.

III. — Cet état a la plus forte cavalerie de toute la
Gaule, possède beaucoup de troupes à pied, et touche,
comme nous l'avons dit, au Rhin. Dans cet état deux
hommes se disputaient le pouvoir : Indutiomare et Cingétorix [86]. Le second, à peine avait-on appris l'envoi de
César et de ses légions, vint le trouver, l'assura que lui et
tous les siens resteraient dans le devoir, et ne manque-
raient point à l'amitié du peuple romain, et l'instruisit
de ce qui se passait chez les Trévires. Indutiomare, au
contraire, se mit à lever de la cavalerie et de l'infanterie et
à préparer la guerre, cachant ceux que leur âge mettait
hors d'état de porter les armes dans la forêt des Ardennes,
qui s'étend sur une immense étendue, au milieu du
territoire des Trévires, depuis le Rhin jusqu'aux frontières des Rèmes. Mais quand il vit plusieurs des principaux de l'état, entraînés par leur amitié pour Cingétorix
et effrayés de l'arrivée de nos troupes, se rendre auprès
de César, et, ne pouvant rien pour leur état, se mettre à
le solliciter pour eux-mêmes, il craignit d'être abandonné
de tous et envoya des députés à César : « S'il n'avait pas
voulu quitter les siens et venir le trouver, c'était pour
retenir plus facilement l'état dans le devoir, dans la
crainte que, si toute la noblesse s'en allait, le peuple
imprévoyant ne se laissât entraîner. Il avait donc tout
pouvoir sur l'état, et si César le permettait, il viendrait

dans son camp pour remettre à sa foi sa propre fortune et celle de son état. »

IV. — César comprenait fort bien ce qui lui dictait ces paroles et ce qui le détournait de son premier dessein ; pourtant, pour n'être pas contraint à passer l'été chez les Trévires, tandis que tout était prêt pour la guerre de Bretagne, il ordonna à Indutiomare de venir le trouver avec deux cents otages. Quand il les eut amenés, et, entre autres, son fils et tous ses proches, qu'il avait réclamés nommément [87], il consola Indutiomare et l'exhorta à rester dans le devoir : il n'en fit pas moins comparaître devant lui les principaux des Trévires et les rallia un à un à Cingétorix, dont il était juste de récompenser les services ; et il voyait aussi un grand intérêt à fortifier autant que possible le crédit d'un homme dont il avait pu voir l'exceptionnel dévouement à sa cause. Ce fut pour Indutiomare un coup dur à supporter que cette atteinte à son influence auprès des siens, et la haine qu'il avait déjà contre nous s'exaspéra encore par le ressentiment.

V. — Ces affaires réglées, César se rend au port Itius avec les légions [88]. Là, il apprend que soixante navires, qui avaient été construits chez les Meldes, n'avaient pu, rejetés par la tempête, tenir leur route, et étaient revenus à leur point de départ ; il trouve les autres prêts à naviguer et pourvus de tout le nécessaire. La cavalerie de toute la Gaule se rassemble au même endroit, au nombre de quatre mille hommes, ainsi que les principaux de tous les états : César avait résolu de ne laisser en Gaule que le petit nombre de ceux dont la fidélité lui était connue, et d'emmener avec lui les autres comme otages, parce qu'il craignait un soulèvement de la Gaule en son absence.

VI. — Au nombre de ces chefs se trouvait l'Éduen Dumnorix, dont nous avons déjà parlé. Il était des premiers que César avait résolu de garder avec lui, parce qu'il connaissait son goût de l'aventure, son goût du pouvoir, son courage, son grand crédit auprès des Gaulois. De plus, Dumnorix avait dit dans une assemblée des Éduens que César lui offrait d'être le roi de l'état, propos qui était pénible aux Éduens, sans qu'ils eussent la hardiesse d'envoyer des députés à César pour refuser ou pour le prier d'y renoncer. César avait connu le fait

par ses hôtes. Dumnorix commença par essayer de toutes
les prières, pour rester en Gaule, alléguant ou son manque d'habitude de la navigation et sa crainte de la mer,
ou de prétendus empêchements religieux. Quand il vit
qu'on lui refusait avec obstination ce qu'il demandait,
et que tout espoir de l'obtenir lui était enlevé, il commença
à intriguer auprès des chefs de la Gaule, les prenant à
part et les exhortant tous à demeurer sur le continent :
« Ce n'était pas sans raison, disait-il, qu'on dépouillait
la Gaule de toute sa noblesse ; César avait le dessein de
transporter en Bretagne pour les y faire périr tous ceux
qu'il n'osait tuer sous les yeux des Gaulois. » Aux autres
il jurait et faisait jurer d'exécuter d'un commun accord
ce qu'ils jugeraient utile aux intérêts de la Gaule. Ces
intrigues étaient dénoncées à César par de nombreux
rapports.

VII. — Ainsi renseigné, César, en raison de la grande
considération qu'il avait accordée à l'état éduen, décidait
de tout essayer pour retenir Dumnorix et le détourner de
ses projets ; d'autre part, en le voyant persévérer dans sa
folle conduite, il décidait de prendre des mesures pour
qu'il ne pût porter atteinte à ses intérêts et à ceux de
l'état. Aussi, après être resté environ vingt-cinq jours
dans le lieu, parce que le vent corus, qui souffle habituellement sur ces côtes une grande partie de l'année, l'empêchait de naviguer, il s'applique à contenir Dumnorix dans
le devoir, sans cesser pour cela de se tenir au courant de
ses projets. Enfin, profitant d'un temps favorable, il
donne à ses troupes et à ses cavaliers l'ordre d'embarquer.
Mais, au milieu de l'occupation générale, Dumnorix
quitta le camp, à l'insu de César, avec la cavalerie des
Éduens, et prit la route de son pays. A cette nouvelle,
César, suspendant le départ et mettant tout le reste au
second plan, envoie à sa poursuite une grande partie de
la cavalerie, avec ordre de le ramener, et, s'il résiste, s'il
refuse d'obéir, avec mission de le tuer, car il estime qu'il
ne faut s'attendre à rien de bon, loin de lui, d'un individu
qui avait négligé ses ordres en sa présence. Dumnorix,
sommé de revenir, résiste, met l'épée à la main, implore
la fidélité des siens, criant à plusieurs reprises qu'il était
libre et appartenait à un état libre. Conformément aux
ordres de César, on l'entoure et on le tue : les cavaliers
éduens reviennent tous près de César.

VIII. — Cette affaire terminée, César laisse sur le
continent Labiénus avec trois légions de deux mille
chevaux, pour garder les ports et pourvoir au blé, pour
savoir ce qui se passait en Gaule et prendre conseil du
temps et des circonstances. Quant à lui, avec cinq légions
et un nombre de cavaliers égal à celui qu'il laissait sur le
continent, il leva l'ancre au coucher du soleil ; et, poussé
par un léger Africus, qui cessa vers le milieu de la nuit,
il ne put tenir sa route : entraîné assez loin par la marée,
il s'aperçut, au jour naissant, qu'il avait laissé la Bretagne
sur la gauche. Alors, se laissant aller au reflux, il fit force
de rames pour prendre pied sur cette partie de l'île qu'il
avait reconnue, l'été précédent, très propice à un débarquement. En cette occasion, on ne peut trop louer la
valeur de nos soldats, qui, sur des vaisseaux de transport
lourdement chargés, égalèrent, en ne cessant pas de
ramer, la vitesse des vaisseaux longs. On atteignit la Bretagne, avec tous les navires, vers midi, sans que l'ennemi
se fît voir en cet endroit [89]. César apprit plus tard par des
prisonniers que des contingents considérables s'étaient
réunis là, mais qu'épouvantés par la multitude des
vaisseaux (avec les vaisseaux de l'année précédente et
ceux que des particuliers avaient construits pour leur
usage, il en avait paru plus de huit cents d'un seul coup)
ils avaient quitté le rivage pour s'aller cacher sur les
hauteurs.

IX. — César mit ses troupes à terre et choisit un emplacement convenable pour son camp ; instruit par des prisonniers du lieu où s'étaient arrêtées les forces de l'ennemi, il laissa près de la mer dix cohortes et trois cents
cavaliers pour la garde des navires ; puis, dès la troisième
veille, il marcha à l'ennemi ; il craignait d'autant moins
pour sa flotte qu'il la laissait à l'ancre sur une plage douce
et tout unie ; et il donna le commandement de ce détachement et des navires à Quintus Atrius. Pour lui, il
avait fait dans la nuit environ douze mille pas, lorsqu'il
aperçut les forces de l'ennemi [90]. Elles s'étaient avancées
avec la cavalerie et les chars au bord d'un fleuve, et,
postées sur une hauteur, elles se mirent à nous barrer le
passage et à livrer bataille. Repoussés par notre cavalerie,
les Barbares se cachèrent dans les bois : ils y trouvèrent
une position singulièrement fortifiée par la nature et par
l'art, qu'ils semblaient avoir disposée ainsi auparavant
pour quelque guerre intestine : on avait, en effet, abattu

un grand nombre d'arbres et on en avait obstrué toutes
les avenues. S'étant disséminés, ils lançaient des traits des
sous-bois et nous interdisaient l'entrée de leurs retranchements. Mais les soldats de la septième légion, ayant
formé la tortue et poussé une terrasse jusqu'aux retranchements, y prirent pied, et avec très peu de pertes, les
délogèrent des bois. César défendit de les poursuivre plus
loin, parce qu'il ne connaissait pas le pays et parce que,
une grande partie du jour étant déjà écoulée, il voulait
en employer le reste à la fortification de son camp.

X. — Le lendemain matin, il partagea les fantassins et
les cavaliers en trois corps et les envoya à la poursuite de
l'ennemi. Ils avaient fait une assez longue route, et les
derniers fuyards étaient déjà en vue, quand des cavaliers,
envoyés par Quintus Atrius, vinrent annoncer à César
que, la nuit précédente, il s'était élevé une très forte
tempête, qui avait brisé et jeté à la côte presque tous les
vaisseaux, car les ancres ni les cordages n'avaient pu
résister et les matelots et les pilotes n'avaient pu soutenir
l'impétuosité de la tempête : aussi les vaisseaux, heurtés
les uns contre les autres, avaient-ils été très endommagés.

XI. — A cette nouvelle, César ordonne qu'on rappelle
ses légions et ses cavaliers, et qu'elles cessent leur poursuite ; il revient lui-même voir ses navires, reconnaît de
ses yeux que ce que les messagers et la lettre lui avaient
annoncé est, dans l'ensemble, exact : quarante navires
environ étaient perdus, les autres pouvaient être réparés
à force de travail. Il choisit des ouvriers dans les légions
et en fait venir d'autres du continent. Il écrit à Labiénus
de construire, avec les légions dont il dispose, le plus de
navires qu'il pourrait ; de son côté, malgré la difficulté
de l'entreprise et de la tâche, il trouve que ce qu'il y a
de mieux à faire est de tirer tous les navires sur la plage
et de les réunir au camp par une seule fortification. Il
consume dix jours environ à ces travaux, sans que le
soldat prenne, même la nuit, le moindre repos. Quand
les navires sont mis à sec, et que le camp est remarquablement fortifié, il laisse pour garder les vaisseaux les
mêmes troupes qu'auparavant, et retourne à l'endroit
d'où il était parti. A son arrivée là, il trouve des troupes
de Bretons déjà assez importantes qui s'y étaient rassemblées de toutes parts. Le commandement suprême et le
soin de la guerre avaient été confiés, d'un consentement

unanime, à Cassivellaune, dont le pays est séparé des
états maritimes par un fleuve qu'on nomme la Tamise,
à quatre-vingt mille pas de la mer environ. Dans les
temps antérieurs, il avait eu des guerres continuelles avec
les autres états ; mais, épouvantés par notre arrivée, les
Bretons lui avaient confié le commandement suprême
de la guerre.

XII. — L'intérieur de la Bretagne est peuplé d'habitants qui se présentent, d'après une tradition orale,
comme des indigènes ; la partie maritime, par des peuplades venues de Belgique pour piller et faire la guerre
(elles ont presque toutes gardé le nom des états dont elles
étaient originaires, lorsqu'elles vinrent dans le pays, les
armes à la main, pour s'y fixer et cultiver le sol). L'île
est immensément peuplée, les maisons y sont abondantes,
presque semblables à celles des Gaulois, le bétail y est
fort nombreux. Pour monnaie, on se sert de cuivre, de
pièces d'or [91] ou de lingots de fer d'un poids déterminé.
Les régions du centre produisent de l'étain [92], les régions
côtières du fer, mais en petite quantité [93] ; le cuivre qu'ils
emploient leur vient du dehors [94]. Il y a des arbres de
toute espèce, comme en Gaule, à l'exception du hêtre et
du sapin. Ils considèrent le lièvre, la poule et l'oie,
comme une nourriture défendue ; ils en élèvent cependant, par goût et par forme d'amusement. Le climat est
plus tempéré que celui de la Gaule, et les froids y sont
moins rigoureux.

XIII. — L'île a la forme d'un triangle, dont un côté
fait face à la Gaule. Des deux angles de ce côté, l'un,
vers le Cantium, où abordent presque tous les vaisseaux
venant de Gaule, regarde l'orient ; l'autre, plus bas, est
au midi. Ce côté a une étendue de cinq cent mille pas
environ. Le second côté regarde l'Espagne et le cou-
chant [95] : dans ces parages se trouve l'Hibernie, qui passe
pour moitié moins grande que la Bretagne ; elle est à la
même distance de la Bretagne que celle-ci de la Gaule.
A mi-chemin est l'île qu'on appelle Mona ; on croit qu'il
y a encore dans le voisinage plusieurs autres îles plus
petites [96], à propos desquelles certains auteurs écrivent
que la nuit y dure trente jours de suite, à l'époque du
solstice d'hiver. Nos enquêtes ne nous ont rien appris
sur ce point, si ce n'est que nous voyions, par nos clep-
sydres, que les nuits y étaient plus courtes [97] que sur le

continent. La longueúr de ce côté, si l'on en croit les
auteurs, est de sept cents milles. Le troisième fait face au
nord et n'a en regard aucune terre, si ce n'est, à son
extrémité, la Germanie. La longueur de cette côte est
estimée à huit cent mille pas. Ainsi l'île dans son ensemble
a environ vingt fois cent mille pas de tour.

XIV. — De tous ces Bretons, les plus civilisés, de
beaucoup, sont ceux qui habitent le Cantium, région
toute maritime et dont les mœurs ne diffèrent pas beaucoup de celles des Gaulois. La plupart de ceux qui occupent l'intérieur ne sèment pas de blé ; ils vivent de lait
et de viande, et sont vêtus de peaux. Tous les Bretons
se teignent avec du pastel, ce qui leur donne une couleur
azurée, et ajoute, dans les combats, à l'horreur de leur
aspect. Ils portent leurs cheveux longs et se rasent
toutes les parties du corps, à l'exception de la tête et de
la lèvre supérieure. Ils se mettent à dix ou à douze pour
avoir des femmes en commun, particulièrement les frères
avec les frères et les pères avec les fils. Mais les enfants
qui naissent de cette communauté sont censés appar-
tenir à celui qui a introduit la mère, encore jeune fille,
dans la maison.

XV. — Les cavaliers et les chars ennemis eurent un
vif combat avec notre cavalerie pendant que nous étions
en marche [98] ; cependant les nôtres eurent partout l'avantage et les repoussèrent dans les bois et sur les collines ;
mais, après en avoir fait un grand carnage, ils les poursuivirent avec trop d'ardeur et perdirent quelques-uns
des leurs. Quelque temps après, pendant que les nôtres
ne se défiaient de rien et s'occupaient aux travaux du
camp, tout à coup ils s'élancèrent de leurs forêts, fondirent sur ceux qui étaient de garde en avant du camp,
et leur livrèrent un violent combat ; deux cohortes, les
premières des deux légions, furent envoyées à leur secours
par César : elles prirent position en ne laissant entre elles
qu'un très petit intervalle ; l'ennemi, les voyant étonnées
de ce nouveau genre de combat, se précipita avec une
extrême audace entre les deux cohortes et s'en tira sans
dommage. Ce jour-là, Quintus Labérius Durus, tribun
militaire, périt. On lance dans la bataille un plus grand
nombre de cohortes ; l'ennemi est repoussé.

XVI. — Au cours de ce genre de combat, livré sous les
yeux de tous et devant le camp, on comprit que nos

soldats, chargés d'armes pesantes, ne pouvant poursuivre
l'ennemi, s'il se retirait, et n'osant s'éloigner de leurs
enseignes, étaient peu préparés à un tel adversaire ; que
le combat offrait aussi de grands dangers pour nos cavaliers, parce que le plus souvent les Bretons feignaient de
fuir, et, quand ils avaient un peu attiré les nôtres loin
des légions, ils sautaient à bas de leurs chars et engageaient à pied un combat inégal. Ce système de combat de
cavalerie offrait exactement le même danger pour le poursuivant et pour le poursuivi. Ajoutez à cela qu'ils ne
combattaient jamais en masse, mais par troupes isolées,
et à de grandes distances ; et qu'ils avaient des postes de
réserve échelonnés, permettant de se replier successive-
ment de l'un à l'autre et de remplacer les hommes fatigués par des réserves fraîches.

XVII. — Le jour suivant, les ennemis s'établirent loin
du camp, sur les collines ; ils ne se montrèrent que par
petits groupes et attaquèrent nos cavaliers avec moins
de vigueur que la veille. Mais à midi, César ayant envoyé
au fourrage trois légions et toute la cavalerie sous les
ordres du lieutenant Caïus Trébonius, ils fondirent soudain de toutes parts sur nos fourrageurs, au point de ne
s'arrêter qu'à nos enseignes et à nos légions. Les nôtres,
tombant sur eux avec vigueur, les repoussèrent, et ne
cessèrent de les poursuivre qu'au moment où nos cavaliers, forts du secours des légions qu'ils voyaient derrière
eux, les chargèrent et en massacrèrent un grand nombre,
sans leur laisser le temps de se rallier, de s'arrêter ou de
sauter à bas des chars. Cette déroute entraîne aussitôt
le départ des forces auxiliaires, qui étaient venues de tous
les côtés, et jamais plus depuis ce moment les ennemis
ne nous livrèrent bataille avec l'ensemble de leurs forces.

XVIII. — César, mis au courant de leur plan, conduisit
son armée vers la Tamise sur le territoire de Cassivellaune [99] ; ce fleuve n'est guéable qu'en un seul endroit,
et non sans peine. Arrivé là, il aperçut des forces ennemies considérables rangées sur l'autre rive ; la rive était
d'ailleurs défendue par une palissade de pieux pointus,
et des pieux du même genre étaient enfoncés dans le lit
du fleuve et recouverts par l'eau. Averti par des prisonniers et des transfuges, César envoya en avant la cavalerie et la fit suivre de près par les légions. Les soldats
s'élancèrent avec tant de rapidité et d'impétuosité, quoi-

qu'ils n'eussent que la tête hors de l'eau, que l'ennemi
ne put soutenir le choc des légions et des cavaliers,
abandonna les rives du fleuve et prit la fuite.

XIX. — Cassivellaune, comme nous l'avons indiqué
plus haut, abandonnant tout espoir de nous vaincre en
bataille rangée, avait renvoyé la plus grande partie de
ses troupes et ne gardait que quatre mille essédaires
environ avec lesquels il observait nos marches ; il se
tenait un peu à l'écart de la route, se cachait dans des
endroits inextricables et boisés, et, là où il savait que nous
allions passer, poussait bêtes et gens des champs dans
les forêts. Quand notre cavalerie se répandait un peu
trop loin dans la campagne pour piller et dévaster, il
lançait ses essédaires hors des bois par toutes les routes
et tous les sentiers et engageait une action au grand
péril de nos cavaliers que cette crainte empêchait de
s'aventurer plus loin. Il ne restait à César d'autre parti
que d'interdire de trop s'éloigner de la colonne légionnaire, et de nuire seulement à l'ennemi en dévastant les
campagnes et en allumant des incendies, pour autant
que la fatigue et la marche rendaient la chose possible
aux soldats légionnaires.

XX. — Cependant les Trinobantes, qui étaient peut-
être l'état le plus puissant de ces contrées, envoient des
députés à César. C'étaient les compatriotes du jeune
Mandubracius, qui s'était attaché à César et était venu
le trouver sur le continent ; son père avait exercé la
royauté dans cet état, et avait été tué par Cassivellaune ;
lui-même n'avait évité la mort que par la fuite. Ils promettent donc à César de se soumettre à lui et d'obéir à
ses ordres. Ils lui demandent de protéger Mandubracius
contre les violences de Cassivellaune, et de l'envoyer dans
leur état pour qu'il devînt leur chef et leur souverain.
César exige d'eux quarante otages et du blé pour l'armée,
et il leur envoie Mandubracius. Ils exécutèrent rapidement les ordres de César, lui envoyèrent le nombre
d'otages demandé et du blé.

XXI. — Voyant les Trinobantes défendus et mis à
l'abri de toute injure de la part des soldats, les Cénimagnes, les Ségontiaques, les Ancalites [100], les Bibroques
et les Casses envoient des ambassades et se soumettent

à César. Il apprend d'eux que la place forte de Cassivellaune [101] n'est pas très éloignée, qu'elle est défendue par des marais et des bois et qu'un assez grand nombre d'hommes et de bestiaux s'y trouve rassemblé. Les Bretons appellent place forte une forêt peu praticable, défendue par un retranchement et un fossé, qui leur sert de retraite habituelle contre les incursions de leurs ennemis. Il y mène ses légions, trouve une position remarquablement défendue par la nature et par l'art ; cependant il l'attaque de deux côtés. Les ennemis opposèrent d'abord quelque résistance, puis ne supportèrent pas l'impétuosité de nos soldats et s'enfuirent par un autre côté de la place. On y trouva une grande quantité de bétail, et beaucoup de fuyards furent pris ou tués.

XXII. — Tandis que ces événements se déroulent en ces lieux, Cassivellaune envoie dans le Cantium, qui est, comme nous l'avons indiqué plus haut, sur les bords de la mer, et que commandent quatre rois : Cingétorix, Carvilius, Taximagule et Ségovax, des messagers avec l'ordre d'assembler toutes leurs troupes et d'assaillir et attaquer à l'improviste le camp des vaisseaux. Quand ils y vinrent, les nôtres firent une sortie, en tuèrent un grand nombre, prirent même un chef noble, Lugotorix, et rentrèrent sans perte dans le camp. A la nouvelle de ce combat, Cassivellaune, découragé par tant de pertes, voyant la dévastation de son pays et accablé surtout par la défection des états, envoie des députés à César, par l'entremise de l'Atrébate Commius, pour traiter de sa reddition. César, qui avait décidé de passer l'hiver sur le continent, à cause des mouvements soudains qui pouvaient se produire en Gaule, voyant que l'été approchait de sa fin et que l'ennemi pouvait facilement traîner l'affaire en longueur, exige des otages et fixe le tribut que la Bretagne paierait chaque année au peuple romain ; il interdit formellement à Cassivellaune de faire la guerre à Mandubracius et aux Trinobantes.

XXIII. — Après avoir reçu les otages, il ramène son armée au bord de la mer, et trouve les vaisseaux réparés. Il les fait mettre à l'eau, et, comme il avait un grand nombre de prisonniers et que plusieurs vaisseaux avaient péri dans la tempête, il décide de ramener son armée en deux traversées [102]. Et la chance voulut que de tant de navires et sur tant de traversées, ni cette année, ni la

précédente, aucun des vaisseaux qui portaient des soldats
ne périt ; mais de ceux qui lui étaient renvoyés à vide
du continent, après avoir déposé à terre les soldats de
la première traversée, ou des soixante navires que Labiénus avait fait construire après le départ de l'expédition,
très peu arrivèrent à destination ; presque tous furent
rejetés à la côte. Après les avoir attendus en vain pendant
un bon moment, César, craignant d'être empêché de
naviguer par la saison, car on approchait de l'équinoxe,
fut contraint d'entasser ses soldats plus à l'étroit, et
profitant d'un grand calme qui suivit, il leva l'ancre au
début de la seconde veille et atteignit la terre au point
du jour, sans avoir perdu un seul vaisseau.

XXIV. — Il fit mettre les navires à sec, et tint l'assemblée des Gaulois à Samarobrive ; comme la récolte de
cette année avait été peu abondante à cause de la séche-
resse, il fut contraint d'organiser l'hivernage de son
armée autrement que les années précédentes et de répartir
ses légions dans un plus grand nombre d'états : il en
envoya une chez les Morins, sous les ordres du lieutenant
Caïus Fabius ; une autre chez les Nerviens, avec Quintus
Cicéron ; une troisième chez les Ésuviens avec Lucius
Roscius ; une quatrième reçut l'ordre d'hiverner chez les
Rèmes, à la frontière des Trévires, avec Titus Labiénus ;
il en plaça trois chez les Bellovaques, sous le commandement du questeur Marcus Crassus et des lieutenants
Lucius Munatius Plancus et Caïus Trébonius. Il envoya
une légion, celle qu'il avait levée tout récemment [103]
au delà du Pô, et cinq cohortes chez les Éburons dont la
plus grande partie habite entre la Meuse et le Rhin et
qui étaient gouvernés par Ambiorix et Catuvolcus. Ces
soldats furent placés sous les ordres des lieutenants
Quintus Titurius Sabinus et Lucius Aurunculéius Cotta.
En distribuant ainsi les légions, César crut pouvoir
remédier très facilement à la disette de blé. Et d'ailleurs
les quartiers d'hiver de toutes ces légions, sauf celle que
Lucius Racius avait été chargé de conduire dans une
région très pacifiée et très tranquille, étaient contenus
dans un espace de cent mille pas. César résolut de rester
en Gaule jusqu'à ce qu'il sût les légions bien établies et
leurs quartiers d'hiver fortifiés.

XXV. — Il y avait chez les Carnutes un homme de
haute naissance, Tasgétius, dont les ancêtres avaient

exercé la royauté dans leur état. César, en récompense
de sa valeur et de son dévouement, car dans toutes les
guerres il avait trouvé chez lui une assistance unique,
lui avait rendu le rang de ses aïeux. Il régnait depuis
trois ans, lorsque ses ennemis l'assassinèrent en secret,
encouragés d'ailleurs ouvertement par un grand nombre
de leurs concitoyens. On apprend la chose à César. Craignant, en raison du nombre des coupables, que leur
influence n'amenât la défection de leur état, il ordonne
à Lucius Plancus de partir rapidement de la Belgique
avec sa légion pour aller hiverner chez les Carnutes et
d'arrêter et de lui envoyer ceux qu'il saurait avoir trempé
dans le meurtre de Tasgétius. Sur ces entrefaites tous
ceux à qui il avait confié les légions lui firent savoir
qu'on était arrivé dans les quartiers d'hiver et qu'on
avait fortifié les camps.

XXVI. — Il y avait quinze jours environ qu'on était
arrivé dans les quartiers d'hiver, quand commença une
révolte soudaine et une défection provoquées par Ambiorix et Catuvolcus ; ces rois, qui d'abord étaient venus
aux frontières de leur pays se mettre à la disposition de
Sabinus et de Cotta et qui leur avaient fait porter du blé à
leurs quartiers d'hiver, sollicités depuis par des envoyés
du Trévire Indutiomare, soulevèrent leurs sujets, tombèrent tout d'un coup sur nos ravitailleurs en bois et
vinrent en grand nombre attaquer le camp. Les nôtres
prirent rapidement leurs armes et montèrent au retranchement, tandis que les cavaliers espagnols, sortant par
une porte, livraient avec succès un combat de cavalerie ;
les ennemis, désespérant de vaincre, retirèrent leurs
troupes ; puis, poussant de grands cris, selon leur coutume, ils demandèrent que quelqu'un des nôtres s'avançât
pour des pourparlers ; ils avaient à nous faire certaines
communications qui nous intéressaient en commun et
qu'ils croyaient de nature à apaiser le conflit.

XXVII. — On leur envoie pour conférer Caïus Arpinéius, chevalier romain, ami de Quintus Titurius, et un
certain Quintus Junius, Espagnol, qui avait eu déjà
plusieurs missions de César auprès d'Ambiorix. Ambiorix
leur tint le langage suivant : « Il reconnaissait qù'il devait
beaucoup à César pour ses bienfaits ; c'était grâce à lui
qu'il avait été délivré du tribut qu'il payait habituellement
aux Atuatuques, ses voisins ; et c'était César qui lui avait

rendu son fils et le fils de son frère, qui envoyés en otages
aux Atuatuques avaient été retenus dans la servitude
et dans les chaînes. Quant à l'attaque du camp, il
n'avait pas agi de son propre avis ni de sa propre volonté,
mais sous la contrainte de son état, son pouvoir étant
ainsi fait que la multitude n'avait pas moins de droit
sur lui que lui-même sur la multitude. L'état, d'ailleurs,
n'avait pris les armes que dans l'impossibilité de résister
à la conjuration soudaine des Gaulois. Sa faiblesse même
en était la preuve, car il n'était pas assez dénué d'expérience pour se croire capable de battre le peuple romain
avec ses seules forces. Mais le complot était commun à
toute la Gaule. Tous les quartiers d'hiver de César
devaient être attaqués ce jour même, afin qu'une légion
ne pût secourir l'autre. Il n'était pas facile à des Gaulois
de dire non à d'autres Gaulois, surtout lorsqu'il s'agissait
de recouvrer la liberté commune. Puisqu'il avait répondu
patriotiquement à leur appel, il allait, maintenant s'ac-
quitter de ce qu'il devait à César, et il avertissait, il sup-
pliait Titurius, au nom de l'hospitalité, de pourvoir à
son salut et à celui de ses soldats. Une forte troupe de
Germains mercenaires avait passé le Rhin et serait là
dans deux jours. A eux de décider s'ils voulaient, avant
que les peuples voisins s'en aperçussent, faire sortir leurs
soldats de leurs quartiers d'hiver et les conduire soit à
Cicéron, soit à Labiénus, dont l'un est à environ cinquante mille pas, l'autre un peu plus loin [104]. Pour lui,
il promettait, et sous la foi du serment, de leur donner
libre passage sur son territoire. Ce que faisant, il servait
son pays, que le départ des troupes soulagerait, et il
reconnaissait les bienfaits de César. » Ayant tenu ce
discours, Ambiorix se retire.

XXVIII. — Arpinéius et Junius rapportent aux lieutenants ce qu'ils ont entendu. Un changement si subit
les troubla ; quoique l'avis leur vînt d'un ennemi, ils ne
crurent pas devoir le négliger. Ce qui les frappait le
plus, c'est qu'il n'était guère croyable qu'un état obscur
et faible, tel que les Éburons, eût osé de lui-même faire
la guerre au peuple romain. Ils portent donc l'affaire
devant le conseil : une vive discussion s'élève. Lucius
Aurunculéius, et avec lui plusieurs tribuns et centurions
de la première cohorte, étaient d'avis « qu'il ne fallait
rien faire à l'aveuglette ni quitter les quartiers d'hiver
sans l'ordre de César. » Ils montraient « qu'on pouvait

résister aux Germains, si nombreux qu'ils fussent, dans un camp retranché : la preuve en est qu'ils avaient fort bien résisté à un premier assaut de l'ennemi, et en lui infligeant même de grandes pertes ; le blé ne manquait pas, et avant d'en être là, il leur viendrait des secours des quartiers les plus proches ou de César ; enfin, était-il rien de plus léger ni de plus honteux que de se déterminer, dans des circonstances aussi graves, d'après l'avis de l'ennemi ? »

XXIX. — Mais Titurius se récriait « qu'il serait trop tard pour agir, lorsque les renforts des Germains auraient accru les troupes de l'ennemi, ou qu'il serait arrivé quelque malheur dans les quartiers voisins. On n'avait qu'une brève occasion de se décider. César était sans doute parti pour l'Italie : autrement les Carnutes n'auraient pas pris le parti d'assassiner Tasgétius, et les Éburons, s'il était en Gaule, ne seraient pas venus attaquer notre camp avec un tel mépris. Il considérait l'avis en lui-même, et non l'ennemi qui le donnait : le Rhin était tout proche ; les Germains éprouvaient un vif ressentiment de la mort d'Arioviste et de nos précédentes victoires ; la Gaule était en feu, de s'être vue après tant d'humiliation réduite à supporter le joug du peuple romain, et dépouillée de sa gloire militaire d'autrefois. Enfin, qui pourrait croire qu'Ambiorix en fût venu à donner un tel avis sans en être certain ? Son avis, dans l'alternative, était sûr : s'il n'y avait rien à craindre, on rejoindrait sans risque la plus proche légion ; si la Gaule entière était d'accord avec les Germains, il n'y avait de salut que dans la promptitude. A quoi aboutirait l'avis de Cotta et de ceux qui pensaient comme lui ? Sinon à un danger immédiat, du moins à un long siège avec la menace de la famine. »

XXX. — Après qu'on eut ainsi disputé dans les deux sens, comme Cotta et les centurions de la première cohorte résistaient énergiquement : « Eh bien ! soit, dit Sabinus, puisque vous le voulez ! » et élevant la voix pour être entendu des soldats : « Je ne suis pas celui de vous, dit-il, qui craint le plus la mort ; ceux-là jugeront saine-ment, et s'il arrive quelque malheur, ils t'en demanderont raison ; tandis que, si tu le voulais, réunis dans deux jours aux quartiers voisins, ils soutiendraient en commun avec les autres les chances de la guerre, au lieu de rester

abandonnés, relégués loin des autres, pour périr par le
fer ou la faim. »

XXXI. — On se lève pour sortir du conseil ; on se
presse autour des deux lieutenants, on les supplie de ne
pas rendre la situation périlleuse par leur division et leur
entêtement ; la situation était facile, soit qu'on restât,
soit qu'on partît, à la condition que tout le monde fût
d'accord ; mais, dans la discussion, il n'était point de
salut en vue. La discussion se prolonge jusqu'au milieu
de la nuit. Enfin Cotta, très ému, se rend ; l'avis de
Sabinus prévaut ; on annonce qu'on partira au point du
jour. Le reste de la nuit se passe à veiller, chaque soldat
cherchant dans ce qui lui appartient ce qu'il peut emporter, ce qu'il est obligé de laisser de son installation d'hiver.
On fait tout ce qu'on peut imaginer pour qu'on ne s'en
aille pas au matin sans péril, et pour que le danger soit
encore accru de la fatigue des soldats et de leur insomnie.
On quitte le camp à la pointe du jour avec autant de
sécurité que si l'avis d'Ambiorix eût été donné non par
un ennemi mais par l'ami le meilleur. L'armée formait
une très longue colonne avec de nombreux bagages.

XXXII. — Mais les ennemis, quand l'agitation noc-
turne et les veilles de nos soldats les eurent renseignés
sur leur départ, dressèrent une double embuscade dans
les bois, en un lieu favorable et couvert, à deux mille pas
environ, et ils y attendirent l'arrivée des Romains ; quand
la plus grande partie de la colonne se fut engagée dans
une grande vallée très profonde [105], ils se montrèrent
soudain des deux côtés de cette vallée, tombèrent sur
notre arrière-garde, empêchèrent notre avant-garde de
monter et nous acculèrent au combat dans une position
très défavorable.

XXXIII. — Alors seulement Titurius, en chef qui
n'avait rien prévu, se démène, court de tous les côtés, et
dispose les cohortes ; mais cela même avec hésitation, et
d'une manière qui laisse voir que tout lui manque d'un
coup, comme il arrive presque toujours à ceux qui sont
forcés de prendre un parti au moment même de l'action.
Mais Cotta, qui avait pensé qu'une pareille surprise était
possible au cours de la marche, et qui, pour cette raison,
n'avait pas approuvé le départ, n'oubliait rien pour le
salut commun, et remplissait à la fois le devoir d'un

général en interpellant et exhortant les soldats, et celui
d'un soldat en combattant. Comme la longueur de la
colonne permettait mal aux lieutenants de tout faire
par eux-mêmes et de pourvoir à ce qui s'imposait en
chaque endroit, ils firent donner l'ordre d'abandonner les
bagages et de se former en cercle. Cette résolution, bien
qu'elle ne soit pas répréhensible dans un cas de ce genre,
eut cependant un effet fâcheux : en même temps qu'elle
diminua la confiance de nos soldats, elle ranima l'ardeur
combative des ennemis, car il semblait qu'un tel parti
ne pouvait être dicté que par la crainte et le désespoir.
Elle fut cause, en outre, ce qui était inévitable, que partout les soldats quittaient les enseignes pour courir aux
bagages et en tirer ce qu'ils avaient de plus précieux ; on
n'entendait que des cris et des gémissements.

XXXIV. — Les Barbares, au contraire, ne manquèrent
pas de jugement : leurs chefs firent annoncer sur toute
la ligne de bataille qu'aucun n'eût à quitter son rang ; que
tout ce que les Romains laisseraient serait leur butin et
leur était réservé ; qu'ils devaient donc n'avoir en vue que
la victoire. Les nôtres, bien qu'abandonnés de leur chef
et de la fortune, plaçaient tout leur espoir de salut dans
leur courage, et chaque fois qu'une cohorte s'élançait, un
grand nombre d'ennemis tombait de ce côté. Ambiorix,
s'en étant perçu, fait donner l'ordre aux siens de lancer
leurs traits de loin, sans approcher, et de céder sur le
point où les Romains feraient une charge ; la légèreté
de leurs armes et leur entraînement quotidien devaient les
préserver du péril ; on ne poursuivrait l'ennemi que
quand il se replierait sur ses enseignes.

XXXV. — Cet ordre fut très soigneusement observé :
chaque fois que quelque cohorte sortait du cercle et
faisait une charge, les ennemis s'enfuyaient à toute vitesse. Cependant le côté vide était forcément découvert,
et le flanc droit dégarni recevait des traits. Puis, quand la
cohorte revenait à son point de départ, elle était enveloppée par les ennemis qui avaient cédé le terrain et par
ceux qui s'étaient tenus sur ses flancs. Voulait-elle, au
contraire, tenir sa position, sa valeur devenait inutile,
et les soldats, pressés les uns contre les autres, ne pouvaient éviter les traits lancés par une si grande multitude.
Toutefois, malgré tous ces désavantages, nos soldats,
couverts de blessures, résistaient encore : une grande

partie de la journée s'était écoulée, et le combat avait duré depuis le point du jour jusqu'à la huitième heure, sans qu'on eût rien fait qui fût indigne, mais alors Titus Balventius, qui, l'année précédente, avait été primipile, homme brave et fort écouté, a les deux cuisses traversées d'une tragule ; Quintus Lucanius, officier du même grade, est tué en combattant avec une extrême bravoure pour secourir son fils enveloppé ; le lieutenant Lucius Cotta, en exhortant toutes les cohortes et les centuries mêmes, est atteint par une balle de fronde en plein visage.

XXXVI. — Bouleversé par ces événements, Quintus Titurius, ayant aperçu au loin Ambiorix qui exhortait ses troupes, lui envoie son interprète, Cnéius Pompée, pour le prier de l'épargner, lui et ses soldats. Aux premiers mots du messager, Ambiorix répondit « que si Titurius voulait conférer avec lui, il le pouvait ; qu'il espérait pouvoir obtenir de ses soldats que la vie fût laissée aux soldats ; qu'aucun mal ne lui serait fait à lui-même, et qu'il en donnait sa parole ». Titurius fait part de cette réponse à Cotta, blessé, et lui propose de quitter s'il lui plaît le combat, pour conférer tous deux avec Ambiorix : « il espérait qu'on pourrait obtenir de lui la vie sauve pour eux et les soldats ». Cotta déclare qu'il ne se rendra pas près d'un ennemi en armes, et persiste dans ce refus.

XXXVII. — Sabinus ordonne aux tribuns militaires qu'il avait pour l'instant autour de lui et aux centurions de la première cohorte de le suivre ; s'étant avancé près d'Ambiorix, il reçoit l'ordre de mettre bas les armes ; il obéit et ordonne aux siens de faire de même. Tandis qu'ils discutent entre eux les conditions et qu'Ambiorix traîne exprès l'entretien en longueur, Sabinus est peu à peu enveloppé, et mis à mort. Alors suivant leur habitude, ils crient victoire, poussent des hurlements, s'élancent sur les nôtres et mettent le désordre dans leurs rangs. Là Lucius Cotta trouve la mort en combattant, avec la plus grande partie de ses soldats ; ceux qui restent se replient sur le camp, d'où ils étaient partis. L'un d'entre eux, le porte-aigle Lucius Pétrosidius, pressé par une foule d'ennemis, jette l'aigle à l'intérieur du retranchement et se fait tuer devant le camp en combattant avec le plus grand courage. Jusqu'à la nuit ils soutiennent péniblement l'assaut ; à la nuit, désespérant de leur salut, ils se tuent eux-mêmes jusqu'au dernier. Un petit nombre, échappés du combat, par des chemins incertains à travers les bois, parviennent aux quartiers d'hiver du lieutenant Titus Labiénus, et l'informent de ce qui s'est passé.

XXXVIII. — Enflé de cette victoire, Ambiorix part aussitôt avec sa cavalerie chez les Atuatuques, qui étaient les voisins de son royaume ; il marche nuit et jour sans s'arrêter, en se faisant suivre de près par l'infanterie. Il annonce l'événement, soulève les Atuatuques, arrive le lendemain chez les Nerviens, les exhorte à ne point perdre l'occasion de s'affranchir à jamais et de se venger des Romains qui leur ont fait violence [106] ; il leur apprend que deux lieutenants ont été tués et qu'une grande partie de l'armée a péri ; qu'il n'est pas compliqué de tomber soudain sur la légion qui hiverne avec Cicéron et de la massacrer. Il leur promet son aide pour ce coup de main. Ce discours persuade aisément les Nerviens.

XXXIX. — Aussi envoient-ils sur-le-champ des messagers aux Centrons, aux Grudiens, aux Lévaques, aux Pleumoxiens, aux Geidumnes, qui sont tous sous leur dépendance ; ils rassemblent le plus de troupes qu'ils peuvent et volent à l'improviste au camp de Cicéron, avant que la nouvelle de la mort de Titurius lui soit parvenue. Il lui arriva à lui aussi, ce qui était inévitable, que plusieurs soldats, qui s'étaient éparpillés dans les forêts pour y chercher du bois et des fascines, furent surpris par l'arrivée soudaine des cavaliers. On les enveloppe, et, en masse, Éburons, Nerviens, Atuatuques ainsi que des alliés et auxiliaires de tous ces peuples, commencent l'attaque de la légion. Les nôtres courent vite aux armes, montent sur le retranchement. Ce fut une rude journée, car les ennemis plaçaient tout leur espoir dans leur vitesse, et se flattaient, après cette victoire, d'être perpétuellement vainqueurs à l'avenir.

XL. — Cicéron envoie immédiatement une lettre à César, et promet de grandes récompenses aux courriers s'ils font parvenir sa lettre. Mais tous les chemins sont gardés et les messagers sont arrêtés. Pendant la nuit, avec le bois qu'on avait apporté pour fortifier le camp, on n'élève pas moins de cent vingt tours avec une rapi-

dité incroyable ; on achève ce qui semblait manquer aux
ouvrages de défense. Le lendemain, les ennemis, avec
des forces beaucoup plus nombreuses, donnent l'assaut
au camp et comblent le fossé. De notre côté, on oppose
la même résistance que la veille. Même chose les jours
suivants. On travaille la nuit sans relâche ; les malades,
les blessés ne prennent aucun repos ; on prépare nuitamment tout ce qu'il faut pour la défense du lendemain ;
on durcit au feu et on affile un grand nombre de pieux,
on fabrique une grande quantité de javelots propres à
être lancés du haut des remparts ; on garnit les tours de
plates-formes ; on munit le rempart de créneaux et de
clayons. Cicéron lui-même, malgré sa santé très délicate,
ne s'accordait même pas le repos de la nuit, au point
que ses soldats, l'entourant de leurs instances, le for-
çaient à se ménager.

XLI. — Alors les chefs des Nerviens et les principaux
de cet état, qui avaient quelque accès auprès de Cicéron
et quelque prétexte à son amitié, lui disent qu'ils désirent
une entrevue avec lui. L'ayant obtenue, ils font les
mêmes déclarations qu'Ambiorix avait faites à Titurius, disant que toute la Gaule était en armes, que les
Germains avaient passé le Rhin, que les quartiers d'hiver
de César et de ses lieutenants étaient assiégés. Ils font
même allusion à la mort de Sabinus, et font parade
d'Ambiorix pour faire foi de leurs paroles. « Ce serait,
disent-ils, une illusion que de compter sur le secours
de légions qui désespèrent de leur propre salut. Au reste,
loin d'avoir aucune intention fâcheuse à l'égard de
Cicéron et du peuple romain, ils ne leur demandent autre
chose que de quitter leurs quartiers d'hiver et de ne pas
voir s'en implanter l'habitude : ils pouvaient sortir du
camp en toute sûreté et partir sans crainte du côté qu'ils
voudraient. » Cicéron ne répondit que ces seuls mots :
« Ce n'était point l'usage du peuple romain d'accepter
aucune condition d'un ennemi armé ; s'ils voulaient
mettre bas les armes, ils pourraient, avec son aide,
envoyer des députés à César ; il espérait qu'ils obtiendraient de sa justice ce qu'ils demandaient. »

XLII. — Déçus dans leur espoir, les Nerviens entourent les quartiers d'hiver d'un rempart de dix pieds
de haut et d'un fossé large de quinze. Ils avaient appris ces
travaux au contact de nos troupes dans les années précé-

dentes et profitaient des leçons que leur donnaient quelques prisonniers de notre armée. Mais, ne disposant pas des outils nécessaires, ils étaient réduits à couper les mottes de gazon avec leurs épées, à porter la terre dans leurs mains ou dans les pans de leurs saies. On put, par cet ouvrage, voir quel était leur nombre, puisqu'en moins de trois heures ils achevèrent une ligne de retranchement qui avait quinze mille pas de tour. Les jours suivants, ils entreprirent d'élever des tours à la hauteur du rempart et de faire des faux et des tortues, d'après les leçons des mêmes prisonniers.

XLIII. — Le septième jour du siège, un grand vent s'étant élevé, ils se mirent à lancer sur les maisons, qui, selon l'usage gaulois, étaient couvertes de chaume, des balles de fronde brûlantes faites d'une argile fusible et des javelots enflammés. Les maisons eurent vite pris feu, et la violence des vents dispersa ce feu sur tous les points du camp. Les ennemis poussant une immense clameur, comme s'ils eussent déjà obtenu la victoire, se mirent à pousser les tours et les tortues et à escalader le rempart. Mais tels furent le courage et la présence d'esprit de nos soldats que, chauffés de partout par la flamme, accablés d'une grêle de traits formidable, sachant que tous leurs bagages et tous leurs biens brûlaient, personne ne quitta le rempart pour aller ailleurs, ni ne songea même à retourner la tête, et que tous alors combattirent avec l'ardeur la plus grande et la plus grande bravoure. Ce fut la journée de beaucoup la plus dure pour les nôtres ; mais elle eut aussi ce résultat, qu'un très grand nombre d'ennemis y fut blessé ou tué, car, entassés au pied même du rempart, les derniers venus gênaient les premiers dans la retraite. L'incendie s'étant un peu apaisé et, en un certain point, une tour ayant été poussée jusqu'au rempart, les centurions de la troisième cohorte, qui se tenaient sur ce point l'abandonnèrent et firent reculer leurs hommes ; puis, appelant les ennemis du geste et de la voix, ils les invitèrent à entrer s'ils le voulaient : mais aucun n'osa s'avancer. Alors, de toutes parts, on les cribla de pierres ; ils furent chassés dans un grand désordre, et la tour fut brûlée.

XLIV. — Il y avait dans cette légion deux centurions de la plus grande bravoure, qui approchaient déjà des premiers grades, Titus Pulio et Lucius Vorénus. C'était

entre eux une perpétuelle rivalité à qui passerait avant
l'autre, et chaque année ils se disputaient l'avancement
avec beaucoup d'animosité. Pulio, au moment où l'on
se battait avec le plus d'ardeur près des remparts :
« Qu'attends-tu, dit-il, Vorénus ? Quel avancement
espères-tu donc pour récompenser ta valeur ? Voici le
jour qui va décider entre nous. » A ces mots, il s'avança
en dehors des retranchements, et voyant où la ligne
ennemie est la plus épaisse, il y fonce. Vorénus ne reste
pas davantage derrière le rempart, mais, craignant de
passer pour moins brave, il suit de près son rival. Quand
il n'est plus qu'à peu de distance de l'ennemi, Pulio
lance son javelot et transperce un Gaulois qui s'était
avancé à sa rencontre : blessé à mort, les ennemis le
couvrent de leurs boucliers, lancent tous à la fois leurs
traits contre Pulio, l'empêchent de s'avancer. Son bouclier est transpercé d'un trait, dont le fer reste dans le
baudrier ; le même coup détourne le fourreau et arrête
sa main droite qui cherche à tirer l'épée ; embarrassé,
les ennemis l'enveloppent. Son rival Vorénus accourt et
vient l'aider. Aussitôt toute la multitude des ennemis
se tourne contre lui et laisse Pulio, qu'ils croient percé
de part en part par le javelot. Vorénus, l'épée à la main,
leur fait front et lutte corps à corps ; il en tue un, écarte
un peu les autres ; mais, se laissant trop aller à son ardeur,
il se jette dans un creux et tombe. C'est à son tour d'être
enveloppé, mais Pulio lui porte secours, et tous deux
sains et saufs, après avoir tué beaucoup d'ennemis et
s'être couverts de gloire, font leur entrée dans le camp.
La fortune, dans cette lutte de deux rivaux, se plut à
balancer leurs succès : chacun d'eux porta secours à
l'autre et lui sauva la vie, sans qu'on pût décider qui
des deux fut le plus brave.

XLV. — De jour en jour le siège devenait plus pénible
et plus rude, d'autant qu'une grande partie des soldats
étant épuisés par leurs blessures, on en était réduit à
bien peu de défenseurs. Et de jour en jour Cicéron dépê-
chait à César plus de lettres et de courriers, mais la plupart étaient arrêtés, et, sous les yeux de nos soldats, mis
à mort parmi mille supplices. Il y avait dans le camp un
Nervien, du nom de Vertico, homme de bonne naissance, qui, dès le commencement du siège, était venu en
transfuge auprès de Cicéron et lui avait juré fidélité.
Il décide un de ses esclaves, par l'espoir de la liberté

et de grandes récompenses, à porter une lettre à César. L'homme l'emporta attachée à son javelot ; Gaulois lui-même, il passe au milieu des Gaulois sans éveiller de soupçon, parvient auprès de César et lui apprend les dangers que courent Cicéron et sa légion.

XLVI. — César, ayant reçu la lettre vers la onzième heure du jour [107], envoie aussitôt un courrier chez les Bellovaques au questeur Marcus Crassus, dont les quartiers d'hiver étaient éloignés de vingt-cinq milles. Il donne à la légion l'ordre de partir au milieu de la nuit et de venir le rejoindre rapidement. Crassus sortit du camp avec le courrier. Un autre est envoyé au lieutenant Caïus Fabius, pour l'avertir de mener sa légion dans le pays des Atrébates, par où César savait qu'il lui fallait passer. Il écrit à Labiénus de venir avec sa légion à la frontière des Nerviens, s'il pouvait le faire sans rien compromettre. César ne croit pas devoir attendre le reste de l'armée, qui était un peu plus éloigné ; il réunit, comme cavaliers, quatre cents hommes environ qu'il tire des quartiers voisins.

XLVII. — Vers la troisième heure, averti par ses éclaireurs de l'arrivée de Crassus, il avance ce même jour de vingt mille pas. Il donne à Crassus le commandement de Samarobrive, et lui attribue sa légion, car il laissait là les bagages de l'armée, les otages fournis par les états, les registres, et tout le blé qu'il y avait fait transporter pour y passer l'hiver. Fabius, selon l'ordre qu'il avait reçu, le rejoint sur la route avec sa légion, sans trop de retard. Labiénus, qui connaissait la mort de Sabinus et le massacre des cohortes, était alors en butte à toutes les forces des Trévires ; il craignit, si son départ ressemblait à une fuite, de ne pouvoir soutenir l'assaut de ses ennemis, d'autant qu'il les savait tout transportés de leur récente victoire. Il répond donc à César par une lettre où il lui dit quel danger il courrait à faire sortir sa légion du camp ; il lui raconte en détail ce qui s'est passé chez les Éburons ; il lui apprend que toutes les forces de cavalerie et d'infanterie des Trévires se sont établies à trois mille pas de son camp.

XLVIII. — César approuva ses vues, et, quoique réduit des trois légions qu'il avait espérées à deux, il n'en mettait pas moins sa seule chance de salut dans une action rapide. Il gagne donc à grandes journées [108] le pays des Nerviens. Là il apprend par des prisonniers ce qui se passe chez Cicéron et combien sa situation est périlleuse. Il décide alors un cavalier gaulois, par de grandes récompenses, à porter une lettre à Cicéron. Cette lettre qu'il envoie est écrite en caractères grecs, afin que l'ennemi, s'il l'intercepte, ne connaisse pas nos projets. Dans le cas où il ne pourrait arriver jusqu'à Cicéron, ce cavalier a l'ordre d'attacher la lettre à la courroie de sa tragule et de la lancer à l'intérieur des fortifications. Dans sa lettre, il écrit qu'il est parti avec ses légions et qu'il sera bientôt là ; il exhorte Cicéron à conserver tout son courage. Le Gaulois, craignant le péril, lance sa tragule, selon les instructions qu'il avait reçues. Le trait se fixa par hasard dans une tour, où il resta deux jours sans être remarqué ; le troisième jour, un soldat l'aperçoit, l'enlève, le porte à Cicéron, qui lit la lettre et en donne lecture devant ses troupes, chez qui elle excite la joie la plus vive. On apercevait alors au loin des fumées d'incendies : on n'eut plus aucun doute sur l'approche des légions.

XLIX. — Les Gaulois, mis au courant par leurs éclaireurs, lèvent le siège et marchent au-devant de César avec toutes leurs troupes : elles étaient d'environ soixante mille hommes d'armes. Cicéron, grâce à ce même Vertico, dont il a été question plus haut, trouve un Gaulois pour porter une lettre à César ; il l'avertit de prendre des précautions et de faire vite. Il annonce dans sa lettre que l'ennemi l'a quitté et a tourné toutes ses forces contre lui. Cette lettre fut apportée à César vers le milieu de la nuit : il en fait part à ses soldats et les exhorte au combat. Le lendemain, au point du jour, il lève le camp, et, après s'être avancé d'environ quatre mille pas, il aperçoit la multitude des ennemis au delà d'une vallée traversée d'un cours d'eau [109]. C'était s'exposer à un grand danger que de livrer bataille, sur une position défavorable, à des forces si nombreuses. D'ailleurs, puisqu'il savait Cicéron délivré du siège, il pouvait en toute tranquillité ralentir son action : il s'arrêta donc et choisit, pour y fortifier son camp, la meilleure position possible. Au reste, quoique ce camp par lui-même fût de peu d'étendue, puisqu'il était pour sept mille hommes à peine, et encore sans bagages, néanmoins il le resserre le plus possible, en y faisant des rues très étroites, afin d'inspirer

aux ennemis un absolu mépris. En même temps il envoie
de tous côtés des éclaireurs afin de reconnaître le chemin
le plus commode pour franchir la vallée.

L. — Dans cette journée, il y eut quelques escarmouches de cavalerie sur les bords de l'eau, mais chacun
resta sur ses positions : les Gaulois, parce qu'ils attendaient des forces plus nombreuses, qui n'avaient pas
encore fait leur jonction ; César parce qu'en simulant la
peur, il pensait pouvoir attirer l'ennemi sur son terrain
et combattre en deçà de la vallée devant son camp ; s'il
n'y pouvait réussir, il voulait au moins reconnaître assez
les chemins pour traverser avec moins de danger la vallée
et la rivière. Dès le point du jour, la cavalerie des ennemis s'approche du camp et engage le combat avec nos
cavaliers. César ordonne à ses cavaliers de se réplier
exprès, et de rentrer dans le camp, en même temps il
ordonne d'augmenter partout la hauteur du rempart, de
boucher les portes, et d'agir en tout cela avec une extrême
précipitation en simulant la peur.

LI. — Attirés par toutes ces feintes, les ennemis tra-
versent, et se rangent en bataille dans une position défavorable. Voyant même que les nôtres avaient évacué le
rempart, ils s'approchent de plus près, lancent de toutes
parts des traits à l'intérieur des fortifications, et font
publier tout autour du camp par des hérauts que tout
Gaulois ou Romain qui voudrait passer de leur côté avant
la troisième heure, le pourrait faire sans danger ; qu'après
ce temps il ne le pourrait plus. Enfin ils conçurent pour
les nôtres tant de mépris que jugeant impossible de forcer
nos portes, à peine fermées, pour donner le change, d'un
seul rang de mottes de gazon, les uns travaillaient de
leurs mains à faire une brèche dans la palissade et les
autres à combler les fossés. Alors César, faisant une sortie
par toutes les portes, lance sa cavalerie qui met bientôt
les ennemis en fuite, sans qu'aucun résistât et fît mine
de combattre. On en tue un grand nombre, et tous abandonnent leurs armes.

LII. — César, craignant de les poursuivre trop loin, à
cause des bois et des marais, et voyant d'ailleurs qu'il
n'était plus possible de leur faire le moindre mal, joint
Cicéron le même jour sans avoir perdu un seul homme.
Il s'étonne à la vue des tours, des tortues, des retran-

chements construits par l'ennemi ; il constate, en passant
en revue la légion, qu'un dixième à peine des soldats est
sans blessure. Il juge par tous ces faits du péril encouru
et de la valeur qu'on a déployée ; il donne à Cicéron et à
la légion les vifs éloges qu'ils méritent ; il félicite individuellement les centurions et les tribuns militaires, dont
il savait, par l'attestation de Cicéron, le signalé courage.
Sur le malheur de Sabinus et de Cotta, il tire quelques
détails des prisonniers. Le lendemain, il assemble l'armée,
lui explique ce qui s'est passé, console et encourage les
soldats : « Ce malheur, qui était dû à la légèreté coupable
d'un lieutenant, devait être d'autant mieux supporté,
que, grâce à la protection des dieux immortels et à leur
vaillance, l'affront était vengé, et n'avait pas laissé aux
ennemis une joie de longue durée ni à eux-mêmes une
trop longue douleur. »

LIII. — Cependant la nouvelle de la victoire de César
parvient à Labiénus par les Rèmes avec une si incroyable
célérité que, bien qu'il fût à soixante mille pas du camp
de Cicéron et que César n'y fût arrivé qu'après la neuvième heure du jour, une clameur s'élevait avant minuit
aux portes du camp : c'étaient les Rèmes qui annonçaient la victoire à Labiénus et le félicitaient. Le bruit
en parvint aux Trévires, et Indutiomare, qui avait décidé
d'attaquer le lendemain le camp de Labiénus, s'enfuit
pendant la nuit et ramène chez les Trévires toutes ses
troupes. César renvoie Fabius dans ses quartiers d'hiver
avec sa légion ; lui-même avec trois légions [110] décide
d'hiverner en trois camps autour de Samarobrive. L'importance des troubles qui avaient éclaté en Gaule le
détermina à rester lui-même tout l'hiver près de l'armée :
en effet, sur le bruit du désastre où Sabinus avait trouvé
la mort, presque tous les états de la Gaule parlaient de
guerre, envoyaient courriers et députations de tous côtés,
s'informaient des projets des autres et de l'endroit d'où
partirait le soulèvement, et tenaient dans des lieux
déserts des assemblées nocturnes. Il n'y eut presque pas
un moment de l'hiver où César ne reçût avec inquiétude
quelque message sur les projets et le mouvement des
Gaulois. Il apprit entre autres de Lucius Roscius, lieutenant qu'il avait mis à la tête de la treizième légion, que
des forces gauloises considérables appartenant aux états,
qu'on nomme armoricains, s'étaient réunies pour l'attaquer et n'étaient plus qu'à huit mille pas de ses quartiers,

lorsqu'à la nouvelle de la victoire de César, elles battirent en retraite si hâtivement que leur départ ressembla à une fuite.

LIV. — Mais César appela près de lui les principaux de chaque état, et, en effrayant les uns, parce qu'il se montrait instruit de leurs menées, en exhortant les autres, il maintint dans le devoir une grande partie de la Gaule. Cependant, les Sénons, un des premiers états gaulois pour la force et le grand crédit dont il jouit parmi les autres, résolut dans une assemblée publique de mettre à mort Cavarinus, que César leur avait donné pour roi (c'était son frère Moritasge qui régnait à l'arrivée de César en Gaule, et c'étaient ses ancêtres qui avaient exercé la royauté). Cavarinus avait pressenti leurs desseins et s'était enfui ; ils le poursuivirent jusqu'à la frontière, le chassèrent de son trône et de chez lui ; puis ils envoyèrent des députés vers César pour se justifier. Celui-ci ayant ordonné que tout le Sénat comparût devant lui, ils n'obéirent pas. Les Barbares furent si impressionnés qu'il se fût trouvé quelques audacieux pour nous déclarer la guerre, et les dispositions de tous les peuples changèrent tellement qu'à l'exception des Éduens et des Rèmes, que César eut toujours en particulière estime, les uns pour leur vieille et continuelle fidélité au peuple romain, les autres pour leurs services récents dans la guerre des Gaules, il n'y eut presque pas une cité qui ne dût nous être suspecte. Et je ne sais si l'on doit s'étonner, sans parler de beaucoup d'autres motifs, qu'il ait paru très pénible à une nation, considérée naguère comme la première de toutes pour sa vertu guerrière, de se voir assez déchue de sa renommée pour être soumise au joug impérial des Romains.

LV. — Quant aux Trévires et à Indutiomare, ils ne cessèrent, durant tout l'hiver, d'envoyer des députés au delà du Rhin, d'y solliciter les états, de promettre des subsides, de raconter qu'une grande partie de notre armée avait été détruite, et qu'il en restait bien loin de la moitié. Néanmoins aucun état germain ne se laissa persuader de passer le Rhin, en ayant fait deux fois déjà l'expérience — disaient-ils — avec la guerre d'Arioviste et l'émigration des Tenctères, et ne voulant plus tenter la fortune. Tombé de cette espérance, Indutiomare ne s'en mit pas moins à rassembler des troupes, à les exercer, à se fournir de chevaux chez les voisins, à attirer à lui, par de grandes récompenses, les exilés et les condamnés de toute la Gaule. Et tel était le crédit que ces menées lui avaient déjà acquis en Gaule, que de tous côtés accouraient à lui des députations, qui sollicitaient, à titre public ou privé, sa faveur et son amitié.

LVI. — Quand il vit qu'on accourait à lui avec cet empressement ; que d'un côté les Sénones et les Carnutes y étaient poussés par le souvenir de leur crime ; que de l'autre les Nerviens et les Atuatuques se préparaient à la guerre contre les Romains, et que des troupes de volontaires ne lui feraient pas défaut, une fois qu'il se serait mis à avancer hors de son pays, il convoque l'assemblée armée. C'est là, selon l'usage des Gaulois, le commencement de la guerre : une loi commune oblige tous ceux qui ont l'âge d'homme à y venir en armes ; celui qui arrive le dernier est mis à mort, sous les yeux de la multitude, dans de cruels supplices. Dans cette assemblée, Indutiomare déclare ennemi public Cingétorix, son gendre, chef de l'autre faction, qui, comme nous l'avons vu plus haut, s'était attaché à César et lui restait fidèle. Ses biens sont confisqués. Cela fait, il annonce dans l'assemblée qu'appelé par les Sénones, les Carnutes et beaucoup d'autres états de la Gaule, il s'y rendrait en passant par le pays des Rèmes, dont il dévasterait les terres, mais qu'avant de procéder ainsi, il attaquerait le camp de Labiénus. Il donne les instructions nécessaires.

LVII. — Labiénus, qui se tenait dans un camp également bien fortifié par la nature et par la main des hommes, ne craignait rien pour lui ni pour sa légion ; il ne songeait qu'à ne pas laisser perdre l'occasion d'une action heureuse. Aussi, mis au courant par Cingétorix et ses proches du discours qu'Indutiomare avait tenu dans l'assemblée, il envoie des messagers aux états voisins, et appelle de partout des cavaliers : il leur indique le jour fixé pour leur réunion. Cependant, presque tous les jours, Indutiomare, avec toute sa cavalerie, rôdait aux abords du camp, soit pour en reconnaître la situation, soit pour entrer en pourparlers ou pour nous effrayer : le plus souvent ils jetaient tous des traits à l'intérieur du retranchement. Labiénus retenait ses troupes à l'intérieur des lignes fortifiées et, par tous les moyens possibles, renforçait chez l'ennemi l'idée que nous avions peur.

LVIII. — Tandis qu'Indutiomare s'approchait chaque jour avec plus de mépris de notre camp, Labiénus y fit entrer, en une seule nuit, les cavaliers de tous les états voisins qu'il avait fait appeler, et sut si bien par une garde vigilante retenir tous les siens au camp qu'en aucune façon la chose ne put être ébruitée ni portée à la connaissance des Trévires. Cependant, selon son habitude de chaque jour, Indutiomare s'approche des abords du camp et y passe la plus grande partie de la journée ; ses cavaliers lancent des traits, et par de violentes invectives provoquent les nôtres au combat. N'en ayant reçu aucune réponse, quand ils en eurent assez, sur le soir, dispersés et en désordre, ils s'en vont. Soudain Labiénus lance, par deux portes, toute sa cavalerie, il ordonne expressément, dès que l'ennemi affolé sera mis en déroute, ce qui arriva comme il le prévoyait, de se précipiter tous sur Indutiomare seul et de ne blesser personne avant de l'avoir vu mort, car il ne voulait pas que le temps passé à poursuivre les autres lui permît de s'enfuir ; il promet de grandes récompenses à ceux qui le tueront ; il envoie ses cohortes soutenir les cavaliers. La fortune seconde son intention : poursuivi seul par tous, Indutiomare est pris au gué même du cours d'eau, mis à mort, et sa tête est rapportée au camp. A leur retour, les cavaliers pourchassent et massacrent ceux qu'ils peuvent. A la nouvelle de l'événement, toutes les forces des Éburons et des Nerviens, qui s'étaient concentrées, se retirent, et, peu après, César eut une Gaule plus tranquille.

LIVRE SIXIÈME

I. — S'attendant, pour de nombreuses raisons, à un plus grand mouvement de la Gaule, César charge ses lieutenants Marcus Silanus, Caïus Antistius Réginus et Titus Sextius, de lever des troupes ; en même temps, il demande à Cnéius Pompée, proconsul, puisque, dans l'intérêt de l'État, il restait aux abords de la Ville [111] avec le commandement, d'ordonner aux recrues de la Gaule cisalpine qui avaient prêté serment sous son consulat de rejoindre leurs enseignes et de se rendre auprès de lui : il jugeait en effet très important, même pour l'avenir, au point de vue de l'opinion gauloise, de montrer que les ressources de l'Italie étaient assez grandes pour lui permettre, en cas d'échec, non seulement de réparer ses pertes en peu de temps, mais encore d'opposer aux ennemis des forces plus considérables qu'auparavant. Pompée accorda cette demande au bien de l'état et à l'amitié ; les lieutenants eurent vite terminé leurs levées : trois légions furent formées et amenées en Gaule avant la fin de l'hiver ; le nombre des cohortes qu'il avait perdues avec Quintus Titurius se trouva doublé ; et l'on vit, tant par cette diligence que par ces forces, ce que pouvaient la discipline et les ressources du peuple romain.

II. — Après la mort d'Indutiomare, dont nous avons parlé, les Trévires déférent le pouvoir à ses proches. Ceux-ci ne cessent de solliciter les Germains de leur voisinage et de leur promettre des subsides ; ne pouvant rien obtenir des plus proches, ils s'adressent à de plus éloignés. Ils réussissent auprès de certains états, se liant par serment, garantissant les subsides par des otages ; ils engagent Ambiorix dans leur ligue et leur pacte. Informé de ces menées, César, voyant que de toutes parts on préparait la guerre ; que les Nerviens, les Atuatuques, les Ménapes, ainsi que tous les Germains cisrhénans étaient en armes ; que les Sénones ne se rendaient pas à ses ordres et se concertaient avec les Carnutes et les états voisins ; que les Trévires sollicitaient les Germains par de fréquentes ambassades, César pensa qu'il lui fallait précipiter la guerre.

III. — Aussi, sans attendre la fin de l'hiver, il réunit les quatre légions les plus proches [112], et se porte à l'improviste sur le pays des Nerviens ; avant qu'ils pussent se rassembler ou fuir, il leur prit un grand nombre d'hommes et de bestiaux, abandonna ce butin aux soldats, dévasta leurs terres et les força à faire leur soumission et à lui donner des otages. Après cette expédition rapide, il ramena les légions dans leurs quartiers d'hiver. Dès le commencement du printemps, il convoque, selon l'usage qu'il avait institué, l'assemblée de la Gaule ; tous y vinrent, à l'exception des Sénones, des Carnutes et des Trévires ; il regarda cette abstention comme le début de la guerre et de la révolte, et, pour faire voir que tout le reste est secondaire, il transporte l'assemblée à Lutèce, ville des Parisiens. Ceux-ci confinaient avec les Sénones et avaient anciennement formé un seul état avec eux ; mais ils paraissaient être étrangers au complot. César, du haut de son tertre, annonce sa décision, part le même jour avec les légions chez les Sénones où il arrive à grandes journées.

IV. — A la nouvelle de son approche, Accon, qui avait été l'instigateur du complot, ordonne à la multitude de se rassembler dans les places fortes ; mais comme elle s'y employait, et avant que l'ordre pût être exécuté, on annonce l'arrivée des Romains ; forcés de renoncer à leur projet, ils envoient des députés à César pour l'implorer ; ils ont recours à la médiation des Éduens, qui depuis très longtemps protégeaient leur état. César, à la prière des Éduens, leur pardonne volontiers, et reçoit leurs excuses, ne voulant pas perdre à une enquête la saison d'été propre à la guerre imminente. Il exige cent otages, dont il confie la garde aux Éduens. Les Carnutes lui envoient aussi chez les Sénones [113] des députés et des otages, font implorer leur pardon par les Rèmes dont ils étaient les clients et obtiennent la même réponse.

César en finit avec l'assemblée et ordonne aux états de lui
fournir des cavaliers.

V. — Cette partie de la Gaule étant pacifiée, il tourne
toutes ses pensées et tous ses efforts vers la guerre des
Trévires et d'Ambiorix. Il ordonne à Cavarinus de partir
avec lui, avec la cavalerie des Sénones, de crainte que le
caractère irascible de ce chef ou la haine qu'il s'était
attirée dans l'état, n'excite quelque trouble. Ces affaires
réglées, tenant pour certain qu'Ambiorix ne livrerait
pas bataille, il cherche à pénétrer ses autres desseins.
Près du pays des Éburons, défendus par une ligne continue de marais et de forêts, il y avait les Ménapes, qui
seuls de toute la Gaule n'avaient jamais envoyé de députés
à César pour traiter de la paix. Il savait qu'Ambiorix
leur était uni par des liens d'hospitalité, il n'ignorait pas
non plus qu'il avait fait alliance avec les Germains par
l'entremise des Trévires. Il pensait qu'avant de l'attaquer
il fallait lui enlever ces auxiliaires, de peur que, se voyant
perdu, il n'allât se cacher chez les Ménapes, ou se joindre
aux Transrhénans. Ce parti pris, il envoie les bagages de
toute l'armée à Labiénus, chez les Trévires, et fait partir
deux légions pour le rejoindre ; lui-même, avec cinq
légions sans bagages, marche contre les Ménapes. Ceux-
ci, forts de leur position, ne rassemblent point de troupes ;
ils se réfugient dans leurs forêts et leurs marais et ils y
transportent leurs biens.

VI. — César partage ses troupes avec son lieutenant
Caïus Fabius et avec son questeur Marcus Crassus, et,
après avoir rapidement fait des ponts, entre dans le
pays par trois endroits, incendie bâtisses et villages, enlève
une grande quantité de bestiaux et d'hommes. Ainsi
contraints, les Ménapes lui envoient des députés pour
demander la paix. Il reçoit leurs otages, en leur déclarant
qu'il les mettrait au nombre de ses ennemis, s'ils recevaient dans leur pays Ambiorix ou ses lieutenants. Ayant
réglé ces affaires, il laisse chez les Ménapes, pour les
surveiller, Commius l'Atrébate avec de la cavalerie,
et il marche contre les Trévires.

VII. — Pendant ces expéditions de César, les Trévires,
ayant rassemblé des forces considérables d'infanterie et
de cavalerie, se préparaient à attaquer Labiénus, qui
hivernait dans leur pays avec une seule légion. Ils n'en

étaient plus qu'à deux jours de marche, lorsqu'ils apprennent que deux autres légions, envoyées par César, viennent de lui arriver. Ils placent leur camp à quinze mille pas et décident d'attendre le secours des Germains. Labiénus, sachant le plan des ennemis, espère que leur légèreté lui donnera quelque heureuse occasion de les combattre ; il laisse cinq cohortes à la garde des bagages, marche à la rencontre des ennemis avec vingt-cinq cohortes et une nombreuse cavalerie, et se retranche à une distance de mille pas. Il y avait entre Labiénus et l'ennemi une rivière d'un passage difficile, et aux rives abruptes : il n'avait point l'intention de la traverser et ne jugeait pas que l'ennemi voulût le faire. L'espoir de l'arrivée des secours croissait de jour en jour. Labiénus, dans le conseil, déclare, pour que tous l'entendent, « que, puisqu'on dit que les Germains approchent, il ne hasardera pas le sort de l'armée et le sien, et que le lendemain, au point du jour, il lèvera le camp ». Ces paroles sont promptement rapportées aux ennemis, car il était naturel que, sur un si grand nombre de cavaliers gaulois, il y en eût pour favoriser la cause gauloise. Labiénus assemble nuitamment les tribuns et les centurions des premières cohortes, leur expose son dessein, et, pour mieux faire croire à l'ennemi qu'il a peur, ordonne de lever le camp avec plus de bruit et de tumulte que les Romains n'ont coutume de faire. De cette manière il donne à son départ l'apparence de la fuite. L'ennemi, vu la proximité des camps, est informé aussi de la nouvelle avant le jour par ses éclaireurs.

VIII. — A peine notre arrière-garde s'était-elle avancée en dehors des retranchements, que les Gaulois s'exhortent ainsi les uns les autres à ne point laisser échapper de leurs mains une proie si désirée : « Il était trop long, puisque les Romains étaient frappés de terreur, d'attendre le secours des Germains ; leur honneur ne souffrait pas qu'avec tant de forces ils n'osassent attaquer une si petite poignée d'hommes [114], surtout fuyante et embarrassée. » Ils n'hésitent pas à passer la rivière, et à livrer bataille dans une position défavorable. Labiénus l'avait prévu et, pour les attirer tous en deçà de la rivière, continuait sa feinte et avançait lentement dans sa marche. Puis, les bagages ayant été envoyés un peu en avant et placés sur un tertre : « Soldats, dit-il, voici l'occasion que vous demandiez : vous tenez l'ennemi sur un terrain

gênant et désavantageux ; déployez sous notre conduite
cette valeur que vous avez si souvent déployée sous les
ordres du général en chef ; supposez qu'il est là et qu'il
voit ce qui se passe. » Aussitôt il ordonne de tourner les
enseignes contre l'ennemi et de former le front de bataille,
détache quelques escadrons pour la garde des bagages
et dispose le reste de la cavalerie sur les ailes. Rapidement
les nôtres élèvent leur clameur et lancent leurs javelots
sur les ennemis. Quand ceux-ci virent, contre toute
attente, marcher contre eux, enseignes déployées, ceux
qu'ils croyaient en fuite, ils ne purent même pas soutenir le choc, et, mis en déroute au premier contact, ils
gagnèrent les forêts voisines. Labiénus lança à leur poursuite sa cavalerie, en tua un grand nombre, fit beaucoup
de prisonniers, et, peu de jours après, reçut la soumission
de leur état ; car les Germains, qui venaient à leur
secours, en apprenant la déroute des Trévires, s'en
retournèrent chez eux. Les parents d'Indutiomare, qui
avaient été les instigateurs de la défection, sortirent
de l'état et les accompagnèrent. Cingétorix, qui, comme
nous l'avons dit, était resté depuis le début dans le
devoir, se vit confier le principat et le commandement
militaire.

IX. — César, après son arrivée des Ménapes chez les
Trévires, résolut, pour deux raisons, de passer le Rhin ;
l'une de ces raisons était que les Germains avaient
envoyé des secours aux Trévires contre lui ; l'autre, la
crainte qu'Ambiorix n'eût un refuge chez eux. Ce parti
une fois pris, il décide de faire un pont un peu au-dessus
de l'endroit où il avait fait passer autrefois son armée.
Le mode de construction en était connu et éprouvé :
grâce à la grande ardeur des soldats, l'ouvrage est achevé
en peu de jours. Laissant une forte garde à la tête de ce
pont chez les Trévires, pour empêcher qu'une révolte
n'éclate soudain de leur côté, il passe le fleuve avec le
reste des légions [115] et la cavalerie. Les Ubiens, qui avaient
antérieurement donné des otages et fait leur soumission,
lui envoient des députés pour se disculper ; ils déclarent
que ce n'est point leur état qui a envoyé des secours aux
Trévires ni eux qui ont violé leur foi ; ils lui demandent
et le supplient de les épargner, et de ne pas confondre,
dans sa haine des Germains, les innocents avec les coupables ; s'il veut plus d'otages, ils s'engagent à lui en
donner. César s'informe, et découvre que ce sont les

Suèves qui ont envoyé les secours ; il accepte les explications des Ubiens et s'enquiert des accès et des voies
qui mènent chez les Suèves.

X. — Là-dessus, peu de jours après, il est informé
par les Ubiens que les Suèves rassemblent toutes leurs
forces en un seul lieu, et dépêchent l'ordre aux peuples,
qui sont sous leur dépendance, d'envoyer des renforts
d'infanterie et de cavalerie. Sur cet avis, il fait provision de blé, choisit une position favorable pour son
camp, commande aux Ubiens d'emmener leurs troupeaux et de transporter tous leurs biens de leurs champs
dans les places fortes ; il espérait que ces hommes barbares et inexpérimentés, souffrant du manque de muni-
tions, pourraient être amenés à combattre dans des
conditions défavorables ; il donne mandat aux Ubiens
d'envoyer de nombreux éclaireurs chez les Suèves et de
s'enquérir de ce qui se passe chez eux. Ils exécutent ses
ordres et, peu de jours après, lui rapportent que tous les
Suèves, instruits par des messagers sûrs de l'arrivée
des Romains, se sont retirés avec toutes leurs troupes
et celles de leurs alliés, qu'ils avaient rassemblées,
jusqu'à l'extrémité de leur pays ; qu'il y a là une forêt
immense, qu'on appelle Bacénis ; qu'elle s'étend fort
loin à l'intérieur et que, placée comme un mur naturel,
elle défend les Suèves et les Chérusques de violences et
d'incursions réciproques ; que c'est à l'entrée de cette
forêt que les Suèves ont décidé d'attendre l'arrivée des
Romains.

XI. — Puisque nous en sommes arrivés à ce point
du récit, il ne nous semble pas hors du sujet de nous
étendre sur les mœurs de la Gaule et de la Germanie et
sur les différences qui séparent ces nations. En Gaule,
non seulement dans chaque état, et dans chaque petit
pays et fraction de pays, mais encore jusque dans chaque
famille, il y a des partis : à la tête de ces partis sont les
hommes qui passent pour avoir le plus de crédit, et à
qui il appartient de juger et de décider pour toutes les
affaires et décisions. Cette institution, qui est très
ancienne, semble avoir pour but de fournir à tout homme
du peuple une protection contre plus puissant que lui :
car aucun chef ne laisse opprimer ou circonvenir les
siens, et s'il lui arrive d'agir autrement, il perd tout
crédit auprès des siens. Ce même système est appliqué

dans l'ensemble de la Gaule tout entière : car tous les
états y sont divisés en deux partis.

XII. — A l'arrivée de César en Gaule, l'un des partis
avait pour chef les Éduens, l'autre, les Séquanais. Ceux-ci
qui étaient moins forts par eux-mêmes, car depuis longtemps l'influence principale appartenait aux Éduens,
dont la clientèle était considérable, s'étaient adjoint
Arioviste et ses Germains et se les étaient attachés à
force de sacrifices et de promesses. Victorieux dans plusieurs batailles, où toute la noblesse des Éduens avait
péri, ils avaient pris une telle prépondérance qu'une
grande partie des clients des Éduens passèrent de leur
côté, qu'ils reçurent en otages les fils de leurs chefs,
forcèrent leur état à jurer solennellement de ne rien
entreprendre contre eux ; les Séquanais s'attribuèrent la
partie du territoire limitrophe qu'ils avaient conquise
et obtinrent la suprématie dans toute la Gaule. Réduit à
cette extrémité, Diviciac était parti pour Rome demander
secours au Sénat et était revenu sans rien obtenir.
Avec l'arrivée de César, la face des choses changea
complètement : leurs otages furent rendus aux Éduens,
leurs anciennes clientèles leur furent restituées, de nouvelles leur furent procurées par le crédit de César, car
ceux qui étaient entrés dans leur amitié voyaient qu'ils
jouissaient d'une condition plus heureuse et d'un gouvernement plus équitable : tout le reste enfin, leur
influence, leur dignité s'étaient accrus, et les Séquanais
avaient perdu leur suprématie. Les Rèmes avaient pris
leur place, et comme on voyait que leur faveur auprès
de César était égale, les peuples que de vieilles inimitiés
empêchaient absolument de se joindre aux Éduens, se
rangeaient dans la clientèle des Rèmes. Ceux-ci les protégeaient avec zèle. Ainsi ils conservaient une autorité
qui était aussi récente que soudaine. La situation était
alors la suivante : le premier rang, et de loin, aux Éduens ;
le second, aux Rèmes.

XIII. — Dans l'ensemble de la Gaule il y a deux
classes d'hommes qui comptent et sont considérées ; car,
pour le bas peuple, il n'a guère que le rang d'esclave,
n'osant rien par lui-même et n'étant consulté sur rien.
La plupart, quand ils se voient accablés de dettes,
écrasés d'impôts, en butte aux violences de gens plus
puissants, se mettent au service des nobles, qui ont sur

eux les mêmes droits que les maîtres sur les esclaves. Quant à ces deux classes dont nous parlions, l'une est celle des druides, l'autre, des chevaliers. Les premiers s'occupent des choses divines, président aux sacrifices publics et privés, règlent les pratiques religieuses. Un grand nombre d'adolescents viennent s'instruire auprès d'eux, et ils sont l'objet d'une grande vénération. Ce sont eux, en effet, qui décident de presque toutes les contestations publiques et privées, et, s'il s'est commis quelque crime, s'il y a eu meurtre, s'il s'élève un débat à propos d'héritage ou de limites, ce sont eux qui tranchent, qui fixent les dommages et les peines [116] ; si un particulier ou un état ne défère pas à leur décision, ils lui interdisent les sacrifices. Cette peine est chez eux la plus grave de toutes. Ceux contre qui est prononcée cette interdiction, sont mis au nombre des impies et des criminels ; on s'écarte d'eux, on fuit leur abord et leur entretien, craignant d'attraper à leur contact un mal funeste ; ils ne sont pas admis à demander justice et n'ont part à aucun honneur. Tous ces druides sont commandés par un chef unique, qui exerce parmi eux l'autorité suprême. A sa mort, si l'un d'entre eux l'emporte par le mérite, il lui succède ; si plusieurs ont des titres égaux, le suffrage des druides choisit entre eux ; parfois même ils conquièrent le principat les armes à la main. A une époque déterminée de l'année, ils tiennent leurs assises dans un lieu consacré, au pays des Carnutes, qui passe pour être au centre de toute la Gaule. Là se rendent de toutes parts tous ceux qui ont des différends, et ils se soumettent à leurs jugements et à leurs décisions. Leur doctrine a pris naissance, croit-on, en Bretagne, et a été, de là, transportée en Gaule ; et, aujourd'hui encore, ceux qui veulent en avoir une connaissance plus minutieuse, partent généralement là-bas pour s'y instruire.

XIV. — Les druides n'ont point coutume d'aller à la guerre ni de payer des impôts comme le reste des Gaulois ; ils sont dispensés du service militaire et exempts de toute espèce de charge. Poussés par de si grands avantages, beaucoup viennent spontanément suivre leur enseignement, beaucoup leur sont envoyés par leurs parents et leurs proches. Là ils apprennent par cœur, à ce qu'on dit, un grand nombre de vers : aussi certains demeurent-ils vingt ans à leur école. Ils estiment que la

religion interdit de confier ces cours à l'écriture, alors que
pour le reste en général, pour les comptes publics et
privés, ils se servent de l'alphabet grec. Ils me paraissent
avoir établi cet usage pour deux raisons, parce qu'ils ne
veulent ni divulguer leur doctrine ni voir leurs élèves, se
fiant sur l'écriture, négliger leur mémoire ; car il arrive
presque toujours que l'aide des textes a pour conséquence
un moindre zèle pour apprendre par cœur et une diminu-
tion de la mémoire. Ce qu'ils cherchent surtout à persuader, c'est que les âmes ne meurent pas, mais passent
après la mort d'un corps dans un autre ; cette croyance
leur semble particulièrement propre à exciter le courage,
en supprimant la crainte de la mort. Ils discutent aussi
abondamment sur les astres et leur mouvement, sur la
grandeur du monde et de la terre, sur la nature des
choses, sur la puissance et le pouvoir des dieux immortels, et ils transmettent ces spéculations à la jeunesse.

XV. — L'autre classe est celle des chevaliers. Quand
besoin est et que quelque guerre survient (et, avant
l'arrivée de César, il ne se passait presque pas d'année
sans qu'il y eût quelque guerre offensive ou défensive),
ils prennent tous part à la guerre ; et chacun d'eux,
selon sa naissance ou l'ampleur de ses ressources, a
autour de lui un plus ou moins grand nombre d'ambacts
et de clients. C'est le seul signe de crédit et de puissance qu'ils connaissent.

XVI. — La nation des Gaulois est, dans son ensemble,
très adonnée aux pratiques religieuses ; et c'est pourquoi
ceux qui sont atteints de maladies graves, ceux qui
vivent dans les combats et leurs périls, immolent ou
font vœu d'immoler des êtres humains en guise de victimes. Ils se servent pour ces sacrifices du ministère des
druides ; ils pensent, en effet, que c'est seulement en
rachetant la vie d'un homme par la vie d'un autre
homme que la puissance des dieux immortels peut être
apaisée. Ils ont des sacrifices de ce genre qui sont d'institution publique. Certains ont des mannequins d'une taille
énorme, dont ils remplissent d'hommes vivants la cara-
pace tressée d'osier, l'on y met le feu, et les hommes
périssent enveloppés par la flamme. Les supplices de
ceux qui ont été arrêtés en flagrant délit de vol ou de
brigandage ou pour quelque autre crime passent pour
plaire davantage aux dieux immortels ; mais lorsqu'on

n'a pas assez de victimes de cette sorte, on en vient jusqu'à sacrifier même des innocents.

XVII. — Le dieu qu'ils honorent le plus est Mercure. Ses statues sont les plus nombreuses. Ils le regardent comme l'inventeur de tous les arts, comme le guide des voyageurs sur les routes, comme le plus capable de faire gagner de l'argent et prospérer le commerce. Après lui, ils adorent Apollon, Mars, Jupiter et Minerve. Ils ont de ces divinités à peu près la même idée que les autres nations : Apollon chasse les maladies, Minerve enseigne les éléments des travaux et des métiers, Jupiter exerce son empire sur les hôtes des cieux, Mars gouverne les guerres. Quand ils ont résolu de livrer bataille, ils font vœu en général de lui donner ce qu'ils auront pris à la guerre ; après la victoire, ils lui immolent le butin vivant et entassent le reste en un seul endroit. Dans beaucoup d'états, on peut voir, en des lieux consacrés, des tertres élevés avec ces dépouilles. Il n'est guère arrivé qu'un homme osât, au mépris de la religion, cacher chez lui son butin ou toucher à ces dépôts : un tel crime est puni du plus cruel supplice au milieu des tortures.

XVIII. — Tous les Gaulois se prétendent issus de Dis Pater : c'est une tradition qu'ils disent tenir des druides. C'est pour cette raison qu'ils mesurent le temps par le nombre des nuits, et non par celui des jours. Ils calculent les dates de naissance, les débuts de mois et d'années en commençant la journée par la nuit. Dans les autres usages de la vie, ils diffèrent surtout des autres peuples par une coutume particulière qui consiste à ne pas permettre à leurs enfants de les aborder en public, avant l'âge où ils sont capables du service militaire ; et c'est une honte pour eux qu'un fils en bas âge prenne place dans un lieu public sous les yeux de son père.

XIX. — Les maris mettent en communauté, avec la somme d'argent qu'ils reçoivent en dot de leurs femmes, une part de leurs biens égale — estimation faite — à cette dot. On fait de ce capital un compte joint et l'on en réserve les intérêts ; celui des deux époux qui survit à l'autre reçoit la part des deux avec les intérêts accumulés. Les maris ont droit de vie et de mort sur leurs femmes comme sur leurs enfants. Lorsqu'un père de famille d'illustre naissance vient à mourir, ses proches

s'assemblent, et, si cette mort fait naître quelque soupçon, les femmes sont mises à la question comme des esclaves ; si le crime est prouvé, elles sont livrées au feu et
aux plus cruels tourments et supplices. Les funérailles,
eu égard à la civilisation des Gaulois, sont magnifiques et
somptueuses ; tout ce qu'on pense que le défunt a chéri
pendant sa vie est porté au bûcher, même les animaux ;
il y a peu de temps encore, quand la cérémonie funèbre
était complète, on brûlait avec lui les esclaves et les
clients qui lui avaient été chers.

XX. — Les états qui passent pour les mieux admi-
nistrés ont des lois prescrivant que quiconque a reçu
d'un pays voisin quelque nouvelle intéressant les affaires
publiques doit la faire connaître au magistrat sans en
faire part à aucun autre, parce que l'expérience leur a
appris que souvent des hommes imprudents et ignorants
s'effraient de fausses rumeurs, se portent à des excès et
prennent les plus graves résolutions. Les magistrats
cachent ce qu'il leur semble bon, et ne livrent à la multitude que ce qu'ils croient utile de lui dire. Il n'est permis
de parler des affaires publiques que dans l'assemblée.

XXI. — Les mœurs des Germains sont très différentes.
En effet ils n'ont ni druides qui président au culte des
dieux ni aucun goût pour les sacrifices. Ils ne rangent
au nombre des dieux que ceux qu'ils voient [117] et dont
ils ressentent manifestement les bienfaits, le Soleil, Vulcain, la Lune ; ils n'ont même pas entendu parler des
autres. Toute leur vie se passe en chasses et en exercices
militaires ; dès leur enfance, ils s'habituent à la fatigue
et à la dure. Ceux qui ont gardé le plus longtemps leur
virginité sont fort estimés de leur entourage ; ils pensent
qu'on devient ainsi plus grand, plus fort, et plus musclé.
C'est une des hontes les plus grandes parmi eux que de
connaître la femme avant l'âge de vingt ans : on ne fait
d'ailleurs pas mystère de ces choses, car il y a des bains
mixtes dans les rivières, et les vêtements en usage sont
des peaux ou de courts rénons, qui laissent à nu une
grande partie du corps.

XXII. — Ils n'ont point de goût pour l'agriculture ;
leur alimentation consiste pour une grande part en lait,
fromage et viande. Nul n'a chez eux de champs limités
ni de domaine qui lui appartienne en propre ; mais les
magistrats et les chefs assignent pour chaque année, aux

familles et aux groupes de parents qui vivent ensemble,
des terres en telle quantité et en tel lieu qu'ils le jugent
convenable ; l'année suivante, ils les obligent de passer
ailleurs. Ils allèguent de nombreuses raisons de cet usage :
ils craignent qu'en prenant l'habitude de la vie sédentaire
ils ne négligent la guerre pour l'agriculture ; qu'ils ne
songent à étendre leurs possessions et qu'on ne voie les
plus forts dépouiller les plus faibles ; qu'ils n'apportent
trop de soins à bâtir des maisons pour se garantir du
froid et de la chaleur ; que ne s'éveille l'amour de l'argent,
qui fait naître les factions et les discordes ; ils veulent
contenir le peuple par le sentiment de l'égalité, chacun
se voyant l'égal, en fortune, des plus puissants.

XXIII. — Le plus beau titre de gloire pour les états,
c'est d'avoir fait le vide autour de soi, de façon à n'être
entourés que des déserts les plus vastes possible. Ils
tiennent pour la marque même de la vertu guerrière de
faire partir leurs voisins en les chassant de leurs champs
et d'empêcher quiconque d'avoir l'audace de s'établir
près d'eux. Ils y voient en même temps une garantie de
sécurité, puisqu'ils n'ont plus à craindre une incursion
soudaine. Quand un état fait une guerre, soit défensive,
soit offensive, il choisit pour la diriger des magistrats qui
ont le droit de vie et de mort. En temps de paix, il n'y
a point de magistrat commun, mais les chefs des régions
et des petits pays rendent la justice et arrangent les
procès chacun parmi les siens. Les vols n'ont rien de
déshonorant, quand ils sont commis hors des frontières
de chaque état ; ils prétendent que c'est un moyen d'exercer la jeunesse et de combattre l'oisiveté. Lorsqu'un
chef, dans une assemblée, propose de diriger une entreprise et demande qui veut le suivre, ceux à qui plaisent
et l'expédition et l'homme se lèvent, et lui promettent
leur concours, applaudis par la multitude. Ceux qui par
la suite se dérobent sont mis au nombre des déserteurs et
des traîtres, et toute confiance leur est désormais refusée.
La violation d'hospitalité est tenue pour sacrilège ; ceux
qui, pour une raison quelconque, viennent chez eux,
sont protégés contre toute violence et considérés comme
sacrés ; toutes les maisons leur sont ouvertes ; on partage
les vivres avec eux.

XXIV. — Il fut un temps où les Gaulois surpassaient
les Germains en bravoure, portaient la guerre chez eux,

envoyaient des colonies au delà du Rhin [118] parce qu'ils étaient nombreux et manquaient de terres. C'est ainsi que les contrées les plus fertiles de la Germanie, aux environs de la forêt hercynienne (dont je vois qu'Ératosthène et certains auteurs grecs avaient entendu parler, et qu'ils appellent Orcynie), furent occupées par les Volques Tectosages, qui s'y fixèrent. Ce peuple s'y est maintenu jusqu'à ce jour, et il a la plus grande réputation de justice et de gloire guerrière. Aujourd'hui encore les Germains vivent dans la même pauvreté, la même indigence, la même endurance, ils ont le même genre de nourriture et de costume. Les Gaulois, au contraire, grâce au voisinage de la Province et aux importations du commerce maritime, ont appris à jouir d'une vie large et aisée ; accoutumés peu à peu à se laisser battre, vaincus en de nombreux combats, eux-mêmes ne se comparent même plus aux Germains pour la valeur.

XXV. — La largeur de cette forêt hercynienne, dont il a été question plus haut, est de neuf journées de marche pour un voyageur équipé à la légère, et ne peut être déterminée autrement, nos mesures itinéraires n'étant point connues des Germains. Elle commence aux frontières des Helvètes, des Némètes et des Rauraques et s'étend le long du Danube jusqu'au pays des Daces et des Anartes ; de là, elle tourne à gauche en s'éloignant du fleuve, et, par suite de sa vaste étendue, borne le territoire de beaucoup de peuples. Il n'est aucun Germain de cette contrée qui, après soixante jours de marche, puisse dire qu'il est arrivé au bout, ni savoir en quel lieu elle commence. On assure qu'elle renferme beaucoup d'espèces de bêtes sauvages qu'on ne voit pas ailleurs. Celles qui diffèrent le plus des autres et semblent le plus dignes d'être notées sont les suivantes.

XXVI. — D'abord un bœuf, ayant la forme d'un cerf, et portant au milieu du front, entre les oreilles, une corne unique [119], plus haute et plus droite que celles qui nous sont connues ; à son sommet elle s'épanouit en empaumures et en rameaux. Mâle et femelle sont de même type, ont des cornes de même forme et de même grandeur.

XXVII. — Il y a aussi les animaux qu'on nomme élans. Leur forme et la variété de leurs pelages ressemblent à celles des chèvres ; ils les dépassent un peu par la taille, et ils ont des cornes tronquées et des jambes sans articulations et sans nœuds ; ils ne se couchent point pour dormir, et, s'ils tombent accidentellement, ils ne peuvent se redresser ni se soulever [120]. Les arbres leur servent de lits : ils s'y appuient, et c'est ainsi, simplement un peu penchés, qu'ils goûtent le repos. Lorsqu'en suivant leurs traces les chasseurs ont reconnu leur retraite habituelle, ils déracinent ou scient tous les arbres du lieu, mais de manière qu'ils aient l'air de tenir encore debout. Les animaux, en venant s'y appuyer comme d'habitude, les font fléchir sous leur poids et tombent avec eux.

XXVIII. — Une troisième espèce est celle des animaux qu'on nomme urus. Ils sont pour la taille un peu au-dessous des éléphants, avec l'aspect, la couleur et la forme du taureau. Leur force est grande et grande leur vitesse : ils n'épargnent ni l'homme ni la bête qu'ils ont aperçus. On s'applique à les prendre dans des fosses et on les tue. Ce genre de chasse est pour les jeunes gens un exercice qui les endurcit à la fatigue. Ceux qui ont tué le plus de ces animaux en rapportent les cornes au public, pour prouver leur exploit, et reçoivent de grands éloges. On ne peut d'ailleurs ni habituer l'urus à l'homme ni l'apprivoiser, même en le prenant tout petit. Ses cornes diffèrent beaucoup par la grandeur, la forme, l'aspect de celles de nos bœufs. Elles sont soigneusement recherchées : on encercle les bords d'argent et l'on s'en sert comme de coupes dans les très grands festins.

XXIX. — César, quand il apprit par les éclaireurs ubiens que les Suèves s'étaient retirés dans les forêts, craignit de manquer de blé, car, ainsi qu'on l'a vu, l'agriculture est fort négligée chez tous les Germains, et il décida de ne pas aller plus loin. Mais, pour ne pas enlever aux Barbares tout sujet de craindre son retour et pour retarder leurs secours, après avoir ramené ses troupes, il fait couper derrière lui sur une longueur de deux cents pieds la partie du pont qui touchait aux bords des Ubiens, et construit à l'extrémité du pont une tour de quatre étages, en laissant pour le défendre une garde de douze cohortes et en fortifiant cette position par de grands retranchements. Il donne le commandement de

la position et de la garnison au jeune Caïus Volcatius
Tullus. Lui-même, comme les blés commençaient à
mûrir, part pour faire la guerre à Ambiorix, à travers
la forêt des Ardennes, la plus grande de toute la Gaule,
et qui s'étend depuis les rives du Rhin et le pays des
Trévires jusqu'aux Nerviens sur une longueur de plus
de cinq cents milles. Il envoie en avant Lucius Minucius
Basilus avec toute la cavalerie, pour voir s'il pourrait
tirer profit d'une marche rapide ou de quelque occasion favorable ; il lui recommande d'interdire les feux
dans le camp, pour ne pas signaler au loin son approche ;
et il lui déclare qu'il le suit de près.

XXX. — Basilus exécute ses ordres, et, par une
marche aussi prompte qu'inattendue, ramasse un grand
nombre d'ennemis qui travaillaient sans méfiance dans
la campagne ; sur leurs indications, il va droit où l'on
disait qu'était Ambiorix [121] avec quelques cavaliers. La
fortune peut beaucoup en toutes choses, et particulièrement à la guerre. Car si ce fut un grand hasard de
tomber sur Ambiorix sans qu'il fût sur ses gardes et
même sans défense, et de lui apparaître avant qu'il eût
rien appris par la rumeur publique ou par des courriers,
ce fut aussi un grand bonheur pour lui de pouvoir, en
perdant tout l'attirail militaire qui l'entourait, chars et
chevaux, échapper lui-même à la mort. Voici comment
la chose se fit : sa maison étant entourée de bois (comme
le sont presque toutes les demeures des Gaulois, qui,
pour éviter la chaleur, cherchent d'ordinaire le voisinage
des forêts et des fleuves), ses compagnons et ses amis
purent soutenir quelque temps, dans un chemin étroit,
le choc de nos cavaliers. Pendant qu'ils se battaient,
l'un des siens le mit à cheval : les bois protégèrent sa
fuite. Ainsi la fortune prévalut pour le mettre en péril
et pour l'y soustraire.

XXXI. — Ambiorix ne rassembla pas ses troupes :
le fit-il à dessein, parce qu'il jugeait qu'il ne fallait pas
livrer bataille, ou bien faute de temps et empêché par
l'arrivée soudaine de notre cavalerie, qu'il croyait suivie
de près par le reste de l'armée ? On ne sait ; quoi qu'il
en soit, il envoya des messages dans tous les coins des
campagnes pour enjoindre à chacun de pourvoir à sa
sûreté. Une partie de ces troupes se réfugia dans la forêt
des Ardennes, une autre dans une région de marais

continus ; ceux qui étaient tout près de l'Océan se cachèrent dans les îles que forment les marées [122] ; beaucoup quittant leur pays, se confièrent, corps et biens, à des régions tout à fait étrangères. Catuvolcus, roi de la moitié des Éburons, qui s'était associé au complot d'Ambiorix, accablé par l'âge et incapable de supporter les fatigues de la guerre ou de la fuite, après avoir chargé d'imprécations Ambiorix, auteur de l'entreprise, s'empoisonna avec de l'if, arbre très répandu en Gaule et en Germanie.

XXXII. — Les Sègnes et les Condruses, peuples de race germanique et comptés parmi les Germains, qui habitent entre les Éburons et les Trévires, envoyèrent des députés à César pour le prier de ne point les mettre au nombre de ses ennemis, et de ne pas confondre dans une seule et même cause tous les Germains d'en deçà du Rhin, protestant qu'ils n'avaient pas songé à la guerre ni envoyé aucun secours à Ambiorix. César s'informa du fait en questionnant des captifs et leur ordonna de lui ramener les Éburons qui se seraient réfugiés chez eux, leur promettant, s'ils le faisaient, de ne pas violer leur pays. Puis, il distribua ses troupes en trois corps et rassembla les bagages de toutes les légions à Atuatuca. C'est le nom d'une forteresse, située presque au milieu du pays des Éburons, où Titurius et Aurunculéius avaient eu leurs quartiers d'hiver. Cette position plaisait d'autant plus à César que les retranchements de l'année précédente étaient encore intacts, ce qui allégeait la peine des soldats. Il laissa, pour la garde des bagages, la quatorzième légion, une des trois qu'il avait levées depuis peu en Italie et emmenées en Gaule. Il met à la tête de cette légion et du camp Quintus Tullius Cicéron et lui donne deux cents cavaliers.

XXXIII. — Ayant partagé son armée, il donne l'ordre à Titus Labiénus de partir avec trois légions vers l'Océan, dans la partie qui touche aux Ménapes ; il envoie Caïus Trébonius, avec le même nombre de légions, ravager la région qui est contiguë aux Atuatuques ; lui-même, avec les trois légions restantes, décide de marcher vers l'Escaut, cours d'eau qui se jette dans la Meuse, et vers l'extrémité des Ardennes, où on lui disait qu'Ambiorix s'était retiré avec quelques cavaliers. En partant, il assure qu'il sera de retour dans sept jours ; il savait que c'était le moment où l'on devait distribuer du blé à la légion qui restait pour la garde des bagages. Il recommande à Labiénus et à Trébonius de revenir le même jour, s'ils peuvent le faire sans inconvénient, afin de se concerter encore et, après un examen de la situation de l'ennemi, de recommencer la guerre sur d'autres directives.

XXXIV. — Il n'y avait là, comme nous l'avons dit plus haut, nulle troupe régulière, ni place forte, ni garnison en état de se défendre ; mais c'était de toutes parts une multitude éparse. Partout où une vallée couverte, un lieu boisé, un marais inextricable offrait quelque espoir de protection ou de salut, on s'était tapi. Ces retraites étaient connues des habitants du voisinage, et une grande diligence était nécessaire, non pour protéger l'ensemble de l'armée (car, réunie, elle ne pouvait rien craindre de gens terrifiés et dispersés), mais pour défendre chaque soldat isolément, ce qui, pour une part, importait au salut de l'armée. En effet, l'appât du butin en entraînait beaucoup assez loin, et les forêts, avec leurs sentiers incertains et invisibles, les empêchaient de marcher en troupe. Si l'on voulait en finir et détruire cette race de brigands, il fallait diviser l'armée en nombreux détachements ; si l'on voulait garder les manipules auprès de leurs enseignes, selon la règle établie et l'usage de l'armée romaine, la nature même des lieux protégeait les Barbares, et l'audace ne leur manquait pas pour dresser de secrètes embûches ou envelopper nos soldats dispersés. En des circonstances si difficiles, on agissait avec toute la prudence possible, préférant même laisser échapper quelque occasion de nuire à l'ennemi, malgré le désir de vengeance qui enflammait tous les cœurs, plutôt que de lui nuire en perdant des soldats. César envoie des messagers aux états voisins : il les attire à lui par l'espoir du butin, les invite tous à piller les Éburons, aimant mieux risquer dans les bois la vie des Gaulois que celle du légionnaire et voulant, par cette immense invasion, anéantir la race et le nom d'un état coupable d'un si grand crime. Un grand nombre de Gaulois accourt vite de toutes parts.

XXXV. — Tandis que ces événements se déroulaient sur tous les points du pays des Éburons, le septième jour approchait, date à laquelle César avait résolu de retourner près des bagages et de la légion. On put voir alors ce que peut la fortune à la guerre et quels graves incidents elle produit. L'ennemi étant, comme nous l'avons dit, dispersé et terrifié, il n'y avait point de troupe capable de nous inspirer la moindre crainte. Le bruit parvient au delà du Rhin, chez les Germains, que l'on pille les Éburons et que tous sont conviés au butin. Les Sugambres, qui sont voisins du Rhin, rassemblent deux mille cavaliers : ils avaient, comme nous l'avons vu plus haut, recueilli dans leur fuite les Tenctères et les Usipètes ; ils passent le Rhin sur des barques et des radeaux, à trente mille pas au-dessous de l'endroit où César avait fait un pont et laissé une garde ; ils entrent sur les frontières des Éburons, ramassent une foule de fuyards dispersés, s'emparent d'un nombreux bétail, proie dont les Barbares sont très avides. L'appât du butin les entraîne plus loin : nourris au sein de la guerre et du brigandage, ils ne sont arrêtés ni par les marais ni par les bois : ils demandent aux prisonniers en quels lieux est César, apprennent qu'il est parti plus loin et que toute l'armée s'en est allée avec lui. Puis l'un des captifs leur dit : « Pourquoi poursuivre une proie misérable et chétive, quand une magnifique fortune s'offre à vous ? En trois heures vous pouvez arriver à Atuatuca : l'armée des Romains a entassé là toutes ses richesses ; la garnison est si faible qu'elle ne suffirait pas à border le rempart et que pas un n'oserait sortir des retranchements. » Devant cet espoir, les Germains laissent dans une cachette le butin qu'ils ont fait, et marchent sur Atuatuca, guidés par le même homme, dont ils tenaient ces indications.

XXXVI. — Cicéron, tous les jours précédents, avait bien, suivant les instructions de César, retenu avec le plus grand soin ses soldats dans le camp, sans permettre même à un valet de sortir du retranchement ; mais le septième jour, n'espérant plus que César observât le terme fixé, car il entendait dire qu'il avait poussé plus loin et on ne venait pas lui parler de son retour, ébranlé aussi par les propos de ceux qui disaient que sa patience était presque une posture d'assiégés, puisqu'on ne pouvait sortir du camp, persuadé enfin que, couvert par neuf légions et une très forte cavalerie, il n'avait rien à craindre, dans un rayon de trois milles, d'un ennemi dispersé et presque détruit, il envoie cinq cohortes au blé dans les champs les plus proches, qu'une colline seule séparait du camp [123]. Il y avait, dans ce camp, beaucoup de ma-

lades, laissés par les légions : trois cents environ, qui
s'étaient rétablis dans l'intervalle, sont envoyés sous la
même enseigne que les cohortes ; de plus, une foule de
valets reçoit l'autorisation de les suivre, avec une quantité
de bêtes de somme, qui étaient restées au camp.

XXXVII. — Juste à ce moment, par hasard, survien-
nent les cavaliers germains, et aussitôt, sans ralentir leur
course, ils essaient de pénétrer dans le camp par la porte
décumane : les bois qui masquaient la vue de ce côté
empêchèrent de les voir avant qu'ils fussent tout près,
si bien que les marchands, qui avaient leurs tentes sous le
rempart, n'eurent pas le temps de se replier. Les nôtres,
surpris, perdent la tête, et la cohorte de garde soutient
à peine le premier choc. Les ennemis se répandent tout
autour, cherchant à trouver un accès. Les soldats ont
grand'peine à défendre les portes ; les autres accès sont
défendus par leur position même et par le retranchement.
Le camp tout entier s'affole ; on s'interroge de l'un à
l'autre sur la cause du tumulte ; on ne songe à dire ni où
il faut porter les enseignes ni de quel côté chacun doit se
diriger. L'un annonce que le camp est déjà pris ; l'autre
prétend que l'armée et le général en chef ont été exterminés et que les Barbares sont venus en vainqueurs ; la
plupart se font sur la nature du lieu des idées supersti-
tieuses, et se représentent le désastre de Cotta et de
Titurius, qui ont succombé dans le même camp. Au
milieu de la frayeur qui épouvante tout le monde, les
Barbares se confirment dans l'opinion, recueillie d'un
prisonnier, que l'intérieur de la place est vide. Ils tâchent
d'y faire irruption et s'exhortent eux-mêmes à ne pas
laisser échapper de leurs mains une si belle occasion.

XXXVIII. — Parmi les malades laissés dans la place
était Publius Sextius Baculus, qui avait été primipile
sous César et dont nous avons parlé dans le récit des
combats précédents [124] : depuis cinq jours, il n'avait pas
pris de nourriture. Inquiet sur son salut et sur celui de
tous, il s'avance sans armes hors de sa tente : il voit la
menace de l'ennemi et l'extrême danger de la situation, se
saisit des armes des premiers soldats qu'il rencontre et se
place à la porte [125]. Les centurions de la cohorte qui était
de garde le suivent, et tous ensemble soutiennent
quelques instants le combat. Sextius, couvert de graves
blessures, s'évanouit : non sans peine on le passe de

main en main et on le sauve. Pendant ce délai, les autres
se ressaisissent assez pour oser rester sur les retranchements et avoir l'air de défenseurs.

XXXIX. — Cependant, ayant fait provision de blé, nos
soldats entendent distinctement une clameur : les cavaliers prennent les devants, se rendent compte de la gravité du danger. Mais ici point de retranchement, qui
puisse servir d'abri à leur frayeur ; recrutés récemment [126]
et sans expérience de la guerre, ils tournent les yeux vers
le tribun militaire et les centurions ; ils attendent leurs
ordres. Il n'en est point d'assez brave pour n'être pas
affolé par une situation si nouvelle. Les Barbares, apercevant au loin les enseignes, cessent l'attaque : ils croient
d'abord que ces troupes qui reviennent sont les légions
que les captifs leur avaient dit être si éloignées ; mais
bientôt, pleins de mépris pour une si petite troupe, ils
fondent sur elle de toutes parts.

XL. — Les valets courent au tertre le plus proche.
Vite délogés de cette position, ils se jettent dans les
rangs des enseignes et des cohortes, et augmentent la
frayeur des soldats apeurés. Les uns proposent de faire
le coin pour se frayer rapidement un passage, puisque le
camp est si près : si une partie d'entre eux est enveloppée
et tombe, le reste du moins, pensent-ils, peut se sauver ;
les autres veulent qu'on s'arrête sur la colline et que tous
supportent le même sort. Ce fait n'a point l'approbation
des vétérans, qui, nous l'avons dit, étaient partis sous la
même enseigne. Aussi, après s'être exhortés entre eux,
conduits par Caïus Trébonius, chevalier romain, qui les
commandait, ils se font jour au beau milieu des ennemis
et parviennent au camp sans avoir perdu un seul homme.
Les valets et les cavaliers qui avaient suivi leur élan se
sauvent grâce à la vaillance des soldats. Mais ceux qui
s'étaient arrêtés sur la colline, n'ayant encore aucune
expérience de l'art militaire, ne surent ni persister dans
le dessein qu'ils avaient approuvé de se défendre sur la
hauteur, ni imiter la vigueur et la rapidité qu'ils avaient
vu profiter si bien aux autres ; mais en essayant de se
replier sur le camp, ils s'engagèrent dans un lieu bas et
défavorable. Les centurions, dont certains avaient mérité
par leur valeur d'être tirés des cohortes inférieures des
autres légions pour être élevés aux premières cohortes
de celle-ci, ne voulant pas perdre la gloire guerrière qu'ils

s'étaient acquise, se firent tuer en combattant avec une extrême bravoure. Une partie des soldats, profitant de la vaillance de leurs chefs qui avait écarté un peu les ennemis, parvint sans perte au camp, contre toute espérance ; l'autre fut enveloppée par les Barbares et périt.

XLI. — Les Germains, désespérant de prendre le camp, parce qu'ils voyaient que les nôtres s'étaient maintenant portés aux retranchements, se replièrent au delà du Rhin, avec le butin qu'ils avaient déposé dans les bois. Tel était encore l'effroi, même après le départ des ennemis, que, cette nuit-là, Caïus Volusenus envoyé avec sa cavalerie et arrivé au camp, ne put faire croire que César approchait avec l'armée intacte. La frayeur avait si bien dominé tous les esprits qu'à demi égarés les soldats prétendaient que toutes les troupes avaient été exterminées, que la cavalerie seule avait échappé par la fuite, et que, si l'armée avait été intacte, les Germains n'auraient pas attaqué le camp. L'arrivée de César dissipa cette frayeur.

XLII. — A son retour, celui-ci, qui n'ignorait pas les hasards de la guerre, se plaignit seulement qu'on eût fait quitter aux cohortes leur poste et leur garde, alors qu'on n'eût pas dû laisser place au moindre imprévu [127] ; il jugea d'ailleurs que la fortune avait eu grande part à l'arrivée soudaine des ennemis, et une beaucoup plus grande encore pour avoir écarté les Barbares presque du retranchement même et des portes du camp. Mais ce qui lui paraissait le plus étonnant de toute l'affaire, c'est que les Germains, qui avaient franchi le Rhin dans le dessein de ravager le pays d'Ambiorix, eussent été conduits vers le camp des Romains et eussent rendu ainsi à Ambiorix le service le plus souhaitable.

XLIII. — César, reparti pour vexer l'ennemi, rassemble un grand nombre de troupes des états voisins et les envoie sur tous les points. Tous les villages, et tous les bâtiments que chacun apercevait étaient brûlés ; on faisait du butin partout ; les céréales non seulement étaient consommées par toute cette multitude de bêtes, de chevaux et d'hommes, mais encore avaient été couchées par la saison avancée et par les pluies ; si bien que ceux mêmes qui s'étaient cachés pour l'instant, semblaient néanmoins, après le départ de l'armée, devoir succomber à une totale disette. Et il arriva souvent, avec cette nombreuse cavalerie qui battait le pays en tous sens, que des prisonniers disaient qu'ils venaient de voir Ambiorix en fuite, et prétendaient même qu'il n'était pas encore tout à fait hors de vue, tant l'espoir de le saisir et de gagner les bonnes grâces de César faisait supporter des fatigues infinies et dépasser presque les forces humaines à grand renfort de zèle ; à chaque instant il s'en fallait d'un rien, croyait-on, qu'on eût eu le suprême bonheur de l'attraper, et toujours des cachettes ou des fourrés [128] lui permettaient de se sauver, et, à la faveur de la nuit, il gagnait d'autres régions et d'autres coins, sans autre escorte que celle de quatre cavaliers, à qui seuls il avait confié sa vie.

XLIV. — Après avoir ainsi dévasté ces contrées, César ramène à Durocortore des Rèmes son armée diminuée de deux cohortes, et ayant convoqué dans ce lieu l'assemblée de la Gaule, il décide d'informer sur la conjuration des Sénones et des Carnutes ; Accon, qui avait été l'instigateur du complot, fut condamné à mort et supplicié selon la coutume des anciens [129]. Certains, craignant la même condamnation, prirent la fuite. Après leur avoir interdit l'eau et le feu, César plaça deux légions en quartiers d'hiver aux frontières des Trévires, deux chez les Lingons, les six autres dans le pays des Sénones, à Agédincum ; puis, ayant pourvu au blé de son armée, il partit, selon sa coutume, tenir en Italie ses assises.

LIVRE SEPTIÈME

I. — La Gaule une fois tranquille, César, comme il l'avait résolu, part pour l'Italie afin d'y tenir ses assises. Là il apprend le meurtre de Publius Clodius, et, ayant eu connaissance du sénatus-consulte qui appelait aux armes toute la jeunesse d'Italie, il décide de faire une levée dans toute la Province. La nouvelle des événements se répand vite dans la Gaule transalpine. Les Gaulois y ajoutent d'eux-mêmes et font circuler le bruit, qui leur paraissait en rapport avec les circonstances, que César était retenu par les troubles de la Ville et empêché, en présence d'aussi graves dissensions, de se rendre à l'armée. Cette occasion pousse des hommes qui déjà ne se voyaient soumis qu'avec peine au pouvoir du peuple romain à former des projets de guerre avec plus de liberté et d'audace. Les chefs de la Gaule, s'étant fixé des réunions entre eux en des lieux écartés, au milieu des bois, se plaignent de la mort d'Accon ; ils montrent que ce sort peut les atteindre eux-mêmes ; ils déplorent le commun malheur de la Gaule ; par toutes sortes de promesses et de récompenses ils demandent qu'on commence la guerre et qu'on rende au péril de sa vie la liberté à la Gaule. Selon eux, la première chose à faire est de fermer à César le retour vers son armée, avant qu'éclatent leurs complots clandestins. C'est chose facile, car les légions n'osent pas sortir de leurs quartiers d'hiver en l'absence de leur général, et d'autre part, le général en chef ne peut arriver à elles sans escorte ; d'ailleurs, il vaut mieux mourir en combattant que de ne pas recouvrer leur ancienne gloire militaire et la liberté qu'ils ont reçue de leurs ancêtres.

II. — Après un vif débat sur ces questions, les Carnutes déclarent « qu'il n'est pas de danger qu'ils n'accep-

tent pour le salut commun et promettent de prendre les
armes les premiers ; et, puisque pour le moment on ne
peut, par un échange d'otages, empêcher la divulgation
du secret, ils demandent qu'on jure solennellement sur
les étendards militaires réunis en faisceau (cérémonie
usitée chez eux pour nouer les liens les plus sacrés) de ne
point les abandonner après qu'ils auront commencé la
guerre ». Alors on félicite à la ronde les Carnutes ; tous
ceux qui étaient présents prêtent le serment, et, après
avoir fixé le jour du soulèvement, l'assemblée se sépare.

III. — Ce jour venu, les Carnutes, sous la conduite
de Gutruat et de Conconnétodumne, hommes dont on
ne pouvait attendre que des folies, courent, à un signal
donné, sur Génabum, massacrent les citoyens romains
qui s'y étaient établis pour faire des affaires, entre autres
Caïus Fufius Cita, honorable chevalier romain, à qui
César avait donné l'intendance des vivres, et mettent
leurs biens au pillage. La nouvelle parvint vite à tous les
états de la Gaule. En effet, quand il arrive un événement
important ou remarquable, les Gaulois l'annoncent de
champ en champ et de contrée en contrée par une clameur
qu'on recueille et transmet de proche en proche. Ainsi
ce qui s'était passé à Génabum au lever du soleil fut
su avant la fin de la première veille dans le pays des
Arvernes qui en est éloigné de cent soixante mille pas
environ.

IV. — Là, usant du même procédé, Vercingétorix, fils
de Celtille, Arverne, jeune homme dont la puissance
était fort grande, et dont le père, qui avait exercé le principat de toute la Gaule, avait été mis à mort par ses
compatriotes parce qu'il convoitait la royauté, convoque
ses clients et les enflamme facilement. Sitôt que son projet est connu, on court aux armes ; Gobanition, son oncle,
et les autres chefs qui n'étaient pas d'avis de tenter la
fortune, le chassent de la place forte de Gergovie ; cependant il ne se rebute pas et il enrôle dans la campagne
des gens dénués de tout et perdus de crimes. Après avoir
réuni cette bande, il rallie à sa cause tous ceux de ses
compatriotes qu'il rencontre, les exhorte à prendre les
armes pour la liberté commune, et, ayant rassemblé de
grandes forces, il chassa de l'état ses adversaires qui
peu de temps auparavant l'avaient chassé lui-même. Il
est proclamé roi par ses partisans, envoie des ambassades

de tous les côtés, supplie qu'on reste dans la foi jurée. Rapidement, il s'attache les Sénones, les Parisiens, les Pictons, les Cadurques, les Turons, les Aulerques, les Lémovices, les Andes et tous les autres peuples qui touchent à l'Océan ; d'un consentement unanime, le commandement suprême lui est déféré. Revêtu de ce pouvoir, il exige de tous ces états des otages, ordonne qu'un nombre déterminé de soldats lui soit rapidement amené, fixe la quantité d'armes que chaque état doit fabriquer dans un délai marqué, donne un soin particulier à la cavalerie, joint à une extrême diligence une extrême sévérité dans le commandement, contraint par la rigueur du supplice les hésitants. C'est ainsi qu'une faute grave est punie par le feu et toutes sortes de supplices ; que pour une faute légère, il renvoie le coupable chez lui après lui avoir fait couper les oreilles ou crever un œil, afin qu'il serve d'exemple et que la grandeur du châtiment frappe les autres de terreur.

V. — Ayant, au moyen de ces supplices [130], rapidement rassemblé une armée, il envoie chez les Rutènes avec une partie des troupes le Cadurque Luctérius, homme d'une extrême audace ; il part lui-même chez les Bituriges. A son arrivée, les Bituriges envoient des députés aux Éduens, dont ils étaient les clients, pour leur demander des secours qui les mettent en état de résister aux forces de l'ennemi. Les Éduens, sur l'avis des lieutenants que César avait laissés à l'armée, envoient au secours des Bituriges des forces de cavalerie et d'infanterie. Mais, quand elles furent arrivées à la Loire, qui sépare les Bituriges des Éduens, ces forces s'y arrêtent quelques jours, puis, n'osant pas passer le fleuve, s'en retournent chez elles, et rapportent à nos lieutenants que c'est la crainte de la perfidie des Bituriges qui leur a fait rebrousser chemin, car elles savent qu'ils avaient l'intention, si elles passaient le fleuve, de les envelopper, eux d'un côté et les Arvernes de l'autre. Agirent-elles ainsi pour la raison indiquée aux lieutenants ou poussées par la perfidie, c'est ce que nous ne pouvons établir. Les Bituriges, après leur départ, se joignent aussitôt aux Arvernes.

VI. — Quand ces nouvelles lui parvinrent en Italie [131], César voyant que la situation de la Ville, grâce à la fermeté de Pompée [132], s'était améliorée, partit pour la Gaule transalpine. Arrivé là, il se trouva fort embarrassé sur les moyens à prendre pour rejoindre son armée : car, s'il faisait venir les légions dans la Province, il voyait que sur leur trajet elles seraient amenées à combattre sans lui ; s'il allait vers l'armée, il sentait que, dans les circonstances présentes, il ne pouvait confier avec sûreté sa vie à ceux-là mêmes qui semblaient pacifiés.

VII. — Cependant le Cadurque Luctérius, envoyé chez les Rutènes, gagne cet état aux Arvernes. Il s'avance chez les Nitiobroges et les Gabales, reçoit de l'un et l'autre état des otages, et, ayant réuni une forte troupe, entreprend d'envahir la Province, en direction de Narbonne. A cette nouvelle, César pensa qu'il devait avant tout partir pour Narbonne. Une fois arrivé là, il rassure ceux qui ont peur, place des garnisons chez les Rutènes qui dépendaient de la Province, chez les Volques Arécomiques, chez les Tolosates et autour de Narbonne, toutes régions limitrophes de l'ennemi ; il ordonne à une partie des troupes de la Province et aux renforts qu'il avait amenés d'Italie de se réunir chez les Helviens, qui touchent au pays des Arvernes.

VIII. — Les dispositions prises ayant arrêté déjà et fait même reculer Luctérius, qui trouvait périlleux de s'enfermer entre nos garnisons, César part chez les Helviens. Quoique les montagnes des Cévennes, qui forment une barrière entre les Arvernes et les Helviens, fussent en cette saison, qui était la plus rude de l'année, couvertes d'une neige épaisse qui empêchait de passer, néanmoins les soldats écartent la neige sur une profondeur de six pieds et, après s'être frayé ainsi des chemins à force de peine, ils débouchent dans le pays des Arvernes. Leur arrivée inattendue les frappe de stupeur, car ils se croyaient défendus par les Cévennes comme par un mur, et jamais en cette saison même un voyageur isolé n'avait pu passer par les sentiers ; César ordonne alors à ses cavaliers de s'étendre le plus loin possible, et de jeter chez l'ennemi le plus de frayeur qu'ils pourraient. Rapidement, par la rumeur et par des courriers, Vercingétorix est informé de ces événements ; tous les Arvernes, au comble de la frayeur, l'entourent, le conjurent de songer à leurs biens, et de ne pas les laisser piller par l'ennemi, d'autant qu'il voit bien que tout le poids de la guerre était rejeté sur eux. Touché de leurs prières, il lève son camp et passe des Bituriges chez les Arvernes.

IX. — Mais César ne reste que deux jours en ces
lieux, car il avait prévu que Vercingétorix prendrait ce
parti-là, et, sous couleur de rassembler du renfort et
de la cavalerie, il quitte l'armée ; il laisse à la tête des
troupes le jeune Brutus, il lui recommande de faire des
incursions de cavalerie de tous côtés ; lui-même aura
soin de ne pas être absent du camp plus de trois jours [133].
Les choses ainsi réglées, contrairement à l'attente des
siens [134], il se rend à grandes journées [135] à Vienne. Là,
trouvant la cavalerie fraîche qu'il y avait envoyée plusieurs jours auparavant, il n'interrompt sa marche ni
jour ni nuit, se dirige, en passant par le pays des Éduens,
chez les Lingons, où deux légions hivernaient [136] ; il voulait, au cas où les Éduens iraient jusqu'à comploter
contre sa vie, prévenir par sa rapidité leurs desseins.
Arrivé là, il envoie des ordres aux autres légions et les
concentre toutes sur un seul point, avant que les Arvernes puissent avoir des nouvelles de son arrivée.
Dès que Vercingétorix en a avis, il ramène de nouveau
son armée chez les Bituriges, puis, quittant leurs pays
pour Gorgobina, ville des Boïens, que César y avait
établis après les avoir vaincus dans la bataille contre
les Helvètes, et qu'il avait placés sous l'autorité des
Éduens, il décide de l'assiéger.

X. — Cette entreprise mettait César dans un grand
embarras : si, pendant le reste de l'hiver [137], il maintenait
ses légions dans leurs quartiers, il craignait que la réduc-
tion d'un état tributaire des Éduens n'entraînât la
défection de toute la Gaule, parce qu'elle verrait que ses
amis ne pouvaient pas compter sur son appui ; s'il
les faisait sortir de leurs quartiers trop tôt, il craignait
que la difficulté des transports ne gênât l'approvisionnement. Il crut cependant qu'il valait mieux tout supporter plutôt que de s'aliéner, en recevant un tel affront,
les bonnes dispositions de tous ses amis. Aussi engage-
t-il les Éduens à lui envoyer des vivres, et il envoie devant
lui une députation annonçant aux Boïens son arrivée,
pour les exhorter à rester fidèles et à soutenir vaillamment l'attaque des ennemis. Laissant à Agédincum
deux légions et les bagages de toute l'armée, il part
pour le pays des Boïens.

XI. — Le second jour, étant arrivé à Vellaunodunum,
ville des Sénons, et ne voulant pas laisser derrière lui

d'ennemis qui gênassent son ravitaillement, il résolut d'en faire le siège et en acheva la circonvallation en deux jours ; le troisième jour, la place envoie des députés pour la reddition ; il donne l'ordre de déposer les armes, d'amener les chevaux et de lui livrer six cents otages. Il laisse, pour terminer l'affaire, Caïus Trébonius, son lieutenant, et part lui-même, afin d'aller aussi vite que possible, pour Génabum des Carnutes. Ceux-ci ne faisaient alors que d'apprendre le siège de Vellaunodunum : croyant que l'affaire durerait assez longtemps, ils amenaient des troupes pour la défense de Génabum et se disposaient à les y envoyer. César y arrive en deux jours, établit son camp devant la place, mais l'heure tardive lui fit remettre l'attaque au lendemain, il ordonne à ses soldats de faire les préparatifs en usage dans ce cas ; et, comme la ville de Génabum avait un pont sur la Loire [138], dans la crainte que des émigrés ne s'échappent pendant la nuit, il fait veiller deux légions sous les armes. Les Génabiens, peu avant minuit, sortent en silence de la place et se mettent à passer le fleuve. Averti du fait par ses éclaireurs, César, ayant mis le feu aux portes, introduit les légions qui avaient reçu l'ordre de se tenir prêtes et s'empare de la place. Il s'en fallut d'un bien petit nombre que tous les ennemis ne fussent prisonniers vivants, car l'étroitesse du pont et des chemins qui y conduisaient avait empêché la fuite de cette foule. César pille et brûle la place, abandonne le butin aux soldats, fait passer la Loire à son armée et arrive dans le pays des Bituriges.

XII. — Vercingétorix, en apprenant l'arrivée de César, lève le siège et se porte à sa rencontre. César avait décidé d'assiéger une place des Bituriges, sise sur sa route, Noviodunum. Cette place lui ayant envoyé des députés pour lui demander le pardon et la vie, César, désireux d'aller vite, selon la méthode qui lui avait généralement réussi, leur ordonne de livrer les armes, d'amener les chevaux et de fournir des otages. Une partie des otages était déjà livrée, et le reste du traité s'exécutait sous la surveillance des centurions et de quelques soldats introduits dans la place, lorsqu'on aperçut au loin la cavalerie des ennemis qui avait précédé l'armée de Vercingétorix. Dès que les assiégés la virent, et qu'ils conçurent l'espoir d'être secourus, ils prirent les armes en poussant une clameur, fermèrent

les portes et emplirent le rempart. Les centurions qui
étaient dans la place, ayant compris à l'attitude des
Gaulois qu'il y avait quelque chose de nouveau dans
leurs dispositions, s'emparèrent des portes en mettant
l'épée à la main et ramenèrent intacts tous leurs hommes.

XIII. — César fait sortir du camp sa cavalerie et
engage un combat équestre : comme les siens étaient à
l'ouvrage, il envoie à leur secours quatre cents cavaliers
germains environ, qu'il avait coutume, depuis le début
de la guerre, de garder avec lui. Les Gaulois ne purent
soutenir leur choc et, prenant la fuite, se replièrent sur
le gros de la colonne avec beaucoup de perte. Ce revers
effraye de nouveau les assiégés : ils saisirent ceux qui
passaient pour avoir soulevé le peuple, les livrèrent à
César et se rendirent à lui. Cette affaire terminée, César
partit pour Avaricum, qui était la place la plus grande
et la mieux fortifiée du pays des Bituriges, et située
dans une région très fertile : il comptait que la prise de
cette place le rendrait maître de tout l'état des Bituriges.

XIV. — Vercingétorix, après avoir essuyé successi-
vement tant de revers à Vellaunodunum, à Génabum
et à Noviodunum, convoque les siens à un conseil. Il
leur enseigne qu'il s'agit de faire la guerre tout autrement que par le passé et qu'on doit par tous les moyens
s'appliquer à priver les Romains de fourrage et de ravitaillement : chose facile, puisqu'ils ont une nombreuse
cavalerie et que la saison les favorise ; ne trouvant pas
d'herbe à couper, l'ennemi est forcé de se disperser pour
chercher du foin dans les granges et chaque jour tous ces
fourrageurs peuvent être exterminés par leurs cavaliers.
De plus, le salut commun doit faire oublier les intérêts
particuliers : il faut incendier les villages et les fermes
sur tout l'espace que les Romains paraissent pouvoir
parcourir pour fourrager. Pour eux, ils auront tout en
abondance, ravitaillés par les peuples sur le territoire
desquels se fera la guerre ; les Romains, au contraire,
ou bien ne résisteront pas à la disette, ou bien s'expo-
seront à de grands dangers en s'avançant assez loin
de leur camp ; peu importe d'ailleurs qu'on les tue ou
qu'on les dépouille de leurs bagages, puisqu'une armée
qui a perdu ses bagages ne peut pas continuer la guerre.
De plus il faut brûler les places, que leurs fortifications ou
leur position naturelle ne mettent pas à l'abri de tout

danger, afin qu'elles ne servent pas de refuge aux déserteurs et n'offrent pas aux Romains l'occasion de se procurer une quantité de vivres et de faire du butin. Si de telles mesures paraissent pénibles et cruelles, ils doivent se dire qu'il est bien plus pénible encore de voir leurs femmes et leurs enfants traînés en esclavage, et d'être eux-mêmes exterminés, ce qui est le destin inéluctable des vaincus.

XV. — A l'unanimité cet avis est approuvé. En un seul jour, plus de vingt villes des Bituriges sont incendiées. On fait de même dans les états voisins : de toutes parts on ne voit qu'incendies. Bien que ce fût pour tous une grande douleur, ils s'en consolaient cependant par l'espoir d'une victoire presque sûre qui réparerait vite leurs pertes. On délibère dans l'assemblée commune sur Avaricum : convenait-il de la brûler ou de la défendre ? Les Bituriges se jettent aux pieds des autres Gaulois ; ils demandent qu'on ne les force pas à mettre le feu de leurs propres mains à une ville qui est la plus belle peut-être de toute la Gaule, et l'ornement et la force de leur état ; ils disent qu'ils défendront facilement, par sa position même, une place entourée presque de tous côtés par une rivière et un marais et qui n'a qu'un accès unique et fort étroit. On se rend à leurs instances, Vercingétorix, qui les avait combattues d'abord, cédant enfin à leurs prières et à un sentiment de miséricorde pour le peuple. Les défenseurs qu'il lui faut sont choisis pour la place.

XVI. — Vercingétorix suit César à petites journées, et choisit pour son camp une position défendue par des marécages et des bois [139], à seize mille pas d'Avaricum. Là, au moyen d'éclaireurs réguliers, il savait à chaque instant du jour ce qui se passait devant Avaricum, et transmettait ses ordres ; il guettait tous nos détachements de fourrage et de blé, et si, poussés par la nécessité, ils s'avançaient trop loin, il tombait sur leurs groupes dispersés et leur faisait beaucoup de mal, bien que les nôtres prissent toutes les précautions possibles pour ne sortir qu'à des heures irrégulières et par des chemins différents.

XVII. — César, ayant posé son camp vers cette partie de la ville, qui, dégagée de la rivière et du marais, avait,

comme nous l'avons dit plus haut, un accès très étroit,
entreprit d'élever une terrasse, de faire avancer des
mantelets et de construire deux tours, car la nature du
lieu rendait une circonvallation impossible. Pour le blé,
il ne cessa de harceler les Boïens et les Éduens ; les uns,
n'y mettant aucun zèle, ne l'aidaient pas beaucoup ; les
autres, sans grandes ressources (car leur état était petit
et faible), eurent promptement épuisé ce qu'ils avaient.
L'extrême difficulté du ravitaillement en blé, causée par
la pauvreté des Boïens, par le mauvais vouloir des
Éduens et par les incendies des granges, affecta l'armée
à tel point que pendant un grand nombre de jours les
soldats furent sans blé et n'eurent pour échapper aux
rigueurs de la famine que du bétail amené de villages
fort lointains : cependant il ne leur échappa aucune parole
indigne de la majesté du peuple romain et de leurs précédentes victoires. Bien plus, comme César, visitant les
travaux, s'adressait tour à tour à chaque légion et offrait
de lever le siège, si la disette leur était trop pénible,
tous lui demandèrent de ne pas le faire, disant qu'ils
avaient depuis nombre d'années servi sous ses ordres
sans essuyer aucun affront, sans partir en laissant leur
travail inachevé ; qu'ils se tiendraient pour déshonorés,
s'ils abandonnaient le siège commencé ; qu'ils aimaient
mieux souffrir les pires cruautés que de ne pas venger
les citoyens romains morts à Génabum par la perfidie
des Gaulois. Ils faisaient les mêmes protestations aux
centurions et aux tribuns militaires, pour qu'elles fussent
rapportées à César.

XVIII. — Déjà l'on avait approché les tours du rempart, quand César apprit par des captifs que Vercingétorix, après avoir consumé son fourrage, avait rapproché
son camp d'Avaricum [140], et que lui-même, avec sa cavalerie et les soldats d'infanterie légère qui avaient l'habitude de combattre parmi les cavaliers, était parti pour
dresser une embuscade à l'endroit où il pensait que les
nôtres viendraient le lendemain au fourrage. A cette
nouvelle, César, parti au milieu de la nuit en silence,
parvint le matin au camp des ennemis. Ceux-ci, vite
avertis par leurs éclaireurs de l'arrivée de César, cachèrent leurs chars et leurs bagages dans l'épaisseur des
forêts, et rangèrent toutes leurs troupes sur un lieu élevé
et découvert. César, prévenu, ordonna aussitôt de rassembler les sacs et de prendre la tenue de combat.

XIX. — Une colline s'élevait en pente douce : un marais difficile et plein d'obstacles l'entourait presque de toutes parts ; il avait au plus cinquante pieds de large. C'est sur cette colline qu'après avoir rompu les ponts se tenaient les Gaulois, confiants dans la force de leur position ; rangés par état, ils tenaient par des postes sûrs tous les gués et tous les fourrés du marais, prêts à fondre de cette hauteur sur les Romains en désordre, s'ils tentaient de franchir le marais : qui ne voyait que la proximité des distances croyait les Gaulois prêts à combattre avec des chances à peu près égales ; mais celui qui se rendait compte de l'inégalité des positions, reconnaissait que leur contenance n'était qu'une vaine parade. Les soldats, indignés que l'ennemi, à une si petite distance, pût soutenir leur vue, réclamaient le signal du combat, mais César leur fait comprendre de quelles pertes et de la mort de combien de braves il faudrait payer la victoire, et que, les voyant prêts à affronter tous les périls pour sa gloire, il mériterait d'être condamné pour son extrême égoïsme, s'il ne faisait pas plus de cas de leur vie que de sa gloire. Après avoir ainsi consolé les soldats, il les ramène au camp le jour même, et décide de prendre les dernières mesures qui avaient trait au siège de la place.

XX. — Vercingétorix, de retour près des siens, fut accusé de trahison pour avoir rapproché son camp des Romains, pour être parti avec toute la cavalerie, pour avoir laissé des forces si importantes sans commandant, enfin parce qu'à son départ les Romains étaient arrivés avec tant d'à-propos et de rapidité. « Toutes ces circonstances n'avaient pu se produire par hasard et sans être voulues : il aimait mieux tenir la royauté de la Gaule d'une concession de César que de leur bon vouloir. » Se voyant accusé de telle sorte, il répondit en ces termes : « Il avait déplacé le camp : c'était à cause du manque de fourrage, et d'ailleurs sur leurs propres instances. Il s'était approché des Romains : il y avait été engagé par l'avantage de la position, qui se défendait d'elle-même sans qu'on eût à la fortifier. Quant à la cavalerie, on ne pouvait regretter son concours dans un lieu marécageux, et elle avait été utile là où il l'avait menée. Le commandement en chef, c'était délibérément qu'il ne l'avait cònfié à personne, de peur que le nouveau chef, cédant au désir de la multitude, ne fût entraîné à combattre, chose qu'ils désiraient, il le voyait bien, par faiblesse et

incapacité d'endurer plus longtemps leurs fatigues. Si le
hasard était cause de l'intervention des Romains, il
fallait en remercier la fortune ; si quelque indicateur les
avait appelés, il fallait en remercier celui-ci, car ils
avaient pu, de leur position dominante, connaître leur
petit nombre et dédaigner la valeur de soldats qui n'osant
pas combattre s'étaient repliés honteusement dans leur
camp. Il n'avait pas besoin d'obtenir de César par
trahison une autorité qu'il pouvait avoir par la victoire,
certaine désormais pour lui et tous les Gaulois ; bien plus,
il leur remettait cette autorité, s'ils pensaient lui faire plus
d'honneur qu'ils ne recevaient de lui d'occasion de salut.
«Pour sentir, leur dit-il, que je parle sincèrement, écoutez
les soldats romains. » Il fait comparaître des esclaves qu'il
avait pris peu de jours auparavant en train de faire du fourrage, et torturés par la faim et les chaînes. La leçon leur
avait été faite auparavant sur les réponses qu'ils auraient à
faire aux interrogations ; ils disent « qu'ils sont des soldats
légionnaires, que, pressés par la faim et la disette, ils sont
sortis du camp en cachette, pour voir s'ils trouveraient
dans la campagne un peu de blé ou de bétail ; que toute
l'armée était en proie à la même disette, que chaque soldat
était à bout de forces et incapable de supporter la fatigue
des travaux ; et qu'aussi le général en chef avait décidé de
lever le siège dans trois jours, s'il n'obtenait pas de résultat. » — « Tels sont, reprend Vercingétorix, les bienfaits
que vous me devez, à moi que vous accusez de trahison, à
moi grâce à qui, sans avoir versé votre sang, vous voyez
une grande armée victorieuse presque épuisée par la faim,
et, dans sa fuite honteuse, réduite, par ma prévoyance,
à ne trouver aucun état qui l'accueille sur son territoire. »

XXI. — Toute la foule pousse une clameur et, selon
sa coutume [141], fait cliqueter ses armes : c'est sa manière
de faire quand elle approuve un discours : « Vercingétorix, dit-elle, est un grand chef ; on ne saurait mettre
en doute sa loyauté ni conduire plus intelligemment la
guerre. » On décide d'envoyer au secours de la place
dix mille hommes choisis dans toute l'armée ; on estime
qu'il ne faut pas s'en remettre du salut commun sur les
seuls Bituriges, parce qu'on voyait que, s'ils conservaient
la place, la décision de la victoire leur appartiendrait.

XXII. — A la singulière valeur de nos soldats les
Gaulois opposaient toutes sortes d'inventions : car c'est

une race d'une extrême ingéniosité, et qui a les plus grandes aptitudes pour imiter et accomplir tout ce qu'elle voit faire. C'est ainsi qu'à l'aide de lacets ils détournaient nos faux, et, lorsqu'ils les avaient accrochées, ils les tiraient en dedans de leurs murs avec des machines ; ils ruinaient notre terrasse par des mines souterraines, d'autant plus savants dans cet art qu'il y a chez eux de grandes mines de fer [142] et que toutes les sortes de galeries souterraines leur sont connues et familières. Ils avaient de tous côtés garni tout leur rempart de tours reliées par un plancher et recouvertes de peaux. Nuit et jour ils faisaient de fréquentes sorties, ou mettaient le feu à la terrasse, ou tombaient sur nos soldats en train de travailler ; et, à mesure que l'avance quotidienne de nos travaux augmentait la hauteur de nos tours, ils élevaient les leurs à proportion, en reliant entre eux leurs poteaux ; ils gênaient l'achèvement de nos mines, en lançant dans leurs parties découvertes des pieux pointus et durcis au feu, de la poix bouillante, des pierres d'un poids considérable, et nous empêchaient ainsi d'approcher jusqu'aux murs.

XXIII. — Voici quelle est à peu près la forme de tous les murs gaulois : des poutres perpendiculaires, se suivant sans interruption sur toute la longueur du mur, sont posées sur le sol à un intervalle uniforme de deux pieds l'une de l'autre. Elles sont reliées les unes aux autres au dedans et recouvertes d'une grande quantité de terre ; les intervalles dont nous venons de parler sont, sur le devant, garnis de grosses pierres. Ce premier rang ainsi formé et consolidé, on en ajoute un second par-dessus, en gardant toujours le même intervalle, de manière que les poutres ne se touchent point et que chacune repose sur la pierre exactement intercalée entre chaque rang. Et ainsi de suite : tout l'ouvrage est continué jusqu'à ce que le mur ait atteint la hauteur voulue. Ce genre d'ouvrage, avec l'alternance de ses poutres et de ses pierres, offre un aspect dont la variété n'est pas désagréable à l'œil ; il a surtout de grands avantages pratiques pour la défense des villes car la pierre le défend du feu, et le bois, des ravages du bélier, qui ne peut ni briser ni disjoindre une charpente dont les poutres, attachées en dedans l'une à l'autre, ont d'ordinaire quarante pieds d'un seul tenant.

XXIV. — Le siège était gêné par tant d'obstacles ;
les soldats étaient retardés, en outre, par un froid persis-
tant et des pluies continuelles [143] ; cependant, par un effort
opiniâtre, ils surmontèrent toutes ces difficultés, et, au
bout de vingt-cinq jours, ils eurent élevé une terrasse de
trois cent trente pieds de large [144] et de quatre-vingts
de haut. Elle touchait presque au mur des ennemis, et
César, qui, selon sa coutume, passait la nuit à pied-
d'œuvre, exhortait ses soldats à ne pas perdre un instant,
quand, peu avant la troisième veille, on vit une fumée
sortir de la terrasse : les ennemis y avaient mis le feu
par une mine. En même temps, tout le long du rempart,
une clameur s'élevait, et les assiégés faisaient une sortie
par deux portes, de chaque côté des tours. D'autres, du
haut du rempart, jetaient sur notre terrasse des torches
et du bois sec ; d'autres encore versaient de la poix
et autres substances propres à activer le feu, si bien
qu'on pouvait à peine se rendre compte où il fallait
d'abord se porter et à quel danger parer. Cependant,
comme il était d'institution de César que deux légions
veillassent toujours en avant du camp, et qu'un plus
grand nombre encore se trouvaient à tour de rôle dans
les ouvrages on vit rapidement les uns faire face aux
ennemis qui sortaient, les autres ramener les tours et
couper la terrasse, et toute la multitude des soldats du
camp accourir pour éteindre le feu.

XXV. — Le reste de la nuit s'était écoulé, et l'on
combattait encore sur tous les points : l'espérance de la
victoire se ranimait sans cesse chez les ennemis, d'autant
plus qu'ils voyaient les mantelets de nos tours détruits
par le feu, et qu'ils remarquaient la difficulté qu'éprouvaient les nôtres pour venir, à découvert, au secours
de leurs compagnons, tandis qu'eux-mêmes rempla-
çaient sans cesse leurs troupes fatiguées par des troupes
fraîches, et pensaient que tout le salut de la Gaule dépendait de ce seul instant. Il se passa alors sous nos yeux un
fait qui nous a paru digne de mémoire et que nous n'avons
pas cru devoir omettre. Il y avait, devant la porte de la
ville, un Gaulois qui jetait dans le feu, en direction de la
tour, des boules de suif et de poix qu'on lui passait de
main en main : un trait de scorpion l'atteignit mortellement au flanc droit et il s'affaissa sur lui-même. Un de
ses voisins, enjambant son cadavre, le remplaça dans sa
besogne ; il périt de même frappé à son tour par le

scorpion. Un troisième lui succéda, et, au troisième, un quatrième ; et la porte ne fut évacuée par ses défenseurs qu'après que le feu de la terrasse fut éteint et que la défaite des ennemis repoussés de toutes parts eut mis fin au combat.

XXVI. — Après avoir tout essayé sans aucun succès, les Gaulois résolurent le lendemain, sur les instances et d'après les ordres de Vercingétorix, d'abandonner la place. En tâchant d'effectuer ce départ dans le silence de la nuit, ils espéraient y réussir sans grandes pertes, parce que le camp de Vercingétorix n'était pas éloigné de la place, et que le marais qui formait une barrière continuelle entre eux et les Romains retarderait ceux-ci dans leur poursuite. Déjà ils se préparaient en pleine nuit à partir, quand tout à coup les mères de famille accoururent sur les places et se jetèrent, éplorées, à leurs pieds, les suppliant de mille façons de ne point les livrer à la cruauté de l'ennemi, elles et leurs communs enfants, à qui la faiblesse du sexe ou de l'âge interdisait la fuite. Quand elles les virent persister dans leur décision — car, dans les cas d'extrême danger l'âme en proie à la peur n'a pas de place pour la miséricorde — elles se mirent alors à jeter des cris et à signaler ainsi leur fuite aux Romains. Les Gaulois, épouvantés, craignant que la cavalerie des Romains ne leur coupât les routes, renoncèrent à leur dessein.

XXVII. — Le lendemain [145], comme César faisait avancer une tour et redresser les ouvrages qu'il avait entrepris, il survint une pluie abondante, et il lui parut que cette circonstance n'était pas défavorable à l'attaque, car il voyait que les gardes étaient négligemment réparties sur le rempart : il ordonne aux siens de ralentir leur travail et il leur fit connaître ce qu'il attendait d'eux. Il réunit secrètement les légions, en tenue de combat, en deçà des baraques, et les exhorta à cueillir enfin, après tant de fatigues, le fruit de la victoire ; il promit des récompenses à ceux qui auraient les premiers escaladé le mur, et donna le signal aux soldats. Ils s'élancèrent soudain de toutes parts et rapidement eurent gravi le rempart.

XXVIII. — Les ennemis, surpris, épouvantés, chassés de leur rempart et de leurs tours, se formèrent en coin sur le forum et dans les lieux les plus ouverts, avec l'intention

de quelque côté que vînt l'attaque, de livrer une bataille
rangée. Mais quand ils virent que nos soldats, au lieu de
descendre lutter de plain-pied, se répandaient de tous
côtés le long du rempart, la crainte de se voir ôter toute
espérance de fuir leur fit jeter les armes et gagner tout
d'une traite l'extrémité de la place ; là, une partie d'entre
eux se pressant devant l'issue étroite des portes, fut
massacrée par nos soldats ; l'autre, qui était déjà sortie
par les portes, exterminée par nos cavaliers. Personne
ne songea au butin : excités par le souvenir du massacre
de Génabum et par les fatigues du siège, ils n'épargnèrent
ni les vieillards ni les femmes ni les enfants. Bref, sur un
total de quarante mille hommes environ, huit cents à
peine, qui s'enfuirent de la place aux premiers cris, arrivèrent sains et saufs près de Vercingétorix. Celui-ci,
craignant que leur arrivée subite et l'impression de pitié
qui s'emparerait de la foule n'excitassent une émeute,
les reçut en pleine nuit et en silence, après avoir fait
placer au loin sur la route ses compagnons d'armes et les
chefs des états, qui avaient mandat de les séparer et de
les mener dans les divers quartiers assignés à chacun de
ces états depuis le début de la guerre.

XXIX. — Le lendemain, ayant convoqué le conseil,
il les consola et les exhorta « à ne pas se laisser abattre
ni bouleverser par un revers : ce n'était point par leur
valeur et en bataille rangée que les Romains les avaient
vaincus, mais grâce à une pratique et à un art des sièges,
dont eux-mêmes n'avaient point l'expérience ; on se
trompait, à n'attendre que des succès à la guerre ; il
n'avait jamais été d'avis de défendre Avaricum, et il
les en prenait à témoin ; le malheur était dû à l'imprudence des Bituriges et à l'excessive complaisance des
autres ; il le réparerait vite, néanmoins, par de plus grands
avantages. Les états gaulois jusqu'alors séparés des autres
allaient, par ses soins, entrer dans son alliance. et il ferait
de toute la Gaule un seul et même faisceau de volontés,
auquel le monde entier ne saurait résister ; ce résultat,
il l'avait déjà presque atteint. En attendant le salut
commun exigeait qu'ils se missent à fortifier le camp,
pour pouvoir mieux repousser les attaques soudaines de
l'ennemi. »

XXX. — Ce discours ne fut pas sans plaire aux Gaulois : ils lui surent gré surtout de n'avoir pas été découragé

par un coup si rude et de ne s'être ni caché ni dérobé aux regards. Sa prévoyance et sa prévision n'en étaient que mieux reconnues, puisqu'il avait émis l'avis, quand la situation était entière, d'abord, qu'on brûlât Avaricum, ensuite qu'on l'abandonnât. Aussi, tandis que les revers diminuent l'autorité des autres chefs, celui-ci au contraire ne faisait qu'accroître de jour en jour son crédit. En même temps ses affirmations faisaient naître l'espoir que les autres états entreraient dans l'alliance. Les Gaulois se mirent alors, pour la première fois, à fortifier leur camp ; et tel fut sur leur esprit l'effet de l'adversité que ces hommes, peu accoutumés au travail, jugèrent qu'il leur fallait subir et supporter tout ce qu'on leur commanderait.

XXXI. — Vercingétorix ne s'efforçait pas moins de rallier, comme il l'avait promis, les autres états et cherchait à gagner leurs chefs par des dons [146] et par des promesses. Il choisissait pour cette mission des agents capables de les séduire le plus facilement par un adroit langage ou par leurs relations d'amitié. Il se charge d'armer et d'habiller ceux qui avaient pu s'échapper lors de la prise d'Avaricum. En même temps, pour compléter ses effectifs, il demande aux états un certain nombre d'hommes, en fixant le chiffre et la date où il veut qu'on les lui amène dans son camp ; il fait rechercher et se fait envoyer tous les archers, qui étaient très nombreux en Gaule. Par ces mesures, il répare rapidement les pertes subies à Avaricum. Sur ces entrefaites, Teutomate, fils d'Ollovicon, roi des Nitiobriges, dont le père avait reçu de notre Sénat le titre d'ami, vint le joindre avec une nombreuse cavalerie de son pays et des mercenaires levés en Aquitaine.

XXXII. — César, s'étant arrêté plusieurs jours [147] à Avaricum et y ayant trouvé une grande quantité de blé et d'autres vivres, y fit reposer son armée de sa fatigue et de ses privations. Comme l'hiver était déjà sur sa fin et que la saison invitait à se mettre en campagne, César avait résolu de marcher à l'ennemi, soit pour l'attirer hors de ses bois et de ses marais, soit pour l'y assiéger, lorsque les principaux des Éduens vinrent en députation implorer son secours pour leur État dans des circonstances particulièrement critiques : « La situation était extrêmement grave ; alors que, d'après leurs anciens

usages, on nommait un seul magistrat, qui exerçait
pendant un an le pouvoir royal, deux hommes étaient
revêtus de cette magistrature, et chacun d'eux prétendait
être légalement nommé. L'un était Convictolitave, jeune
homme riche et illustre ; l'autre, Cotus, issu d'une très
ancienne .famille, était également puissant par sa très
grande influence et le nombre de ses alliances ; son
frère Valétiac avait l'année précédente exercé cette
même charge ; tout l'état était en armes, le Sénat divisé,
le peuple divisé, chacun des deux rivaux avait sa clientèle. Si la querelle se prolongeait, on verrait les deux
partis de la nation en venir aux mains ; il dépendait de
César d'empêcher ce malheur par sa diligence et son
autorité. »

XXXIII. — César sentait bien l'inconvénient qu'il
y avait à laisser la guerre et l'ennemi, mais il n'ignorait
pas non plus quels maux naissent des dissensions, et il
craignait qu'un état si puissant et si attaché au peuple
romain, qu'il avait lui-même protégé et comblé d'honneurs, n'en vînt aux violences et aux armes, et que le
parti, qui serait le moins confiant dans ses forces, n'ap-
pelât à l'aide Vercingétorix : il résolut de prévenir ce
péril. Comme les lois des Éduens défendaient au magistrat suprême de sortir du territoire, César, pour ne pas
paraître porter atteinte à la constitution et aux lois du
pays, décida de partir lui-même chez les Éduens, et
convoqua par devant lui, à Décétia, tout le Sénat et les
deux compétiteurs. Presque tout l'état s'y trouva réuni ; il
apprit que l'élection de Cotus était l'ouvrage d'une
poignée d'hommes clandestinement convoqués, sans que
les formes légales pour le lieu et le temps eussent été
observées, que le frère avait été proclamé par le frère,
alors que les lois défendaient non seulement d'élever
à la magistrature, mais encore d'admettre au Sénat
deux sujets d'une même famille, quand ils étaient tous
les deux vivants ; il obligea Cotus à déposer le pouvoir,
et invita Convictolitave, qui avait été nommé par l'intermédiaire des prêtres et dans la vacance de la magistrature, selon les usages de l'état, à prendre possession de
ses prérogatives.

XXXIV. — Cet arrêt une fois intervenu, il exhorta
les Éduens à oublier leurs controverses et leurs dis-
cussions, à négliger toutes ces discordes pour se consacrer

à la guerre présente, et à compter qu'il les récompenserait comme ils le méritaient, après la défaite de la Gaule. Il les invita à lui envoyer rapidement toute leur cavalerie et dix mille fantassins, qu'il répartirait dans divers postes pour défendre les convois de blé. Il partagea son armée en deux : donna quatre légions à Labiénus pour marcher contre les Sénones et les Parisiens, et mena lui-même les six autres [148] chez les Arvernes, vers Gergovie, le long de la rivière de l'Allier. Il donna une partie de la cavalerie à Labiénus et garda l'autre. A cette nouvelle, Vercingétorix, après avoir coupé tous les ponts de l'Allier, se mit à remonter la rivière en suivant l'autre rive.

XXXV. — Comme les deux armées se voyaient l'une l'autre et campaient généralement face à face, et que les éclaireurs disposés par Vercingétorix empêchaient les Romains de construire un pont pour faire passer les troupes, César était dans une situation fort difficile et craignait d'être ainsi retenu la plus grande partie de l'été, l'Allier n'étant guère d'habitude guéable avant l'automne [149]. Pour éviter qu'il en fût ainsi, il établit son camp dans un lieu couvert de bois en face d'un des ponts que Vercingétorix avait fait détruire ; le lendemain, il y resta caché avec deux légions et fit partir comme à l'habitude le reste de ses troupes avec tous les bagages, après avoir fractionné certaines cohortes, afin que le nombre des légions parût demeurer le même. Il leur ordonna de se porter aussi loin qu'elles pourraient, et, quand il pensa que le moment était venu où elles devaient être arrivées à leur campement, il se mit à rétablir le pont [150] sur les anciens pilotis, dont la partie inférieure restait entière. L'ouvrage ayant été promptement terminé, il fit passer les légions, choisit un emplacement favorable pour son camp et rappela le reste des troupes. A cette nouvelle, Vercingétorix, craignant d'être forcé de combattre malgré lui, le précéda à grandes journées.

XXXVI. — César, une fois l'Allier franchi, parvint à Gergovie en cinq jours ; le même jour, après une légère escarmouche de cavalerie, il reconnut la place et, la voyant située sur une très haute montagne, dont tous les accès étaient difficiles, il désespéra de l'enlever de force ; quant au siège, il résolut de n'y point songer

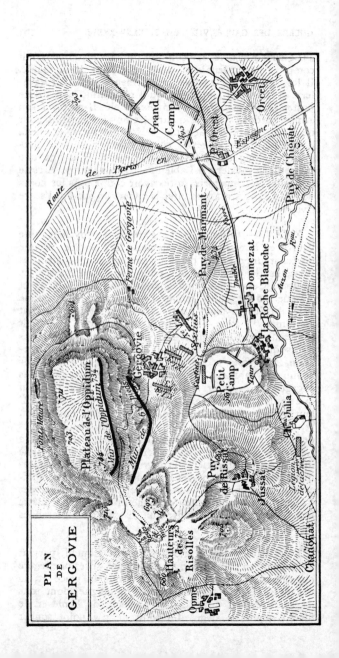

PLAN DE GERGOVIE

avant d'avoir pourvu au ravitaillement en blé. De son côté, Vercingétorix avait assis son camp près de la ville, sur la hauteur, et il avait rangé autour de lui les forces de chaque État, en ne les séparant que par un faible intervalle ; tous les sommets de cette chaîne [151] que la vue découvrait étaient occupés par ses troupes, et présentaient un aspect terrible. Les chefs d'États, qu'il avait choisis pour former son conseil, étaient convoqués par lui chaque jour à la première heure, soit pour les communications à faire, soit pour les mesures à prendre ; et il ne se passait presque point de jour qu'il n'éprouvât, par un combat de cavalerie entremêlé d'archers, l'ardeur et la valeur des siens. En face de la place, au pied même de la montagne, était une colline très bien fortifiée et escarpée de toutes parts [152] : en l'occupant, nous priverions l'ennemi d'une grande partie de son eau et d'un libre ravitaillement en foin ; mais cette position était tenue par une garnison qui n'était point méprisable. Cependant César sortit du camp dans le silence de la nuit, et, chassant la garnison avant qu'on ait pu la secourir de la place, il s'empara de la position, y plaça deux légions, et ouvrit du grand camp au petit camp un double fossé de douze pieds de large, afin que même isolément on pût aller de l'un à l'autre à l'abri de toute attaque soudaine de l'ennemi.

XXXVII. — Tandis que ces événements se déroulent devant Gergovie, l'Éduen Convictolitave, qui, comme on l'a vu, devait sa magistrature à César, séduit par l'argent des Arvernes, s'abouche avec certains jeunes gens, à la tête desquels étaient Litaviccus et ses frères, adolescents issus d'une très grande famille. Il partage avec eux le prix de sa trahison, et les exhorte à se rappeler qu'ils sont libres et nés pour commander. « Il n'y a que l'état éduen, ajoute-t-il, qui retarde la victoire certaine de la Gaule ; son autorité retient les autres états ; s'ils changent de parti, les Romains ne pourront plus tenir en Gaule. Pour lui, il a sans doute quelque obligation à César, quoiqu'après tout il n'ait obtenu que ce qu'exigeait la justice de sa cause, mais il préfère à tout la liberté commune. Car enfin pourquoi les Éduens avaient-ils plutôt recours à César, pour décider de leurs droits et de leurs lois, que les Romains aux Éduens ? » Aussitôt les adolescents, séduits par le discours du magistrat et par l'appât du gain, se déclarent prêts à prendre la tête du mouvement, et cherchent un plan d'action, car ils ne se flattaient pas de pouvoir amener si facilement l'État des Éduens à la guerre. Il fut décidé que Litaviccus prendrait le commandement des dix mille hommes qui devaient rejoindre l'armée de César, et se chargeait de les conduire, tandis que ses frères le devanceraient près de César. Ils règlent entre eux l'exécution du reste.

XXXVIII. — Litaviccus se met à la tête de l'armée ; il n'était plus qu'à trente mille pas environ de Gergovie [153], quand, assemblant ses soldats, tout à coup et répandant des larmes : « Où allons-nous, soldats ? leur dit-il ; toute notre cavalerie, toute notre noblesse a péri ; nos principaux citoyens, Éporédorix et Viridomare, accusés de trahison par les Romains, ont été mis à mort sans autre forme de procès. Écoutez sur ce point ceux qui ont échappé au massacre ; car pour moi, après avoir perdu mes frères et tous mes proches, la douleur m'empêche de vous en faire le récit. » On fait avancer des hommes à qui il avait fait la leçon, et ils racontent à la multitude ce que Litaviccus venait d'annoncer : « que tous les cavaliers éduens avaient été massacrés sous prétexte de s'être abouchés avec les Arvernes ; qu'eux-mêmes n'avaient pu que se cacher au milieu de la foule des soldats et échapper ainsi au carnage ». Les Éduens élèvent une clameur et conjurent Litaviccus d'indiquer le parti à prendre : « Y a-t-il donc à délibérer ? dit-il ; avons-nous autre chose à faire que d'aller à Gergovie et nous joindre aux Arvernes ? Doutons-nous qu'après un forfait si impie les Romains n'accourent déjà pour nous tuer ? Ainsi donc, si nous avons un peu de courage, vengeons la mort de ceux qu'ils ont si indignement massacrés, et exterminons ces bandits. » Il leur montre les citoyens romains qui étaient avec lui, confiants dans son escorte. Il livre au pillage une grande quantité de blé et de vivres qu'ils convoyaient et les fait périr dans de cruelles tortures. Il envoie des messagers par tout l'état des Éduens, les émeut par les mêmes impostures sur le massacre des cavaliers et des chefs, et les exhorte à venger leurs injures de la même manière qu'il a fait lui-même.

XXXIX. — L'Éduen Éporédorix, jeune homme de très grande famille et très puissant dans son pays, et avec lui Viridomare, de même âge et de même crédit, mais de moindre naissance, que César, sur la recommandation de Diviciac, avait élevé d'une condition obscure aux plus grands honneurs, s'étaient joints à sa cavalerie, sur convocation spéciale de sa part. Ils se disputaient le premier rang, et, dans le récent conflit des deux magistrats suprêmes, ils avaient combattu de toutes leurs forces l'un pour Convictolitave, l'autre pour Cotus. Éporédorix, informé du dessein de Litaviccus, vient, vers le milieu de la nuit, en donner avis à César : il le prie « de ne pas laisser son pays, séduit par les desseins pervers de quelques jeunes gens, abandonner l'amitié du peuple romain : malheur qui est à craindre, si tant de milliers d'hommes se joignent à l'ennemi, car leur sort ne saurait être indifférent à leurs proches, et l'état même ne pourrait pas n'y attacher point d'importance ».

XL. — Vivement affecté par cette nouvelle, car il avait eu toujours pour l'état des Éduens des bontés particulières, César, sans hésiter, fait sortir du camp quatre légions sans bagages et toute la cavalerie ; on n'eut même pas le temps, dans de telles circonstances, de resserrer le camp, car le succès semblait dépendre de la célérité. Il laisse son lieutenant Caïus Fabius avec deux légions pour la garde du camp. Il ordonne d'arrêter les frères de Litaviccus, mais il apprend qu'ils viennent de s'enfuir chez l'ennemi. Il exhorte ses soldats à ne pas se rebuter des fatigues de la marche dans une circonstance si impérieuse : ils le suivent avec une ardeur extrême. S'étant avancé à la distance de vingt-cinq mille pas environ [154], il aperçoit l'armée des Éduens ; il lance sa cavalerie, retarde et empêche leur marche, mais fait défense à tous de tuer personne. Il ordonne à Éporédorix et à Viridomare, que l'on croyait morts, de se montrer parmi les cavaliers et d'appeler leurs compatriotes. On les reconnaît, on découvre la fraude de Litaviccus ; les Éduens tendent les mains, font signe qu'ils se rendent, et, jetant leurs armes, implorent leur grâce. Litaviccus s'enfuit à Gergovie avec ses clients, pour qui c'eût été un crime impie, même dans le dernier péril, d'abandonner leurs patrons.

XLI. — César envoya à l'état des Éduens des messagers pour leur apprendre qu'il avait fait grâce de la vie à des hommes que le droit de la guerre lui eût permis de tuer, et, après avoir donné à son armée trois heures

de nuit pour se reposer, il leva le camp pour Gergovie.
A mi-chemin environ, des cavaliers dépêchés par Fabius
lui font connaître à quel danger le camp s'est trouvé
exposé ; ils lui expliquent qu'il a été attaqué par des
forces considérables, alors que des troupes fraîches succé-
daient sans cesse aux troupes fatiguées, et que les nôtres
s'épuisaient dans une lutte sans relâche, à cause de
l'étendue du camp qui obligeait les mêmes hommes à
rester continuellement sur le rempart ; un grand nombre
avaient été blessés par une grêle de flèches et de traits
de toute sorte ; nos machines avaient été fort utiles
pour soutenir cette attaque. Après leur départ Fabius
faisait boucher toutes les portes, à l'exception de deux,
garnissait la palissade de mantelets et s'attendait pour
le lendemain à un assaut semblable. A ces nouvelles,
César hâta sa marche, et, secondé par l'extrême ardeur
de ses soldats, parvint au camp avant le lever du soleil.

XLII. — Tandis que ces événements se déroulent
devant Gergovie, les Éduens, aux premières nouvelles
qu'ils reçoivent de Litaviccus, ne se donnent pas le
temps de les vérifier. La cupidité pousse les uns, les
autres se laissent emporter par la colère et la légèreté,
qui est le trait dominant de leur race et qui leur fait
prendre un bruit inconsistant pour un fait acquis. Ils
pillent les biens des citoyens romains, se livrent à des
massacres, emmènent les gens en esclavage. Convictolitave favorise le mouvement qui commence, et excite
la fureur du peuple, afin que l'accomplissement du forfait lui fasse une honte de rentrer dans le devoir. Marcus Aristius, tribun militaire, se rendait à sa légion : ils
le font, sur leur parole, sortir de la place de Cavillon ;
ils en chassent aussi ceux que le commerce y avait
appelés. A peine s'étaient-ils mis en route qu'on les
attaque et les dépouille de tous leurs bagages ; ils
résistent : on les assaille un jour et une nuit ; après des
pertes nombreuses de part et d'autre, les assaillants
appellent aux armes une plus grande multitude.

XLIII. — Sur ces entrefaites, à la nouvelle que tous
leurs soldats sont au pouvoir de César, ils accourent
vers Aristius ; ils lui expliquent que rien ne s'est fait
avec l'assentiment public ; ils décident de faire une
enquête sur les biens pillés, confisquent ceux de Litaviccus et de ses frères, et envoient des députés à César

pour se disculper. Leur but, en agissant ainsi, est de
recouvrer leurs troupes ; mais, souillés d'un crime,
compromis par le profit retiré du pillage, auquel un grand
nombre d'entre eux avaient eu part, épouvantés par la
crainte du châtiment, ils se mettent à former secrètement des projets de guerre et à solliciter les autres états
par des ambassades. César, quoique instruit de ces
menées, parle cependant à leur député avec toute la
douceur possible. Il leur dit que l'imprudence et la
légèreté de la populace ne lui font pas juger plus sévèrement leur nation et ne diminuent rien de sa bienveillance
envers les Éduens. Cependant, comme il s'attendait à un
plus grand mouvement de la Gaule et qu'il craignait
d'être enveloppé par tous les états, il songe au moyen
de s'éloigner de Gergovie et de réunir de nouveau toute
son armée, afin que sa retraite, causée par la crainte
d'une défection, ne prît pas l'apparence d'une fuite.

XLIV. — Au milieu de ses pensées, il se présente une
occasion qui lui parut favorable. S'étant rendu au petit
camp pour visiter les travaux, il s'aperçut qu'une colline [155] que l'ennemi occupait était dégarnie des troupes
qui, les jours précédents, en raison de leur multitude,
en rendaient le sol presque indiscernable. Étonné, il
en demande la cause aux transfuges, qui, chaque jour,
affluaient à lui en grand nombre. Tous s'accordaient
à dire (comme César l'avait déjà appris par ses éclaireurs) que le revers de cette colline était presque plat,
mais boisé et étroit du côté qui conduit à l'autre partie
de la place [156] ; les ennemis craignaient beaucoup pour
cet endroit et sentaient que si les Romains, maîtres d'une
des collines, prenaient l'autre, ils seraient presque blo-
qués et empêchés de sortir et d'aller au fourrage ; pour
fortifier cette position Vercingétorix avait appelé toutes
ses troupes.

XLV. — Sur cet avis, César y envoie, au milieu de
la nuit, de nombreux escadrons ; il leur ordonne de
battre tout le pays en faisant un peu de bruit. Au point
du jour, il fait sortir du camp un grand nombre de
bagages et de mulets, enlever leurs bâts à ceux-ci, et
faire le tour des collines [157] aux muletiers coiffés de
casques, qui ont l'air d'être des cavaliers. Il leur adjoint
quelques cavaliers qui doivent, pour donner le change, se
répandre au loin. Il leur enseigne à tous un point de réu-

nion par un long circuit. Tous ces mouvements étaient
aperçus au loin de la place, car, de Gergovie, la vue
s'étendait sur le camp, mais de trop loin pour qu'on pût
rien distinguer d'une façon précise. Il envoie par la même
crête une légion, la fait avancer un peu, puis faire halte
dans un fond et la cache dans les forêts [158]. Le soupçon
des Gaulois augmente : ils portent de ce côté toutes leurs
forces pour travailler aux retranchements. César voyant
leur camp dégarni, couvre les insignes des siens, cache les
enseignes militaires, et fait passer ses soldats par petits
paquets du grand camp au petit, de façon qu'ils ne
soient pas remarqués de la place ; il révéla ses intentions
aux lieutenants qu'il avait mis à la tête de chaque légion ;
il leur recommande surtout de contenir leurs soldats,
pour que l'ardeur du combat ou l'espoir du butin ne les
entraîne trop loin ; il leur explique la difficulté qui naît
de l'inégalité des positions, inégalité que la célérité
seule peut compenser : il s'agissait d'une surprise, non
d'un combat. Toutes ces instructions une fois prescrites,
il donne le signal, et en même temps il fait monter les
Éduens sur la droite par un autre chemin.

XLVI. — Le mur de la place forte, en ligne droite
et sans détour, était à douze cents pas de l'endroit où,
dans la plaine, commençait la montée. Mais tous les
détours qu'on avait faits pour adoucir l'ascension augmentaient la longueur de chemin. A mi-colline environ
et dans toute sa longueur, autant que le permettait la
nature du sol, les Gaulois avaient construit un mur
d'énormes pierres, haut de six pieds, pour retarder
l'assaut des nôtres ; et, laissant vide toute la partie basse,
ils avaient rempli de campements très serrés la partie
supérieure de la colline, jusqu'au mur de la place. Nos
soldats, au signal donné, parviennent vite à la fortification, la franchissent et se rendent maîtres de trois
camps. Leur rapidité dans la prise des camps fut si
grande que Teutomate, roi des Nitiobriges, surpris dans
sa tente, où il faisait la méridienne, s'enfuit la poitrine
nue, eut son cheval blessé et n'échappa qu'avec peine
aux mains des soldats qui faisaient leur butin.

XLVII. — César, ayant atteint le but qu'il s'était
proposé, ordonna de sonner la retraite, et après avoir
harangué la dixième légion, avec laquelle il était, il lui
fit faire halte. Les soldats des autres légions n'entendirent

pas le signal de la trompette ; séparés qu'ils étaient par
une vallée assez grande ; pourtant, les tribuns militaires
et les lieutenants, suivant les instructions de César,
s'efforçaient de les retenir. Mais, exaltés par l'espoir
d'une prompte victoire, par la fuite de l'ennemi, par
leurs succès précédents, ils pensaient qu'il n'y avait rien
de si ardu que leur valeur ne pût atteindre, et ils ne
cessèrent leur poursuite qu'à l'approche du rempart et
des portes de la ville. Alors une clameur s'éleva de tous
les côtés : ceux qui étaient assez loin, effrayés de ce soudain tumulte, croyant que l'ennemi était à l'intérieur
des portes, se précipitèrent hors de la place. Les mères
de famille jetaient du haut du mur des vêtements et de
l'argent ; et, le sein découvert, se penchaient et, tendant
leurs mains ouvertes, suppliaient les Romains de les
épargner, et de ne pas toucher, comme ils l'avaient fait
à Avaricum, aux femmes mères et aux enfants. Quelques-
unes, s'aidant de main en main à descendre des murs,
se rendaient à nos soldats. Lucius Fabius, centurion de
la huitième légion, dont on savait qu'il avait dit ce jour-
là au milieu des siens qu'il était excité par les récompenses
données à Avaricum et qu'il ne laisserait personne escalader le mur avant lui, prit trois de ses soldats, se fit
hisser par eux et monta sur le mur ; puis, les tirant
à lui à son tour, un à un, il les fit monter sur le mur.

XLVIII. — Cependant ceux des Gaulois qui s'étaient
rassemblés de l'autre côté de la place forte, ainsi que
nous l'avons expliqué plus haut, pour y faire des travaux
de défense, après avoir d'abord entendu la clameur,
puis reçu à plusieurs reprises la nouvelle que la ville
était au pouvoir des Romains, envoyèrent les cavaliers
en avant et s'y portèrent eux-mêmes au pas de course.
A mesure qu'ils arrivaient, ils s'arrêtaient au pied du
mur et augmentaient le nombre des combattants. Quand
ils s'y furent rassemblés en grand nombre, les mères de
famille qui peu auparavant tendaient du haut du mur
leurs mains aux Romains, se mirent à adresser leurs
prières à leurs époux, et à leur montrer, à la manière
gauloise, leurs cheveux épars et leurs enfants. Les Romains soutenaient une lutte qui n'était égale ni par la
position ni par le nombre ; en outre, épuisés par leur
course et la durée du combat, ils ne pouvaient pas tenir
tête facilement à des troupes fraîches et intactes.

XLIX. — César, voyant le désavantage de sa position de combat et l'accroissement des forces de l'ennemi, craignit pour les siens. Il envoya à son lieutenant Titus Sextius, qu'il avait laissé à la garde du petit camp, l'ordre d'en faire sortir promptement les cohortes et de les placer au pied de la colline [159], sur la droite de l'ennemi, afin que, s'il voyait les nôtres chassés de leur position, il intimidât et gênât la poursuite de l'ennemi. Pour lui, s'étant avancé avec sa légion un peu en avant du point où il avait fait halte, il y attendait l'issue du combat.

L. — Tandis qu'un corps à corps acharné s'engageait, les ennemis se fiant à leur position et à leur nombre, et les nôtres à leur valeur, on vit tout à coup paraître, sur notre flanc découvert, les Éduens que César avait envoyés sur la droite, par une autre montée, pour faire diversion. La ressemblance de leurs armes avec celles de l'ennemi épouvanta les nôtres ; et quoiqu'ils eussent l'épaule droite découverte, ce qui était le signe convenu en usage, nos soldats crurent que c'était un artifice employé par l'ennemi pour les tromper. Au même moment, le centurion Lucius Fabius et ceux qui avaient escaladé le mur avec lui étaient enveloppés, massacrés et précipités du haut du mur. Marcus Pétronius, centurion de la même légion, qui avait essayé de briser les portes, accablé par le nombre et désespérant de se sauver, couvert déjà de blessures, s'adressa à ceux qui l'avaient suivi : « Puisque je ne puis, dit-il, me sauver avec vous, je veux du moins pourvoir au salut de ceux que mon amour de la gloire a conduits dans le péril. Songez à votre salut, je vous en donne le moyen. » En même temps il se jeta au milieu des ennemis, en tua deux et écarta un peu les autres de la porte. Ses hommes essayent de le secourir : « C'est en vain, leur dit-il, que vous essayez de me sauver ; mon sang, mes forces m'abandonnent déjà. Allez-vous-en donc, pendant que vous le pouvez, et rejoignez votre légion. » C'est ainsi qu'en combattant il tomba peu après, assurant le salut des siens.

LI. — Les nôtres, pressés de toutes parts, furent chassés de leur position, après avoir perdu quarante-six centurions. Mais la dixième légion retarda les Gaulois trop ardents à les poursuivre ; elle s'était placée sur un terrain un peu moins désavantageux afin d'être prête à porter secours. Elle fut à son tour soutenue par les

cohortes de la treizième légion, que le lieutenant Titus
Sextius avait fait sortir du petit camp et qui avaient
occupé une position plus élevée. Les légions, dès qu'elles
eurent gagné la plaine [160], s'arrêtèrent et firent face à
l'ennemi. Vercingétorix ramena ses troupes du pied de
la colline à l'intérieur des retranchements. Cette journée
nous coûta un peu moins de sept cents hommes.

LII. — Le lendemain, César assembla ses troupes et
réprimanda la témérité et l'ardeur de ses soldats, leur
reprochant « d'avoir jugé eux-mêmes de l'endroit jusqu'où
il leur conviendrait de s'avancer et de ce qu'ils devraient
faire, sans s'arrêter quand le signal de la retraite avait
été donné, sans s'être laissé retenir par les tribuns militaires et les lieutenants ». Il leur expliqua tout le danger
d'une position défavorable, et ce que lui-même en avait
pensé devant Avaricum, lorsque, ayant surpris l'ennemi
sans chef et sans cavalerie, il avait renoncé à une victoire
certaine plutôt que de s'exposer à une perte même légère
en combattant dans une position défavorable. Autant il
admirait leur courage, qui n'avait pu être arrêté ni par
les retranchements d'un camp ni par la hauteur de la
montagne ni par le mur de la place forte, autant il réprou-
vait leur insubordination et leur présomption, qui leur
faisaient croire qu'ils savaient mieux que leur général les
moyens de vaincre et le résultat de la bataille. Il ajouta
qu'il n'aimait pas moins dans un soldat la modestie et la
discipline que la valeur et le courage.

LIII. — Ayant ainsi parlé et terminé son discours en
relevant le courage de ses soldats, en leur disant « de ne
pas se laisser décourager pour cela et de ne pas imputer
à la valeur de l'ennemi un échec causé par le désavantage
de la position », il maintint son projet de départ, fit sortir
ses légions du camp et les rangea en bataille sur un
terrain favorable. Comme Vercingétorix néanmoins ne
descendait pas dans la plaine, après une légère escarmouche de cavalerie, et qui fut un succès, il ramena ses
troupes dans le camp. Le lendemain il renouvela la même
épreuve, puis, pensant en avoir assez fait pour rabattre
la jactance gauloise et raffermir le courage de ses soldats,
il leva le camp pour aller chez les Éduens. L'ennemi,
même alors, ne le poursuivit pas ; le troisième jour, il
arrive sur les bords de l'Allier, reconstruit les ponts [161] et
fait passer son armée sur l'autre rive.

LIV. — Là il apprend des Éduens Viridomare et Éporédorix, qui avaient demandé à lui parler, que Litaviccus
est parti avec toute sa cavalerie pour soulever le pays ;
qu'eux-mêmes se voyaient dans la nécessité de le devancer pour retenir l'état dans le devoir. Quoique César
eût déjà de nombreuses preuves de la perfidie des Éduens,
et qu'il vît bien que leur départ hâterait la défection de
l'état, il ne jugea pourtant pas à propos de les retenir,
de peur de leur faire injure ou de faire croire qu'il eût la
moindre inquiétude. Il leur exposa brièvement, à leur
départ, ses titres à la reconnaissance des Éduens : quels
étaient leur situation et leur abaissement, lorsqu'il les
avait accueillis : refoulés dans les places fortes, leurs
champs envahis, toutes leurs troupes détruites, soumis
eux-mêmes à un tribut, et forcés, par les plus humiliantes
contraintes, de livrer des otages ; et que de là il les avait
élevés à un tel degré de fortune et de prospérité que non
seulement ils étaient rétablis dans leur premier état, mais
même plus influent et plus puissants que jamais. Sur
ces mots qu'il les chargea de répéter, il les laissa partir.

LV. — Noviodunum était une place des Éduens, située
sur les bords de la Loire, dans une position avantageuse.
César y avait rassemblé tous les otages de la Gaule, du
blé, de l'argent des caisses publiques, une grande partie
de ses bagages et de ceux de l'armée ; il y avait envoyé
un grand nombre de chevaux achetés en Italie et en
Espagne en vue de la guerre actuelle. Arrivés dans cette
place, Éporédorix et Viridomare prirent connaissance de
l'état du pays. Ils surent que Litaviccus avait été reçu
par les Éduens à Bibracte, ville très importante de chez
eux ; que Convictolitave, leur magistrat, et une grande
partie du sénat s'étaient rendus près de lui ; qu'on avait
envoyé officiellement des députés à Vercingétorix pour
conclure avec lui un traité de paix et d'alliance, et ils
estimèrent qu'il ne fallait pas laisser échapper une occasion aussi favorable. Ils massacrèrent donc les gardes
laissés à Noviodunum, ainsi que tous les marchands qui
s'y trouvaient, et partagèrent entre eux l'argent et les
chevaux, ils firent remettre les otages des états au
magistrat suprême, à Bibracte ; ils brûlèrent la ville, ne
se croyant pas en état de la garder, afin qu'elle ne pût
servir aux Romains ; ils emportèrent sur des bateaux
tout le blé qu'ils purent charger incontinent, et jetèrent
le reste dans la rivière ou dans le feu ; ils levèrent eux-

mêmes des troupes dans les régions voisines, placèrent
des garnisons et des forts aux bords de la Loire, et firent
paraître en tous lieux leur cavalerie pour semer la terreur,
dans l'espoir de couper les vivres aux Romains et de les
forcer par la famine à évacuer le pays pour aller dans la
Province. Ce qui les encourageait beaucoup à cet espoir,
c'est que la Loire avait grossi par la fonte des neiges [162],
si bien qu'elle ne paraissait guéable en aucun endroit.

LVI. — Muni de ces renseignements, César crut devoir
se hâter, afin que, s'il avait, en construisant des ponts, à
courir le risque d'une attaque, il pût livrer bataille avant
qu'on eût réuni de trop grandes forces sur ce point :
car, changer de plan et se tourner vers la Province, chose
qu'il n'eût point voulu faire dans le cas le plus urgent,
non seulement l'infamie et la honte d'agir ainsi et l'obstacle des Cévennes et la difficulté des chemins s'y opposaient, mais surtout il craignait vivement pour Labiénus,
dont il était séparé et pour les légions parties sous ses
ordres. Aussi, par de très longues marches de jour et de
nuit, parvint-il à la Loire, au moment où l'on s'y attendait le moins ; et, ses cavaliers ayant trouvé un gué [163]
commode, du moins dans la circonstance, car on ne
pouvait avoir hors de l'eau que les bras et les épaules
pour porter ses armes, il disposa sa cavalerie de manière
à rompre le courant, et, profitant du trouble provoqué
à première vue chez l'ennemi, il fit passer son armée sans
une perte. Il trouva dans la campagne du blé et beaucoup
de bétail, en réapprovisionna son armée et se mit en
route pour le pays des Sénones.

LVII. — Tandis que ces événements se déroulaient
du côté de César, Labiénus, laissant à Agédincum, pour
la garde des bagages, les recrues récemment arrivées
d'Italie, part avec quatre légions pour Lutèce. C'est une
place des Parisiens, située dans une île de la Seine. Quand
son arrivée fut connue de l'ennemi, des forces considérables, venues des états voisins, se rassemblèrent. Le
commandement suprême est donné à l'Aulerque Camulogène, presque épuisé par l'âge, mais appelé à cet honneur par sa connaissance singulière de l'art militaire.
Celui-ci ayant remarqué qu'il y avait un marais continu [164]
qui aboutissait à la Seine et rendait fort difficile l'accès à
toute cette région, s'y établit et entreprit de barrer le
passage aux nôtres.

LVIII. — Labiénus travailla d'abord à faire avancer des mantelets, à combler le marais de fascines et de matériaux, et à construire une route. Mais, voyant les difficultés trop grandes de l'entreprise, il sortit de son camp en silence à la troisième veille, et arriva à Metlosédum par le même chemin qu'il avait pris pour venir. C'est une place des Sénons, située dans une île de la Seine, comme nous avons dit un peu plus haut qu'était Lutèce. Il se saisit d'environ cinquante navires, les joint ensemble rapidement, les charge de soldats et frappe d'une telle stupeur les habitants, dont une grande partie avaient été appelés à la guerre, qu'il s'empare de la place sans résistance. Il rétablit le pont [165] que les ennemis avaient coupé les jours précédents, y fait passer son armée et fait route vers Lutèce en suivant le cours du fleuve. L'ennemi, averti par ceux qui s'étaient enfuis de Metlosédum, fait incendier Lutèce et couper les ponts [166] de cette place ; quant à eux, quittant le marais pour les bords de la Seine, ils s'établissent vis-à-vis de Lutèce et en face du camp de Labiénus [167].

LIX. — Déjà on apprenait que César avait quitté Gergovie ; déjà des rumeurs circulaient de la défection des Éduens et de l'heureux succès du soulèvement de la Gaule ; et les Gaulois, dans leurs entretiens, affirmaient que César, coupé de ses communications et ne pouvant passer la Loire, avait été forcé par la disette de blé de se diriger vers la Province. Les Bellovaques, peu sûrs déjà auparavant, eurent à peine appris la défection des Éduens qu'ils se mirent à lever des troupes et à préparer ouvertement la guerre. Alors Labiénus, devant un si grand changement de situation, sentit qu'il lui fallait modifier tout à fait ses plans ; il ne songeait plus à faire des conquêtes et à livrer bataille à l'ennemi, mais à ramener l'armée sans perte à Agédincum : car, d'un côté, il était menacé par les Bellovaques, état qui avait en Gaule une très haute réputation de valeur ; de l'autre, par Camulogène, qui avait une armée prête et bien équipée ; enfin ses légions étaient séparées de leurs réserves et de leurs bagages par un très grand fleuve [168]. Il ne voyait, contre de telles difficultés qui avaient surgi tout à coup, d'autres ressources qu'une résolution courageuse.

LX. — Il convoqua donc sur le soir un conseil et exhorta chacun à exécuter ses ordres avec soin et adresse.

Il confie chacun des navires qu'il avait amenés de Metlosédum à un chevalier romain et ordonne de descendre le fleuve à la fin de la première veille [169] sur une distance de quatre mille pas et de l'attendre là. Il laisse pour la garde du camp les cinq cohortes qu'il jugeait les moins propres à combattre, et commande aux cinq autres de la même légion de remonter le fleuve au milieu de la nuit, avec tous les bagages, en faisant beaucoup de bruit. Il réquisitionne aussi les barques ; il les envoie, à grand bruit de rames, dans la même direction. Lui-même, peu après, sort en silence avec trois légions, et gagne l'endroit où il avait ordonné de conduire les bateaux.

LXI. — Lorsqu'on y fut arrivé, les éclaireurs de l'ennemi, qui étaient placés sur tous les points du fleuve, sont attaqués à l'improviste, car une grande tempête s'était soudain élevée : l'armée et la cavalerie, sous la direction des chevaliers romains à qui Labiénus avait confié cette opération, sont rapidement transportées sur l'autre rive. Presque d'un seul coup, à l'aube, on annonce à l'ennemi qu'il règne une agitation insolite dans le camp des Romains, qu'une colonne considérable remonte le fleuve, que du même côté on entend distinctement le bruit des rames et qu'un peu au-dessous des soldats sont transportés sur des bateaux. A ces nouvelles, pensant que les légions traversaient en trois endroits et qu'effrayés par la défection des Éduens tous les Romains se préparaient à fuir, ils distribuèrent eux aussi leurs forces en trois corps. Laissant un poste en face du camp et envoyant une petite troupe vers Metlosédum, avec ordre de n'avancer qu'autant que le feraient les bateaux, ils menèrent le reste de leurs forces à la rencontre de Labiénus.

LXII. — Au point du jour, tous les nôtres avaient été transportés au delà du fleuve et l'on voyait la ligne ennemie [170]. Labiénus exhorte ses soldats à se rappeler leur ancienne valeur et tant de glorieux combats, et à se croire sous les yeux de César, qui si souvent les a menés à la victoire ; puis il donne le signal du combat. Au premier choc, à l'aile droite, où la septième légion avait pris place, l'ennemi est enfoncé et mis en déroute ; à l'aile gauche, où était la douzième légion, quoique les premiers rangs de l'ennemi fussent tombés sous nos traits, les autres cependant opposaient une résistance

acharnée, et pas un ne paraissait songer à la fuite. Le
chef lui-même des ennemis, Camulogène, était là près
des siens et les encourageait. Mais alors que la victoire
était encore incertaine, les tribuns de la septième légion,
apprenant ce qui se passait à l'aile gauche, firent paraître leur légion sur les derrières de l'ennemi et le
chargèrent. Même alors personne ne lâche pied : tous
furent enveloppés et tués ; Camulogène eut le même sort.
Le corps de troupes qui avait été laissé en face du camp
de Labiénus, averti qu'on en était aux mains, vint au
secours des siens et prit une colline [171], mais ne put
soutenir le choc de nos soldats vainqueurs. Il se mêla
donc à la fuite générale, et ceux que les bois et les
collines [172] ne mirent pas à couvert furent massacrés par
notre cavalerie. Cette affaire terminée, Labiénus retourne
à Agédincum, où les bagages de toute l'armée avaient
été laissés. De là, avec toutes ses troupes, il rejoint
César [173].

LXIII. — A la nouvelle de la défection des Éduens,
la guerre s'étend. Des ambassades sont envoyées de tous
côtés ; influence, autorité, argent, les Éduens mettent
tout en œuvre pour gagner des états. Maîtres des otages
que César avait laissés chez eux, ils effraient par leur
supplice les hésitants. Ils demandent à Vercingétorix de
venir les trouver et de se concerter avec eux sur les
moyens de soutenir la guerre. Celui-ci ayant consenti,
ils prétendent se faire remettre le commandement suprême et, comme l'affaire dégénère en dispute, on convoque une assemblée de toute la Gaule à Bibracte. On s'y
rend en foule de toutes parts. La question est soumise
aux suffrages de la multitude ; tous, sans exception,
confirment le choix de Vercingétorix comme général en
chef. Les Rèmes, les Lingons, les Trévires ne prirent
point part à cette assemblée ; les premiers, parce qu'ils
restaient fidèles aux Romains ; les Trévires parce qu'ils
étaient trop loin, et d'ailleurs pressés par les Germains,
ce qui fut cause qu'ils ne prirent aucune part à la guerre
et n'envoyèrent de secours à aucun des deux partis. Les
Éduens éprouvent un grand chagrin à se voir déchus de
leur primauté ; ils déplorent le changement de leur
fortune et regrettent les bontés de César à leur égard,
sans oser cependant, la guerre étant commencée, se
séparer de la cause commune. Bien malgré eux, des
jeunes gens qui nourrissaient les plus hauts espoirs,

comme Éporédorix et Viridomare, obéissent à Vercingétorix.

LXIV. — Celui-ci exige des otages des autres états, et fixe le jour de leur remise. Il donne l'ordre à tous les cavaliers, au nombre de quinze mille, de se réunir rapidement [174]. Il déclare qu'il se contentera de l'infanterie qu'il avait jusque-là [175], qu'il n'essaiera pas de tenter la fortune ni de livrer une bataille rangée ; « mais, puisqu'il dispose d'une cavalerie nombreuse, rien n'est plus facile que d'empêcher les Romains de se ravitailler en blé et en fourrage : que seulement les Gaulois consentent à détruire leur blé et à incendier leurs granges, et ne voient dans ces pertes domestiques qu'un moyen d'obtenir à jamais la souveraineté et la liberté. » Ces mesures prises, il exige des Éduens et des Ségusiaves, qui sont à la frontière de la Province, dix mille cavaliers ; il y joint huit cents cavaliers. Il donne le commandement de cette troupe au frère d'Éporédorix et lui commande de porter la guerre chez les Allobroges. De l'autre côté, il lance les Gabales et les plus proches cantons des Arvernes contre les Helviens, et envoie les Rutènes et les Cadurques ravager le pays des Volques Arécomiques. Il n'en sollicite pas moins les Allobroges par des courriers secrets et des ambassades, espérant que les ressentiments de la dernière guerre n'étaient pas encore éteints dans leur cœur ; il promet des sommes d'argent à leurs chefs, et à l'état la souveraineté de toute la Province.

LXV. — Pour faire face à tous ces dangers, on avait préparé une armée de vingt-deux cohortes, levées dans la Province même par le lieutenant Lucius César et qui de tous côtés s'opposaient aux envahisseurs. Les Helviens livrent spontanément bataille à leurs voisins [176] et sont repoussés ; ils perdent Caïus Valérius Domnotaurus, fils de Caburus, chef de leur état, et beaucoup d'autres, et ils sont rejetés dans leurs places fortes, à l'abri de leurs remparts. Les Allobroges, en établissant le long du Rhône des postes nombreux, défendent avec beaucoup de soin et de diligence leurs frontières. César, voyant l'ennemi supérieur en cavalerie, tous les chemins fermés, et par suite nul moyen de tirer des secours de la Province et de l'Italie, envoie au delà du Rhin en Germanie vers les États qu'il avait soumis les années précédentes [177] et en obtient des cavaliers et des soldats d'infanterie légère

habitués à combattre parmi les cavaliers. A leur arrivée,
ne trouvant pas leurs chevaux suffisants, il prend ceux
des tribuns militaires, des autres chevaliers romains et
des évocats, et il les distribue aux Germains.

LXVI. — Sur ces entrefaites, les forces ennemies qui se
trouvaient chez les Arvernes et les cavaliers, qui avaient
été commandés à toute la Gaule, se réunissent. En
ayant formé un corps nombreux, Vercingétorix, tandis
que César faisait route vers le pays des Séquanais en passant par les confins extrêmes des Lingons [178], pour porter
à la Province un plus facile secours, vint asseoir trois
camps [179] à dix mille pas environ des Romains ; il
convoque en conseil les chefs de ces cavaliers et leur
montre que le moment de la victoire est venu : « Les Romains, leur dit-il, s'enfuient dans leur Province et abandonnent la Gaule : c'est assez pour assurer la liberté du
moment, mais trop peu pour la paix et le repos de l'avenir ; ils reviendront en effet avec de plus grandes forces
et la guerre sera sans fin. Il faut donc les attaquer dans
l'embarras de leur marche : si les fantassins portent secours à leurs camarades et s'y attardent, ils ne peuvent
achever leur route ; si, comme il le croit plus probable, ils
abandonnent les bagages pour ne songer qu'à leur sûreté,
ils perdront à la fois leurs ressources et l'honneur. Quant
aux cavaliers ennemis, point de doute qu'aucun d'entre
eux n'ose s'avancer seulement hors de la colonne. Afin
d'augmenter leur courage, il tiendra toutes ses forces
en avant du camp et intimidera l'ennemi. » Les cavaliers
s'écrient tous qu'il leur faut s'obliger par le plus saint des
serments à ne pas entrer sous un toit, à ne pas revoir enfants, parents et femme, si l'on n'a pas deux fois traversé
la colonne de l'ennemi.

LXVII. — La proposition est approuvée, et l'on
fait prêter à tous le serment. Le lendemain la cavalerie
est partagée en trois corps : deux de ces corps se montrent
sur nos deux flancs ; le troisième fait front à la colonne
pour lui barrer la route [180]. A cette nouvelle, César forme
également trois divisions de sa cavalerie et la fait aller
à l'ennemi. On se bat sur tous les points à la fois. La
colonne s'arrête ; les bagages sont placés entre les légions.
Partout où les nôtres lui paraissaient fléchir ou être trop
vivement pressés, César faisait porter de ce côté les
enseignes et marcher les cohortes ; cette intervention

retardait la poursuite des ennemis et ranimait les nôtres par l'espoir d'un secours. Enfin les Germains, à l'aile droite, avisant une hauteur culminante [181], chassent les ennemis, les poursuivent jusqu'à la rivière [182], où Vercingétorix s'était placé avec ses forces d'infanterie, et en tuent un grand nombre. Ce que voyant, les autres, qui craignent d'être enveloppés, prennent la fuite. Partout on les massacre. Trois Éduens de la plus noble naissance sont faits prisonniers et amenés à César : Cotus, chef de la cavalerie, qui, aux dernières élections, avait été aux prises avec Convictolitave ; Cavarillus, qui, après la défection de Litaviccus, avait reçu le commandement des forces d'infanterie ; et Éporédorix, que les Éduens avaient eu pour chef avant l'arrivée de César dans leur guerre contre les Séquanais.

LXVIII. — Voyant toute sa cavalerie en déroute, Vercingétorix, qui avait rangé ses troupes en avant de son camp, les fit battre en retraite, et prit aussitôt le chemin d'Alésia, place des Mandubiens ; il donna l'ordre de faire sortir rapidement les bagages du camp et de les acheminer à sa suite. César fit conduire ses bagages sur la colline la plus proche, sous la garde de deux légions, poursuivit l'ennemi aussi longtemps que la durée du jour le permit, et lui tua environ trois mille hommes de l'arrière-garde ; le lendemain il campa devant Alésia. S'étant rendu compte de la situation de la ville, et voyant l'ennemi terrifié parce que sa cavalerie, qui faisait la principale force de son armée, avait été battue, il exhorta ses soldats au travail et se mit à investir Alésia.

LXIX. — La place elle-même était au sommet d'une colline, dans une position très escarpée [183], si bien qu'elle semblait ne pouvoir être prise que par un siège en règle. Au pied de la colline, de deux côtés, coulaient deux rivières [184]. En avant de la place s'étendait une plaine [185] d'environ trois mille pas de longueur ; sur tous les autres points, la place était entourée par des collines [186], peu distantes entre elles et d'une égale hauteur. Au pied du mur, toute la partie de la colline qui regardait l'orient était couverte de troupes gauloises, et en avant elles avaient ouvert un fossé et élevé une muraille sèche de six pieds de hauteur. Les fortifications qu'entreprenaient les Romains s'étendaient sur un circuit de onze mille pas. Les camps avaient été placés sur des positions avanta-

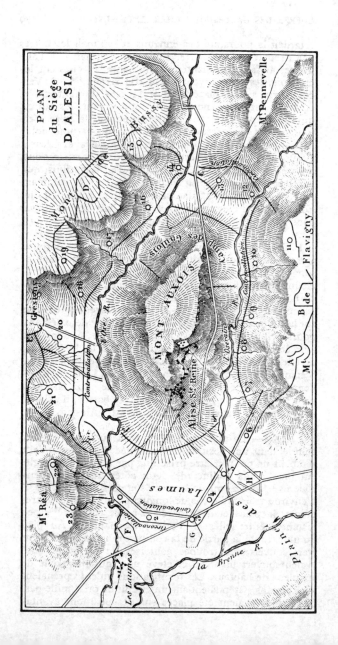

PLAN
du Siège
D'ALESIA

geuses, et on y avait construit vingt-trois portes fortifiées.
Dans ces portes on détachait pendant le jour des corps
de garde, pour empêcher toute attaque subite ; pendant
la nuit, ces mêmes portes étaient occupées par des veilleurs et de fortes garnisons.

LXX. — Les travaux étaient commencés quand un
combat de cavalerie est livré dans la plaine, qui, comme
nous l'avons dit plus haut, s'étendait entre des collines
sur une longueur de trois mille pas. L'acharnement est
extrême de part et d'autre. César envoie les Germains
secourir les nôtres qui fléchissent, et range ses légions
en bataille devant le camp, pour réprimer toute ten-
tative soudaine de l'infanterie ennemie. Le renfort des
légions encourage les nôtres ; les ennemis prennent la
fuite, s'embarrassent eux-mêmes par leur nombre, et
piétinent aux portes trop étroites. Les Germains les
poursuivent alors avec vigueur jusqu'à leurs fortifications ; un grand massacre a lieu. Certains, abandonnant leurs chevaux, essaient de traverser le fossé
et de franchir la muraille. César fait avancer un peu
les légions qu'il avait placées en avant du retranchement. Les Gaulois qui étaient à l'intérieur des retranchements ne sont pas moins troublés : croyant qu'on
vient immédiatement sur eux, ils crient aux armes ;
quelques-uns, épouvantés, se jettent dans la place. Vercingétorix fait fermer les portes, pour éviter que le
camp ne soit abandonné. Après avoir tué beaucoup
d'ennemis et pris un très grand nombre de chevaux, les
Germains se retirent.

LXXI. — Vercingétorix se décide à renvoyer toute sa
cavalerie pendant la nuit, avant que les Romains achè-
vent leurs fortifications. Au départ de ses cavaliers, il
leur donne mission d'aller chacun dans son pays et d'y
réunir pour la guerre tous ceux qui sont en âge de porter
les armes ; il leur expose ce qu'ils lui doivent, et les
conjure de songer à son salut et de ne pas livrer aux supplices de l'ennemi un homme comme lui qui a tant mérité
de la liberté commune ; il leur montre qu'en cas de
négligence quatre-vingt mille hommes [187] d'élite périront
avec lui ; d'après ses calculs, il a du blé tout juste pour
trente jours, mais il peut, en le ménageant, tenir encore
un peu plus longtemps. Après ces instructions, il fait
partir sa cavalerie en silence à la seconde veille par l'inter-

valle que nos lignes laissaient encore. Il se fait apporter
tout le blé ; il décrète la peine de mort contre ceux qui
n'obéiront pas ; il distribue entre chaque homme le
bétail dont les Mandubiens avaient amené une grande
quantité ; il décide de mesurer le blé parcimonieusement
et de ne le donner que peu à peu ; il fait rentrer dans la
place toutes les troupes qu'il avait disposées devant la
place. Telles sont les mesures par lesquelles il se prépare à attendre les secours de la Gaule et à conduire la
guerre.

LXXII. — Instruit de ces dispositions par des transfuges et des prisonniers, César entreprit les fortifications
que voici : il ouvrit un fossé de vingt pieds de large, en
ayant soin que la largeur du fond fût égale à la distance
de ses bords ; il laissa entre ce fossé et toutes les autres
fortifications une distance de quatre cents pieds ; il
procédait ainsi afin que les ennemis ne pussent point
à l'improviste attaquer pendant la nuit nos ouvrages
ni lancer pendant le jour une grêle de traits sur nos
troupes qui avaient à poursuivre leur travail (car on
avait été obligé d'embrasser un si vaste espace que nos
soldats n'auraient pu aisément garnir l'ouvrage entier).
Dans l'intervalle ainsi ménagé, il ouvrit deux fossés de
quinze pieds de large et chacun de même profondeur ;
celui qui était intérieur, creusé dans les parties basses
de la plaine, fut rempli d'eau dérivée de la rivière [188] ;
derrière ces fossés, il éleva un terrassement et une palissade de douze pieds de haut. Il y ajouta un parapet et
des créneaux ; et, à la jonction du terrassement et de la
paroi de protection, une palissade d'énormes pièces de
bois fourchues, pour retarder l'escalade de l'ennemi. Il
flanqua tout l'ouvrage de tours, placées à quatre-vingts
pieds de distance l'une de l'autre.

LXXIII. — Il fallait en même temps aller chercher
des matériaux, du blé et faire ces énormes fortifications,
avec nos effectifs diminués par les détachements qui
poussaient assez loin du camp. De plus, quelquefois,
les Gaulois essayaient d'attaquer nos ouvrages et de
faire des sorties très vives par plusieurs portes. Aussi
César crut-il bon d'ajouter encore à ces ouvrages, pour
qu'un moins grand nombre de soldats fussent capables de
défendre les fortifications. On coupa donc des troncs
d'arbres ou de très fortes branches, on les dépouilla

de leur écorce et on les aiguisa par le sommet. Puis on
ouvrait des fossés continus de cinq pieds de profondeur.
On y enfonçait ces pieux, on les attachait par en bas,
de manière qu'ils ne pussent pas être arrachés, et on
ne laissait dépasser que leurs rameaux. Il y en avait
cinq rangs, liés ensemble et entrelacés : ceux qui s'y
engageaient s'empalaient dans ces palissades pointues.
On les appelait *cippes*. Au-devant, on creusait en rangs
obliques et formant quinconce, des puits de trois pieds
de profondeur, qui se rétrécissaient peu à peu jusqu'au
bas. On y enfonçait des pieux lisses, de la grosseur de
la cuisse, taillés en pointe à leur extrémité et durcis au
feu, qui ne dépassaient du sol que de quatre doigts ; en
même temps, pour les affermir solidement, on comblait
le fond des puits d'une terre que l'on foulait sur une
hauteur d'un pied. Le reste était recouvert de ronces et
de broussailles, afin de cacher le piège. Il y avait huit
rangs de cette espèce, à trois pieds de distance l'un
de l'autre : on les appelait *lis*, à cause de leur ressemblance avec cette fleur. En avant de ces puits, étaient
entièrement enfoncés en terre des pieux d'un pied de
long, armés de crochets de fer ; on en semait partout, et à
de faibles intervalles ; on leur donnait le nom d'*aiguillons*.

LXXIV. — Ces travaux achevés, César, en suivant,
autant que le terrain le lui permit, la ligne la plus favorable, fit, sur un circuit de quatorze mille pas, des fortifications du même genre, mais en sens opposé, contre
l'ennemi venant du dehors, afin que, s'il avait à s'éloigner, des forces très supérieures ne pussent investir
les postes de défense ou les contraindre au risque de
sortir hors du camp ; il donna l'ordre à tous ses soldats de
se procurer du fourrage et du blé pour trente jours.

LXXV. — Pendant que ces choses se passaient devant
Alésia, les Gaulois, ayant tenu une assemblée de chefs,
décident qu'il faut, non pas, comme le voulait Vercingétorix, appeler sous les armes tous ceux qui étaient en
état de les porter, mais exiger de chaque état un nombre
d'hommes déterminé ; cela, parce qu'ils craignaient, dans
la confusion d'une si grande multitude, de ne pouvoir
ni la gouverner, ni se reconnaître, ni la ravitailler en
blé. On demande aux Éduens et à leurs clients, Ségusiaves, Ambivarètes, Aulerques Brannovices, Brannoviens, trente-cinq mille hommes ; un chiffre égal aux

Arvernes, auxquels on joint les Éleutètes, les Cadurques,
les Gabales, les Vellaviens, qui sont depuis longtemps
sous leur domination ; aux Séquanais, aux Sénones, aux
Bituriges, aux Santones, aux Rutènes, aux Carnutes,
douze mille hommes par état ; aux Bellovaques, dix ;
huit aux Pictons, aux Turons, aux Parisiens, aux Helvètes ; aux Suessions, aux Ambiens, aux Médiomatrices, aux Pétrocoriens, aux Nerviens, aux Morins,
aux Nitiobriges, cinq mille ; aux Aulerques Cénomans,
autant ; aux Atrébates, quatre mille ; aux Véliocasses,
aux Lémovices, aux Aulerques Eburovices, trois mille ;
aux Rauraques et aux Boïens, deux mille ; à l'ensemble
des états qui bordent l'Oçéan et qui se donnent le nom
d'Armoricains : Coriosolites, Redons, Ambibariens, Calètes, Osismes, Lexoviens, Unelles, vingt mille. Les
Bellovaques ne fournirent pas leur contingent, parce
qu'ils prétendaient faire la guerre aux Romains en leur
nom et à leur guise, et n'obéir aux ordres de personne ;
cependant, à la prière de Commius, et en faveur des
liens d'hospitalité qui les unissaient à lui, ils envoyèrent
deux mille hommes.

LXXVI. — Ce Commius, comme nous l'avons indiqué
plus haut, avait fidèlement et utilement servi César en
Bretagne dans les années précédentes ; pour reconnaître
ses services celui-ci avait fait affranchir d'impôts son
état, lui avait rendu ses lois et ses institutions et avait
assujetti les Morins à Commius. Pourtant, telle fut l'unanimité de la Gaule [189] tout entière à revendiquer alors sa
liberté et à recouvrer son antique gloire militaire, que ni
la reconnaissance ni les souvenirs de l'amitié ne la tou-
chèrent, et que tous, de tout leur cœur et de toutes leurs
ressources, se jetèrent dans la guerre, après avoir réuni
huit mille cavaliers et environ deux cent quarante mille
fantassins. Ces troupes furent passées en revue sur le
territoire des Éduens ; on en fit le dénombrement, et l'on
nomma des chefs. Le commandement suprême est confié
à Commius l'Atrébate, aux Éduens Viridomare et Éporédorix, à l'Arverne Vercassivellaune, cousin de Vercingétorix. On leur adjoint des délégués des états, qui for-
meront un conseil chargé de la conduite de la guerre.
Tous partent pour Alésia joyeux et pleins de confiance :
aucun d'eux ne croyait qu'il fût possible de soutenir
seulement l'aspect d'une si grande multitude, surtout
dans un combat sur deux fronts, où les assiégés feraient

une sortie, tandis qu'on verrait arrivant du dehors de si grandes forces de cavalerie et d'infanterie.

LXXVII. — Mais ceux qui étaient assiégés dans Alésia, une fois passé le jour pour lequel ils s'étaient attendus à l'arrivée des secours, une fois consommé tout leur blé, ignorant ce qui se passait chez les Éduens, avaient convoqué un conseil et délibéraient sur l'issue de leur sort. Les avis furent partagés : les uns parlaient de se rendre, les autres, de faire une sortie, tandis qu'ils en avaient encore la force. Le discours de Critognat me paraît ne pas devoir être passé sous silence, à cause de sa cruauté singulière et impie. C'était un personnage, sorti d'une grande famille arverne et doué d'un grand prestige : « Je n'ai pas l'intention de parler, dit-il, de l'opinion de ceux qui donnent le nom de reddition au plus honteux esclavage ; j'estime qu'ils ne méritent point d'être comptés parmi les citoyens ni admis au conseil. Je veux m'adresser à ceux qui proposent une sortie, et dont l'avis, comme vous le reconnaissez tous, conserve la trace de notre ancienne valeur. Mais c'est faiblesse, et non pas courage, que de ne pouvoir supporter quelques instants de disette. On trouve plus facilement des gens pour affronter la mort que pour supporter patiemment la douleur. Et pourtant je me rendrais à cet avis, tant je respecte l'autorité de ceux qui le donnent, si je n'y voyais que le sacrifice de nous-mêmes ; mais, en prenant une décision, nous devons envisager la Gaule tout entière, que nous avons appelée à notre secours. Lorsque quatre-vingt mille hommes auront péri en un même lieu, quel sera, croyez-vous, le courage de nos parents et de nos proches, s'ils sont forcés de se battre presque sur nos cadavres ? Ne privez pas de votre secours ceux qui s'oublient eux-mêmes pour vous sauver ; n'allez pas, par votre sottise et votre aveuglement, ou par manque de courage, abaisser la Gaule entière et la livrer à une servitude éternelle. Ou bien, parce qu'ils ne sont pas arrivés au jour dit, allez-vous douter de leur foi et de leur constance ? Et quoi ! pensez-vous donc que les Romains s'exercent chaque jour sans raison dans leurs retranchements extérieurs ? Si leurs messages ne peuvent vous confirmer leur arrivée, puisque tout accès vers vous leur est fermé, prenez-en pour témoins les Romains eux-mêmes, qui, épouvantés par cette crainte, travaillent nuit et jour à leurs fortifications. Quel est donc mon avis ? De faire ce que firent nos ancêtres

dans la guerre, nullement comparable à celle-ci, des
Cimbres et des Teutons : acculés dans leurs places fortes
et pressés comme nous par la disette, ils soutinrent leur
existence avec les corps de ceux que leur âge semblait
rendre inutiles à la guerre, et ils ne se rendirent point à
l'ennemi. Si cet exemple n'existait pas, je trouverais
magnifique pourtant d'en prendre l'initiative en vue de
la liberté et de le livrer à nos descendants. Car en quoi
cette guerre-là ressemblait-elle à celle-ci ? Les Cimbres
ont pu ravager la Gaule et y déchaîner une grande cala-
mité, il a bien fallu qu'ils sortissent un jour de notre
pays et gagnassent d'autres terres ; ils nous laissèrent
nos lois, nos institutions, nos champs, notre liberté.
Mais les Romains, que demandent-ils ou que veulent-ils ?
sinon, poussés par l'envie, de s'installer dans les champs
et les états de ceux dont ils savent la réputation glorieuse
et la puissance guerrière, et de les enchaîner par un joug
éternel. Ils n'ont jamais fait la guerre autrement. Si vous
ignorez ce qui se passe dans les nations lointaines, regar-
dez la Gaule voisine, qui, réduite en Province, ayant
perdu ses lois et ses institutions, soumise aux haches, est
opprimée par une perpétuelle servitude. »

LXXVIII. — Les avis exprimés, on décide que ceux
que la maladie ou l'âge rend inutiles à la guerre, sortiront
de la place, et que l'on tentera tout avant d'en venir au
moyen de Critognat ; mais qu'on y recourra, s'il le faut
et si les secours tardent, plutôt que de subir les conditions de la reddition ou de la paix. Les Mandubiens, qui
les avaient reçus dans leur place, sont forcés d'en sortir
avec leurs enfants et leurs femmes. S'étant approchés
des lignes des Romains, ils demandaient avec des larmes
et des prières de toute sorte qu'on voulût bien les accepter
en esclavage et leur donner à manger. Mais César avait
disposé des postes sur le retranchement et défendait de
les recevoir.

LXXIX. — Sur ces entrefaites, Commius et les autres
chefs à qui on avait confié le commandement suprême
arrivent devant Alésia avec toutes leurs troupes et, après
avoir occupé une colline extérieure [190], s'établissent à mille
pas au plus de nos lignes. Le lendemain, ils font sortir
du camp leur cavalerie et en couvrent toute la plaine,
qui, comme nous l'avons dit plus haut, avait trois mille
pas de longueur ; ils établissent leur infanterie un peu en

retrait, sur les hauteurs. De la place forte d'Alésia la
vue s'étendait sur la plaine. A la vue de ces troupes de
secours, on s'empresse, on se congratule, tous les cœurs
bondissent d'allégresse ; on fait sortir les troupes, on les
range devant la place, on comble de fascines et on emplit
de terre le fossé le plus proche, et on s'apprête à faire
une sortie et à tous les hasards.

LXXX. — César dispose toute son armée sur les deux
parties de ses retranchements afin que, s'il en est besoin,
chacun occupe sa place et la connaisse ; puis il fait sortir
du camp sa cavalerie et ordonne d'engager le combat.
De tous les camps, qui de toutes parts occupaient le
sommet des montagnes, la vue s'étendait sur la plaine,
et tous les soldats, attentifs, attendaient l'issue du
combat. Les Gaulois avaient mêlé à leurs cavaliers de petits
paquets d'archers et de fantassins armés à la légère, pour
secourir les leurs s'ils pliaient et arrêter le choc de nos
cavaliers. Plusieurs des nôtres, blessés par eux à l'improviste, se retiraient du combat. Forts de la supériorité
de leurs troupes et voyant les nôtres accablés par le
nombre, les Gaulois, de toutes parts, tant ceux qui
étaient enfermés dans nos lignes que ceux qui étaient
venus à leur secours, encourageaient leurs combattants
par des clameurs et des hurlements. Comme l'action
avait lieu sous les regards de tous et que nul trait de
courage ou de lâcheté ne pouvait passer inaperçu, de
part et d'autre l'amour de la gloire et la crainte du
déshonneur incitaient les combattants à la bravoure. On
avait combattu depuis midi presque jusqu'au coucher
du soleil, sans que la victoire fût encore décidée, quand
les Germains, massés sur un seul point en escadrons serrés
chargèrent l'ennemi et le refoulèrent ; dans la déroute,
les archers furent enveloppés et massacrés. De tous les
autres côtés les nôtres, à leur tour, poursuivant les
fuyards jusqu'au camp, ne leur donnèrent pas le temps
de se rallier. Alors ceux qui étaient sortis d'Alésia, accablés et désespérant presque de la victoire, rentrèrent dans
la place.

LXXXI. — Au bout d'un jour seulement, les Gaulois,
qui avaient employé ce temps à faire un grand nombre
de claies, d'échelles et de harpons, sortent au milieu de
la nuit de leur camp, en silence, et s'approchent de nos
fortifications de la plaine. Soudain poussant une clameur,

pour avertir les assiégés de leur approche, ils se préparent à jeter leurs claies, à bousculer les nôtres de leur retranchement à coups de fronde, de flèches et de pieux et à tout disposer pour un assaut en règle. En même temps, entendant la clameur, Vercingétorix donne le signal aux siens avec la trompette et les conduit hors de la place. Les nôtres prennent sur les lignes le poste qui avait été assigné à chacun les jours précédents : avec les frondes, les casse-tête et les épieux qu'ils avaient disposés sur le retranchement, ils effraient les Gaulois et les repoussent. Les ténèbres empêchant de voir devant soi, il y a de part et d'autre beaucoup de blessés ; les machines lancent une foule de traits. Mais les lieutenants Marc Antoine et Caïus Trébonius, à qui incombait la défense des points, où ils avaient vu que les nôtres étaient vivement pressés, y envoyaient sans cesse des renforts qu'ils tiraient des forts éloignés.

LXXXII. — Tant que les Gaulois étaient assez loin du retranchement, la multitude de leurs traits leur donnait l'avantage ; mais lorsqu'ils se furent approchés, ils s'enfonçaient dans les chausse-trapes, ou s'empalaient en tombant dans les puits, ou tombaient percés par les javelots de siège qu'on leur lançait du haut du retranchement ou des tours. Après avoir été durement éprouvés sur tous les points, sans avoir pu rompre nos lignes, voyant le jour approcher, ils craignirent d'être pris en flanc si l'on faisait une sortie du camp qui dominait la plaine, et ils se replièrent. Quant aux assiégés, occupés à faire avancer les engins que Vercingétorix avait préparés pour la sortie, ils comblent les premiers fossés ; ce travail les ayant retenus trop longtemps, ils apprirent la retraite des leurs avant d'avoir pu s'approcher du retranchement. Ayant ainsi échoué dans leur entreprise, ils rentrèrent dans la place.

LXXXIII. — Repoussés deux fois avec une grande perte, les Gaulois délibèrent sur ce qu'ils doivent faire ; ils consultent des gens qui connaissent le pays et apprennent ainsi la situation des camps supérieurs [191] et leur genre de défense. Au nord était une colline [192] que les nôtres n'avaient pu comprendre dans leurs lignes à cause de son étendue, ce qui les avait obligés d'établir le camp sur un terrain presque défavorable et légèrement en pente. Les lieutenants Caïus Antistius Réginus et Caïus

Caninius Rébilus y commandaient avec deux légions. Après avoir fait reconnaître les lieux par leurs éclaireurs, les chefs ennemis choisirent soixante mille hommes sur l'effectif total des états qui avaient la plus haute réputation de vertu militaire ; ils règlent secrètement entre eux le but et le plan de leur action ; ils fixent l'heure de l'attaque au moment où l'on verra qu'il est midi. Ils mettent à la tête de ces troupes l'Arverne Vercassivellaune, l'un des quatre chefs, parent de Vercingétorix. Il sortit du camp à la première veille, et, ayant terminé presque au point du jour son mouvement, il se cacha derrière la montagne et fit reposer ses soldats des fatigues de la nuit. Quand il vit que midi approchait, il se dirigea vers le camp en question ; en même temps la cavalerie s'approchait des fortifications de la plaine et le reste des troupes se déployait en avant du camp.

LXXXIV. — Vercingétorix, apercevant les siens du haut de la citadelle d'Alésia, sort de la place ; il fait porter en avant du camp les fascines, les perches, les toits de protection, les faux et tout ce qu'il avait préparé pour la sortie. Un vif combat s'engage en même temps de toutes parts et on essaie de forcer tous les ouvrages ; un point paraît-il particulièrement faible, on s'y empresse. L'étendue de nos lignes retient partout les troupes romaines et les empêche de faire face aux attaques simultanées. La clameur qui s'élève derrière les combattants contribue pour beaucoup à effrayer les nôtres, parce qu'ils voient que leur sort dépend du salut d'autrui : souvent, en général, le danger qu'on ne voit pas est celui qui bouleverse le plus.

LXXXV. — César, qui a choisi un poste d'observation favorable [193], suit ce qui se passe de chaque endroit, envoie des secours aux troupes qui fléchissent. Des deux côtés on se rend compte que l'instant de l'effort suprême est arrivé : les Gaulois se voient perdus, s'ils ne percent pas nos lignes ; les Romains attendent d'un succès décisif la fin de toutes leurs misères. L'effort porte surtout sur les lignes supérieures [194], où nous avons dit qu'on avait envoyé Vercassivellaune. L'inclinaison défavorable des terrains a une grande importance. Les uns nous lancent des traits, les autres s'approchent en faisant la tortue, des troupes fraîches relèvent sans

cesse les soldats fatigués. La terre que tous les Gaulois
jettent dans nos retranchements leur permet﹀ de les
franchir et recouvre les pièges que les Romains avaient
dissimulés dans le sol ; déjà les nôtres n'ont plus d'armes
ni de forces.

LXXXVI. — Quand il l'apprend, César envoie
Labiénus avec six cohortes au secours des troupes en
danger ; il lui donne l'ordre, s'il ne peut tenir, de ramener
ses cohortes et de faire une sortie, mais seulement à la
dernière extrémité. Il va lui-même encourager les autres ;
il les exhorte à ne pas succomber à la fatigue ; il leur
montre que le fruit de tous les combats précédents
dépend de ce jour et de cette heure. Les assiégés, désespérant de forcer les retranchements de la plaine, à
cause de leur étendue, tentent d'escalader les hauteurs [195] ; ils y portent tout ce qu'ils avaient préparé ;
ils chassent, par une grêle de traits, ceux qui combattaient du haut des tours ; ils comblent les fossés de
terre et de fascines ; ils entament avec des faux la palissade et le parapet.

LXXXVII. — César y envoie d'abord le jeune Brutus
avec six cohortes, puis le lieutenant Caïus Fabius avec
sept autres ; enfin, l'action devenue plus vive, il y amène
lui-même un renfort de troupes fraîches. Ayant rétabli
le combat et repoussé l'ennemi, il se dirige vers l'endroit
où il avait envoyé Labiénus, tire quatre cohortes du
fort le plus voisin, ordonne à une partie des cavaliers
de le suivre, et à l'autre, de faire le tour des lignes exté-
rieures et de prendre l'ennemi à dos. Labiénus, voyant
que ni les terrassements ni les tours ne pouvaient arrêter
l'élan de l'ennemi, rassemble trente-neuf cohortes, qu'il
eut la chance de pouvoir tirer des postes les plus voisins,
et, par des messagers, informe César de ses intentions.

LXXXVIII. — César se hâte pour prendre part au
combat. Son arrivée se fait connaître par la couleur de
son vêtement, ce manteau de général qu'il avait coutume
de porter dans les batailles, et, à la vue des escadrons
et des cohortes dont il s'était fait suivre — car des hauteurs on voyait les pentes et les descentes — les ennemis
engagent le combat. Une clameur s'élève de part et
d'autre, à laquelle répond la clameur qui monte de la
palissade et de tous les retranchements. Nos soldats,

renonçant au javelot, combattent avec le glaive. Tout à
coup notre cavalerie se montre sur les derrières de l'ennemi ; d'autres cohortes approchaient ; les Gaulois prennent la fuite ; nos cavaliers leur coupent la retraite ; le
carnage est grand. Sédulius, chef et premier citoyen
des Lémovices, est tué ; l'Arverne Vercassivellaune est
pris vivant en train de fuir ; soixante-quatorze enseignes
militaires sont rapportées à César ; d'un si grand nombre
d'hommes bien peu rentrent au camp sans blessures.
Apercevant de leur place forte le massacre et la fuite
de leurs compatriotes, désespérant de se sauver, les
assiégés font rentrer les troupes qui attaquaient nos
retranchements. A cette nouvelle les Gaulois s'enfuient aussitôt de leur camp. Si nos soldats n'eussent
été harassés de si nombreuses interventions et de toute
la fatigue de la journée, toutes les forces de l'ennemi
eussent pu être détruites. Un peu après minuit la cavalerie, lancée à leur poursuite, atteint l'arrière-garde ;
une grande partie est prise ou massacrée ; les autres,
ayant réussi à fuir, se dispersent dans leurs états.

LXXXIX. — Le lendemain, Vercingétorix convoque
l'assemblée ; il déclare qu'il n'a pas entrepris cette guerre
pour ses intérêts personnels, mais pour la liberté commune et que, puisqu'il faut céder à la fortune, il s'offre
à eux leur laissant le choix d'apaiser les Romains par
sa mort ou de le livrer vivant. On envoie à ce sujet des
députés à César. Il ordonne la remise des armes, la
livraison des chefs. Il s'installe sur le retranchement,
en avant du camp ; là, on lui amène les chefs ; on lui
livre Vercingétorix ; on jette les armes à ses pieds. Il
réserve les prisonniers éduens et arvernes, pour essayer
par eux de regagner ces états, et distribue le reste des
prisonniers par tête à chaque soldat, à titre de butin.

XC. — Cela fait, il part chez les Éduens, reçoit la
soumission de leur état. Des députés envoyés par les
Arvernes viennent l'y trouver, promettant qu'ils exécute-
ront ses ordres. Il en exige un grand nombre d'otages ;
il envoie ses légions prendre leurs quartiers d'hiver,
il rend aux Éduens et aux Arvernes environ vingt
mille prisonniers. Il fait partir Titus Labiénus avec
deux légions et la cavalerie chez les Séquanais ; il lui
adjoint Marcus Sempronius Rutilius. Il place Caïus
Fabius et Lucius Minucius Basilus avec deux légions chez

les Rèmes, pour qu'ils n'aient rien à craindre des Bellovaques, leurs voisins. Il envoie Caïus Antistius Réginus
chez les Ambivarètes, Titus Sextius chez les Bituriges,
Caïus Caninius Rébilus chez les Rutènes, chacun avec
une légion. Il place Quintus Tullius Cicéron [196] et Publius Sulpicius [197] à Cavillon et Mâcon, chez les Éduens,
sur la Saône, pour assurer le ravitaillement en blé.
Lui-même décide de passer l'hiver à Bibracte. Lorsque
ces événements sont connus à Rome par une lettre de
César, on y célèbre une supplication de vingt jours.

LIVRE HUITIÈME

[HIRTIUS A BALBUS]

Cédant à tes instances, Balbus, puisque mes refus quotidiens semblaient mis sur le compte non pas tant de la difficulté de la matière que de la paresse, j'ai entrepris une tâche fort difficile. J'ai ajouté aux commentaires de la guerre des Gaules de notre César ce qui y manquait et les ai reliés à ses écrits suivants. J'ai aussi terminé le dernier de ceux-ci, demeuré inachevé, depuis les événements d'Alexandrie jusqu'à la fin, non de la guerre civile, dont nous ne voyons pas la fin, mais de la vie de César. Puissent ceux qui liront ces commentaires savoir combien j'ai entrepris de les écrire avec regret ; j'espère ainsi échapper plus facilement au reproche de sotte présomption pour avoir placé mon travail au milieu des écrits de César. C'est en effet une vérité admise par tout le monde qu'il n'est point d'ouvrage si soigneusement écrit qui ne le cède à l'élégance de ces Commentaires. Ils ont été publiés pour fournir des documents aux historiens sur des événements très considérables, et ils recueillent un tel éloge de l'avis de tout le monde, qu'ils semblent moins avoir donné que ravi aux historiens le moyen d'écrire cette histoire. Et cependant notre admiration passe encore celle des autres : les autres savent quelles sont la perfection et l'élégance de l'ouvrage ; nous, nous savons encore avec quelle facilité et quelle rapidité il l'a écrit. Au bon style et à l'élégance naturelle de l'expression César joignait le talent d'expliquer ses desseins avec une exactitude absolue. Quant à moi, je n'ai même pas eu l'occasion de prendre part à la guerre d'Alexandrie et à la guerre d'Afrique ; ces guerres, sans doute, nous sont partiellement connues par les propos de César, mais autre chose est d'entendre un récit qui nous séduit par sa nouveauté ou par l'admiration qu'il inspire, autre chose de l'écouter pour en porter témoignage. Mais sans doute à rassembler toutes sortes d'excuses pour n'être point comparé à César, m'exposé-je par cela même au reproche de présomption, en semblant croire qu'une pareille comparaison puisse venir à l'esprit de personne. Adieu.

I. — Après avoir vaincu toute la Gaule, César, qui n'avait pas cessé de se battre depuis l'été précédent [198], voulait voir ses soldats se remettre de tant de fatigues dans le délassement des quartiers d'hiver, quand on apprit que beaucoup d'états en même temps recommençaient à faire des plans de guerre et à se concerter. Le motif qu'on leur supposait était vraisemblable : tous les Gaulois avaient reconnu qu'en réunissant sur un seul point n'importe quel nombre d'hommes ils ne pouvaient résister aux Romains, mais que si plusieurs états entraient en guerre sur divers points en même temps, l'armée du peuple romain n'aurait point assez de ressources ni de temps ni de troupes pour faire face à tout ; qu'aucune cité ne devait refuser de supporter une épreuve pénible, si par un tel retardement les autres pouvaient conquérir leur liberté.

II. — Pour ne pas laisser s'affermir cette idée des Gaulois, César donne au questeur Marc Antoine le commandement de ses quartiers d'hiver ; lui-même, avec une escorte de cavalerie, part de la place de Bibracte la veille des calendes de janvier pour rejoindre la treizième légion qu'il avait placée non loin de la frontière des Éduens dans le pays des Bituriges, et y adjoint la onzième légion, qui était la plus proche [199]. Laissant deux cohortes de chacune à la garde des bagages, il emmène le reste de l'armée dans les plus fertiles campagnes des Bituriges : ce peuple ayant un vaste territoire et un grand nombre de places fortes, l'hivernage d'une seule légion n'avait pu suffire à l'empêcher de préparer la guerre et de former des complots.

III. — Par l'arrivée soudaine de César, il se produisit ce qui devait nécessairement se produire chez des gens surpris et dispersés : cultivant leurs champs sans défiance aucune, ils furent écrasés par la cavalerie avant de pouvoir se réfugier dans leurs places fortes. En effet le signal ordinaire d'une invasion de l'ennemi, c'est-à-dire l'incendie des constructions, avait été supprimé par l'interdiction de César, pour éviter de manquer de fourrage et de blé, s'il voulait avancer plus loin, ou de donner l'alarme par des incendies. On avait fait plusieurs milliers de prisonniers, et ceux des Bituriges épouvantés qui avaient pu échapper à la première approche des Romains s'étaient réfugiés dans les états voisins, se fiant à des liens d'hospitalité ou à l'alliance qui les unissait. En vain : car César, par des marches forcées, accourt sur tous les points, et ne donne à aucun état le temps de songer au salut des autres plutôt qu'au sien propre. Cette rapidité retenait dans le devoir les peuples amis et ramenait par la terreur ceux qui hésitaient à accepter la paix. Mis devant une telle situation, les Bituriges, qui voyaient que la clémence de César leur ouvrait un nouvel accès dans son amitié, et que les états voisins n'avaient eu à subir d'autre peine que de donner des otages et faire leur soumission, imitèrent leur exemple.

IV. — Pour récompenser ses soldats de tant de fatigue et de patience et d'avoir supporté avec tant de constance ces fatigues dans la saison des jours courts, par des chemins très difficiles, par des froids intolérables, César leur promet comme gratification, à titre de butin, deux cents sesterces par tête, et mille aux centurions ; puis il renvoie les légions dans leurs quartiers d'hiver, et revient, après une absence de quarante jours, à Bibracte. Comme il y rendait la justice, les Bituriges lui envoient des députés pour demander son aide contre les Carnutes, qui, disaient-ils, leur avaient déclaré la guerre. A cette nouvelle, quoiqu'il ne fût resté que dix-huit jours à Bibracte, il tire de leurs quartiers d'hiver sur la Saône la quatorzième et la sixième légion, qui avaient été placées là, comme on l'a dit au livre précédent des Commentaires, pour assurer le ravitaillement en blé. Il part ainsi avec deux légions à la poursuite des Carnutes.

V. — Quand ils entendent parler de l'arrivée de son armée, les Carnutes se souviennent des malheurs des autres, et, abandonnant leurs villages et leurs places fortes, où ils habitaient en d'étroites constructions que la nécessité leur avait fait bâtir rapidement pour passer l'hiver (car depuis leur récente défaite ils avaient quitté un grand nombre de leurs villes), ils s'enfuient en se dispersant. César, ne voulant pas exposer ses soldats aux rigueurs de la mauvaise saison qui était alors dans son

plein, établit son camp à Génabum, capitale des Carnutes,
où il entasse ses soldats, partie dans les maisons des Gaulois, partie dans les tentes hâtivement recouvertes de
chaume. Cependant il envoie ses cavaliers et son infanterie auxiliaire partout où l'on disait que l'ennemi s'était
retiré. Mesure qui n'est pas vaine : car le plus souvent
les nôtres rentrent avec un grand butin. Les Carnutes,
accablés par la rigueur de l'hiver, terrorisés par le danger,
chassés de leurs demeures sans oser s'arrêter nulle part
bien longtemps, ne pouvant pas trouver dans leurs forêts
un abri contre des tempêtes fort violentes, se dispersent,
après avoir perdu une grande partie des leurs, dans les
états voisins.

VI. — César estimait suffisant, dans une saison si
fâcheuse, de dissiper les rassemblements qui se formaient,
pour éviter la naissance d'une guerre ; il était d'ailleurs
persuadé que, selon toute vraisemblance, aucune guerre
importante ne pouvait éclater avant l'été. Il mit donc
Caïus Trébonius, avec les deux légions qu'il avait avec
lui [200], en quartiers d'hiver à Génabum. Pour lui, prévenu
par de fréquentes députations des Rèmes que les Bellovaques, dont la gloire militaire surpassait celle de tous
les Gaulois et des Belges, s'étant joints aux états voisins,
rassemblaient des armées sous les ordres du Bellovaque
Corréus et de Commius l'Atrébate, et les concentraient
pour fondre en masse sur les terres des Suessions, qu'il
avait placées sous l'autorité des Rèmes ; persuadé d'autre
part qu'il n'importait pas moins à son intérêt qu'à son
honneur de préserver de toute injure des alliés qui avaient
si bien mérité de la république, il rappelle la onzième
légion de ses quartiers d'hiver, écrit par ailleurs à Caïus
Fabius d'amener dans le pays des Suessions les deux
légions qu'il avait, et demande à Titus Labiénus l'une
des deux siennes. C'est ainsi qu'autant que le permettaient la situation des quartiers et les exigences de la
guerre, et sans jamais se reposer lui-même, il répartissait
à tour de rôle entre ses légions le fardeau des expéditions.

VII. — Ces troupes une fois réunies, il marche contre
les Bellovaques, campe sur leur territoire, et envoie de
tous côtés ses escadrons pour faire quelques prisonniers
qui puissent l'instruire des desseins de l'ennemi. Les
cavaliers, s'étant acquittés de leur office, rapportent

qu'ils ont trouvé peu d'habitants dans les maisons, et qui n'étaient point restés pour cultiver la terre (car on avait procédé avec soin à une émigration générale), mais qu'on avait renvoyés pour espionner. En demandant aux captifs où se trouvait la masse des Bellovaques et quel était leur plan, César apprit que tous les Bellovaques en état de porter les armes s'étaient rassemblés sur un même point, et qu'avec eux les Ambiens, les Aulerques, les Calètes, les Véliocasses, les Atrébates avaient choisi pour y camper un lieu élevé dans un bois entouré d'un marais ; qu'ils avaient réuni tous leurs bagages en des bois situés en arrière. Les chefs fauteurs de la guerre étaient fort nombreux, mais la masse obéissait surtout à Corréus, parce qu'on savait sa haine violente du nom romain. Peu de jours auparavant Commius l'Atrébate avait quitté le camp pour aller chercher des renforts chez les Germains, dont le voisinage était proche et la multitude immense. Les Bellovaques, de l'avis unanime des chefs et selon le vif désir de la multitude, avaient résolu, si César, comme on le disait, venait avec trois légions, de lui offrir le combat, de façon à ne pas être obligés ensuite de lutter avec l'armée entière dans des conditions plus désavantageuses et plus dures ; s'il amenait des forces en plus grand nombre, ils se tiendraient sur la position qu'ils avaient choisie, et empêcheraient les Romains par des embuscades de faire du fourrage, que la saison rendait rare et disséminé, et de se procurer du blé et autres vivres.

VIII. — César, d'après l'accord unanime qui régnait dans ces rapports, trouva le plan qu'on lui exposait plein de prudence et bien éloigné de l'ordinaire témérité des Barbares ; il décida qu'il devait tout faire pour inspirer aux ennemis le mépris de ses forces et les attirer plus vite au combat. Il avait, en effet, avec lui ses plus vieilles légions d'un courage incomparable : la septième, la huitième et la neuvième ; puis la onzième, composée d'éléments d'élite et de grande espérance, comptant déjà huit campagnes, mais n'ayant point encore, comparativement aux autres, la même réputation d'expérience et de valeur. Il convoque donc un conseil, y expose tout ce qu'il a appris, et encourage ses troupes. Pour essayer d'attirer l'ennemi au combat en ne lui faisant voir que trois légions, il règle ainsi la marche de la colonne : les septième, huitième et neuvième légions iraient en avant, précédant

tous les bagages ; puis viendraient tous les bagages, qui
ne formaient cependant qu'une colonne modeste, comme
il est d'usage dans de simples expéditions, et dont la
onzième légion fermerait la marche : ainsi on ne donne-
rait pas à l'ennemi l'impression d'être plus nombreux
qu'il ne le souhaitait. Dans cet ordre, formant presque
une colonne carrée, il mène son armée à la vue de l'ennemi, plus tôt que ne s'y attendait celui-ci.

IX. — Les Gaulois voyant soudain les légions s'avancer
comme en ordre de bataille et d'un pas assuré, eux dont
on avait rapporté à César les résolutions, pleins de
confiance, soit crainte du combat, soit étonnement de
notre approche soudaine, soit attente de notre dessein,
rangent leurs troupes en avant du camp et ne quittent
point la hauteur. César, quoiqu'il eût désiré combattre,
étonné cependant par une telle masse d'ennemis, dont le
séparait une vallée plus profonde que large, établit son
camp en face du camp de l'ennemi. Il fait faire un rempart de douze pieds, avec un parapet proportionné à cette
hauteur, creuser un double fossé de quinze pieds de large
à parois verticales, élever un grand nombre de tours à
trois étages, jeter entre elles des ponts, dont le front
était muni de parapets d'osier, de telle sorte que l'ennemi
fût arrêté par un double fossé et un double rang de défenseurs : l'un, qui, du haut des ponts, moins exposé en
raison de sa hauteur, pouvait lancer ses traits plus hardiment et plus loin ; l'autre, qui était placé plus près de
l'ennemi, sur le rempart même, où le pont le protégeait
contre la chute des traits. Il plaça des battants et des
tours plus hautes aux portes du camp.

X. — Le but de cette fortification était double :
l'importance des ouvrages devait faire croire à sa frayeur
et augmenter la confiance des Barbares ; d'un autre
côté, comme il fallait aller chercher au loin du fourrage
et du blé, on pouvait, grâce à ces fortifications, défendre
le camp avec peu de troupes. Cependant il arrivait souvent que de petites escarmouches eussent lieu de part
et d'autre entre les deux camps, sans franchir le marais,
sauf parfois quand nos auxiliaires, Gaulois ou Germains,
le traversaient pour poursuivre plus vivement l'ennemi,
ou quand l'ennemi à son tour, l'ayant traversé, repous-
sait assez loin les nôtres. Il arrivait aussi au cours des
corvées de fourrage quotidiennes (accident inévitable,

car les granges où il fallait aller rendre le fourrage étaient rares et disséminées) qu'en des endroits difficiles des fourrageurs isolés fussent enveloppés : incidents qui ne nous causaient qu'une légère perte de bêtes et de valets, mais qui augmentaient les espoirs insensés des Barbares, d'autant que Commius, parti, comme je l'ai dit, pour aller chercher des secours germains, en était revenu avec des cavaliers, dont la seule arrivée, bien qu'ils ne fussent pas plus de cinq cents, enflait l'assurance des Barbares.

XI. — César, voyant que l'ennemi se tenait depuis plusieurs jours dans son camp défendu par les marais et par sa position, et qu'il ne pouvait ni faire l'assaut de ce camp sans une lutte meurtrière ni l'investir sans renfort de troupes, écrit à Trébonius [201] d'appeler le plus vite possible la troisième légion, qui hivernait avec le lieutenant Titus Sextius chez les Bituriges et de venir le joindre à grandes étapes avec les trois légions qu'il aurait ainsi ; lui-même emploie tour à tour les cavaliers des Rèmes, des Lingons et des autres états, qui lui en avaient fourni un grand nombre, à la garde des corvées de fourrage, en soutenant les brusques attaques de l'ennemi.

XII. — Cette manœuvre se répétait tous les jours, et déjà l'habitude, comme il arrive souvent avec le temps, amenait la négligence ; les Bellovaques, connaissant les postes habituels de nos cavaliers, font dresser, par une troupe de fantassins d'élite, une embuscade en des lieux boisés ; ils y envoient le lendemain des cavaliers pour y attirer d'abord les nôtres, puis, une fois cernés, pour les attaquer. La mauvaise chance tomba sur les Rèmes, qui étaient de service ce jour-là. Ayant aperçu tout à coup les cavaliers ennemis et, supérieurs en nombre, ayant méprisé cette poignée d'hommes, ils les poursuivirent avec trop d'ardeur et furent enveloppés de partout par les fantassins. Troublés par cette attaque, ils se retirèrent avec plus de vitesse qu'on ne le fait d'ordinaire dans un engagement de cavalerie ; Verticus, le premier magistrat de leur état, commandant de la cavalerie, périt dans l'action : il pouvait à peine, en raison de son âge, se tenir à cheval ; cependant, selon l'usage des Gaulois, il n'avait point voulu que cette raison le dispensât du commandement ni du combat. L'ennemi s'enfle et

s'exalte de ce succès, et de la mort du prince et chef des
Rèmes ; et les nôtres apprennent à leurs dépens à
reconnaître plus soigneusement les lieux avant d'y placer
des postes et de poursuivre avec plus de prudence un
ennemi qui se replie.

XIII. — Cependant il ne se passe pas de jour que des
combats n'aient lieu à la vue des deux camps, aux
passages et aux gués du marais. Au cours d'une de ces
rencontres, les Germains, à qui César avait fait passer
le Rhin pour les mêler dans les combats aux cavaliers,
franchissent tous ensemble le marais avec audace, tuent
le petit nombre de ceux qui résistent, et poursuivent
la masse des autres avec vigueur ; terrifiés, non seulement ceux qui étaient serrés de près ou atteints de loin,
mais même les soldats de réserve placés comme d'habitude à distance, prirent honteusement la fuite, et, chassés
à plusieurs reprises de hauteur en hauteur, ils ne s'arrêtèrent que repliés dans leur camp ; quelques-uns même,
dans leur confusion, se sauvèrent au delà. Le désordre
des Gaulois fut tel au milieu de ce péril qu'on n'aurait
pu dire si le plus léger succès leur donnait plus d'insolence que le moindre revers ne leur donnait de
frayeur.

XIV. — Après avoir passé plusieurs jours dans leur
camp, quand ils savent que les légions de Caïus Trébonius approchent, les chefs des Bellovaques, craignant
un siège semblable à celui d'Alésia, renvoient nuitamment ceux qui sont âgés ou faibles ou sans armes, et
tous les bagages avec eux. Cette colonne, pleine de
confusion et de trouble (car les Gaulois, même dans les
moindres expéditions, traînent toujours après eux une
foule de chariots), s'était à peine mise en mouvement,
que le jour la surprend : ils les rangent devant le camp
des troupes en armes, pour que les Romains ne se mettent pas
à leur poursuite avant que la colonne des bagages ne se
soit déjà éloignée. César qui ne jugeait pas devoir attaquer des troupes prêtes à la résistance à cause de l'escar-
pement de la colline, n'hésitait pas cependant à faire
assez avancer ses légions pour que les Barbares ne
pussent se retirer sans péril sous leur menace. Voyant
donc que le marais qui séparait les deux camps pouvait
le gêner et retarder, par la difficulté de le franchir, la
rapidité de sa poursuite, voyant aussi que la hauteur [202]

qui était au delà du marais touchait presque au camp
ennemi, dont elle n'était séparée que par un petit
vallon, il jette des ponts de claies sur le marais, fait
passer ses légions, et gagne rapidement le plateau du
sommet de la colline, qu'une pente rapide protégeait
sur ses deux flancs. Il y reforme ses légions, gagne l'extrémité de la colline, et range ses troupes en bataille dans
une position, d'où les traits des machines pouvaient
porter sur les rangs ennemis.

XV. — Les Barbares, confiants dans leurs positions,
ne refusant pas de combattre si les Romains s'efforçaient de gravir la colline, et n'osant pas renvoyer leurs
troupes par petits paquets, de peur de les voir démora-
lisées par leur dispersion, demeurèrent en ligne de
bataille. Voyant leur résolution, César, laissant vingt
cohortes sous les armes, trace le camp en cet endroit et
ordonne de le retrancher. Les travaux terminés, il range
les légions devant le retranchement, place les cavaliers en
grand-garde avec leurs chevaux tout bridés. Les Bellovaques, voyant les Romains prêts à les poursuivre, et
ne pouvant ni veiller toute la nuit ni rester plus longtemps sans péril dans la même position, recoururent
pour se retirer au moyen suivant. Se passant de main
en main les bottes de paille et les fascines qui leur avaient
servi de sièges et dont il y avait dans le camp une grande
quantité (on a vu, en effet, dans les précédents Commentaires que les Gaulois ont l'habitude de s'asseoir sur
une fascine), ils les disposèrent devant leur ligne de
bataille et, au dernier instant du jour, à un signal donné,
ils y mirent le feu en même temps. Alors une barrière de
flamme déroba soudain toutes leurs troupes à la vue
des Romains. Profitant de ce moment, les Barbares
s'enfuirent en toute hâte.

XVI. — César, bien qu'empêché par la barrière des
incendies d'apercevoir la retraite des ennemis, soup-
çonnait cependant qu'ils avaient eu l'intention de mas-
quer leur fuite : il fait donc avancer ses légions, envoie
des escadrons à leur poursuite, mais craignant une
embuscade, et de peur que l'ennemi, resté peut-être
à la même place, n'ait voulu nous attirer dans une position défavorable, il n'avance lui-même qu'avec lenteur.
Les cavaliers hésitaient à s'engager dans le haut de
la colline et dans la flamme qui était très dense ; ou,

si quelques-uns, plus hardis, y entraient, c'est à peine s'ils voyaient la tête de leurs chevaux : craignant une embuscade, ils laissèrent aux Bellovaques tout le loisir d'opérer leur retraite. Ainsi cette fuite, pleine à la fois de frayeur et de ruse, permit aux ennemis de s'avancer, sans aucune perte, à une distance de dix milles en plus, et d'y établir leur camp dans une position très bien défendue. De là, plaçant souvent en embuscade des fantassins et des cavaliers, ils faisaient beaucoup de mal aux fourrageurs romains.

XVII. — Ces attaques se renouvelaient souvent, lorsque César apprit d'un prisonnier que Corréus, chef des Bellovaques, avait choisi six mille fantassins des plus braves et mille cavaliers sélectionnés entre tous, et les avait placés en embuscade dans un lieu où il soup-çonnait que l'abondance du blé et du fourrage attirerait les Romains. Informé de ce projet, César fait sortir plus de légions que de coutume et envoie en avant la cava-lerie, qui escortait toujours les fourrageurs. Il y mêle des auxiliaires légèrement armés ; lui-même s'avance le plus près qu'il peut avec les légions.

XVIII. — Les ennemis placés en embuscade avaient choisi pour leur coup une plaine [203] qui n'avait pas plus de mille pas d'étendue en tous sens, et que défendaient de toutes parts des bois impraticables et une rivière très profonde ; ils l'entourèrent de leurs embûches comme d'un filet. Les nôtres avaient découvert le projet de l'ennemi ; prêts à combattre matériellement et mora-lement, appuyés par les légions, ils auraient accepté tout genre de combat ; ils entrent dans la plaine escadron par escadron. A leur arrivée, Corréus crut l'occasion favo-rable pour agir : il se montra d'abord avec peu d'hommes et chargea les escadrons les plus proches. Les nôtres sou-tiennent avec fermeté le choc de leurs adversaires, sans se réunir en masse, manœuvre ordinaire dans les combats de cavalerie en un moment d'alarme, mais nuisible pour la troupe en raison de son nombre même.

XIX. — Tandis qu'on se battait d'escadron à esca-dron, par petits groupes relayés tour à tour et qu'on évi-tait de se laisser prendre de flanc, les autres Gaulois, voyant Corréus en train de se battre, sortent de leurs bois. Un vif combat dispersé s'engage. L'avantage étant

longtemps disputé, la masse des fantassins sort peu à
peu des bois et s'avance en ordre de bataille, et force nos
cavaliers à se replier. Ils sont promptement secourus
par l'infanterie légère que César avait, comme je l'ai
dit, envoyée en avant des légions et qui, mêlée aux
escadrons des nôtres, combat énergiquement. On lutte
pendant un bon moment à armes égales ; puis, comme
le voulait la loi des batailles, ceux qui avaient soutenu
le premier choc des Gaulois embusqués obtiennent la
supériorité du fait même que l'embuscade, ne les sur-
prenant pas, ne leur avait causé aucun mal. Sur ces
entrefaites les légions s'approchent, et de nombreux
courriers apprennent en même temps, aux nôtres et à
l'ennemi, que le général en chef est là, avec ses forces
prêtes. A cette nouvelle, les nôtres, sûrs de l'appui des
cohortes, se battent avec acharnement, de peur de partager avec les légions, s'ils vont trop lentement, la gloire
de la victoire. Les ennemis perdent courage et cherchent
à s'enfuir par des chemins opposés. En vain : les obstacles
où ils avaient voulu emprisonner les Romains se retour-
naient contre eux-mêmes. Vaincus, bousculés, ayant
perdu une grande partie des leurs, ils s'enfuient cependant en désordre et au hasard, les uns vers les bois, les
autres vers la rivière ; mais ils sont ardemment poursuivis dans leur fuite par les nôtres et massacrés. Cependant Corréus, que nul malheur n'avait abattu, ne put
ni abandonner la lutte et gagner les bois, ni être amené
à se rendre par les nôtres qui l'y invitent ; mais en combattant avec le plus grand courage et en blessant un grand
nombre d'entre nous, il força les vainqueurs, exaltés
par la colère, à l'accabler de leurs traits.

XX. — L'affaire terminée de la sorte, César, arrivant
sur le champ de bataille, pensa que l'ennemi, accablé
par un tel désastre, n'en aurait pas plus tôt appris la
nouvelle qu'il abandonnerait son camp, qui n'était, disait-
on, qu'à huit mille pas au plus de l'endroit du carnage :
aussi, quoiqu'il se vît barrer la route par la rivière, il
la fait cependant franchir à son armée et il marche en
avant. Les Bellovaques et les autres états avaient été
instruits de la défaite par le petit nombre de blessés qui
s'étaient échappés à la faveur des bois : ils apprennent
toute l'étendue du désastre, la mort de Corréus, la perte
de leur cavalerie et de leurs plus braves fantassins ; et,
songeant à l'approche des Romains, ils convoquent

immédiatement l'assemblée au son des trompettes et proclament « qu'il faut envoyer à César des députés et des otages ».

XXI. — Cette mesure étant unanimement approuvée, Commius l'Atrébate s'enfuit chez ces mêmes Germains à qui il avait emprunté des auxiliaires pour cette guerre. Les autres envoient sur-le-champ des députés à César et lui demandent « de se contenter d'un châtiment que sa clémence et son humanité ne leur infligeraient certainement pas, s'il avait à l'infliger sans lutte à des ennemis intacts : les forces des Bellovaques avaient été détruites dans le combat de cavalerie ; des milliers de fantassins d'élite avaient péri ; à peine s'en était-il échappé pour annoncer la défaite. Toutefois les Bellovaques avaient retiré de ce combat un grand avantage, pour autant qu'un tel désastre en pût comporter, puisque Corréus, auteur responsable de la guerre, agitateur du peuple, y avait été tué ; jamais, en effet, de son vivant, le Sénat n'avait eu autant de puissance dans l'état que la plèbe ignorante ».

XXII. — Aux députés qui lui font ces prières César rappelle que « l'année précédente les Bellovaques lui avaient déclaré la guerre en même temps que les autres états de la Gaule ; qu'ils avaient été les plus opiniâtres de tous ses adversaires et que la reddition des autres n'avait pu les ramener à la raison ; qu'il savait fort bien que rien n'était plus facile que de mettre sur le compte des morts la responsabilité d'une faute ; mais qu'en réalité personne n'était assez puissant pour pouvoir provoquer la guerre et la conduire contre le gré des chefs, en dépit des résistances du Sénat et de l'opposition de tous les gens de bien, avec le faible concours de la plèbe ; mais qu'il se contentera cependant du châtiment qu'ils se sont eux-mêmes attiré ».

XXIII. — La nuit suivante, les députés rapportent aux leurs la réponse, ils rassemblent les otages. Les députés des autres états, qui attendaient le résultat qu'obtiendraient les Bellovaques, s'empressent ; ils donnent des otages, se soumettent aux ordres reçus, à l'exception de Commius, que la peur empêchait de se confier à la foi de qui que ce fût. En effet, l'année précédente, tandis que César rendait la justice dans la Gaule

citérieure, Titus Labiénus, instruit que Commius intri-
guait auprès des états et formait une conjuration contre
César, crut pouvoir réprimer sa trahison sans commettre
aucune perfidie. Comme il ne pensait pas qu'il se rendrait
à l'invitation de venir au camp, il ne voulut pas le
rendre plus circonspect encore en essayant, et il envoya
Caïus Volusénus Quadratus, sous prétexte d'une entrevue, avec mission de le tuer. Il lui adjoignit des centurions, choisis pour cette besogne. Lorsqu'on fut en
rapports, et que, selon le signal convenu, Volusénus
eut pris la main de Commius, le centurion, soit qu'il
fût troublé par son rôle insolite, soit que les amis de
Commius l'eussent promptement arrêté, ne put achever
le Gaulois ; cependant, il le blessa grièvement à la tête
du premier coup d'épée. De part et d'autre on avait
dégainé, moins pour se battre que pour s'assurer une
retraite : les nôtres, parce qu'ils croyaient Commius mortellement blessé ; les Gaulois, parce qu'ayant vu le guet-
apens, ils redoutaient encore plus que ce qu'ils voyaient.
On disait qu'à la suite de cette affaire Commius avait
résolu de ne jamais se trouver en présence d'un Romain.

XXIV. — César, vainqueur des nations les plus belli-
queuses, ne voyait plus aucun état qui préparât une
guerre de résistance ; mais, remarquant qu'un grand
nombre d'habitants quittaient les villes et s'enfuyaient
des campagnes, il décide de distribuer son armée sur
plusieurs points. Il s'adjoint le questeur Marc Antoine
avec la onzième légion ; il envoie le lieutenant Caïus Fabius avec vingt-cinq cohortes à l'extrémité opposée de la
Gaule, où il entendait dire que certains états étaient
en armes et où le lieutenant Caïus Caninius Rébilus,
qui était dans ces contrées, avait deux légions qui n'étaient
point assez fortes. Il appelle auprès de lui Titus Labiénus
et envoie la quinzième légion, qui avait hiverné avec lui,
protéger dans la Gaule Togée les colonies de citoyens
romains : il craignait pour elles quelque malheur semblable à celui des Tergestins, qui, l'été précédent,
avaient été victimes des déprédations et des attaques
soudaines des Barbares. Pour lui, il part dévaster et
ravager le pays d'Ambiorix, car, désespérant de réduire
en son pouvoir cet adversaire tremblant et fugitif, il
crut devoir à son honneur de détruire si bien, dans son
pays, hommes, maisons et bétail, qu'en horreur à ceux

des siens qui resteraient par hasard, Ambiorix ne pût jamais rentrer dans un état où il aurait attiré tant de désastres.

XXV. — Il dispersa donc soit ses légions soit ses auxiliaires sur toutes les parties du territoire d'Ambiorix, et y dévasta tout par le massacre, l'incendie et le pillage, tuant ou prenant un grand nombre d'hommes. Puis il envoie Labiénus avec deux légions chez les Trévires, dont l'état, entraîné à des guerres quotidiennes à cause du voisinage de la Germanie, ne différait guère des Germains par son genre de vie et sa sauvagerie et ne se soumettait aux ordres reçus que sous la contrainte d'une armée.

XXVI. — Sur ces entrefaites, le lieutenant Caïus Caninius, informé par une lettre et des messagers de Duratius (toujours fidèle à l'amitié des Romains, malgré la défection d'une partie de son état) qu'une foule considérable d'ennemis s'était rassemblée dans le pays des Pictons, se dirigea vers la place de Lémonum. En approchant de cette ville, il apprit, avec plus de précision encore, par des prisonniers, que Durius, enfermé dans Lémonum, s'y trouvait assiégé par plusieurs milliers d'hommes, sous la conduite de Dumnacus, chef des Andes. N'osant attaquer l'ennemi avec des légions peu solides, il assit son camp dans une forte position. Dumnacus, à la nouvelle de l'arrivée de Caninius, tourne toutes ses forces contre les légions et entreprend d'attaquer le camp des Romains. Après avoir perdu un grand nombre de jours, sans avoir pu, malgré les pertes considérables, faire la moindre brèche dans nos retranchements, il retourne assiéger Lémonum.

XXVII. — Au même moment, le lieutenant Caïus Fabius, occupé à recevoir la soumission de beaucoup d'états et à la renforcer par des otages, apprend par une lettre de Caïus Caninius ce qui se passe chez les Pictons. A cette nouvelle, il part porter secours à Duratius. Mais Dumnacus sait à peine l'arrivée de Fabius, que, désespérant de son salut, s'il devait en même temps résister à son adversaire romain et à celui du dehors, et surveiller et redouter les assiégés, il se retire soudain avec ses troupes, et juge qu'il ne sera en sûreté que lorsqu'il leur aura fait passer la Loire, ce qu'on ne pouvait faire qu'au moyen d'un pont, à cause de la largeur du fleuve. Quoique

Fabius ne fût pas encore arrivé en vue de l'ennemi et n'eût pas fait sa jonction avec Caninius, cependant, sur le rapport de ceux qui connaissaient le pays, il crut fort probable que l'ennemi effrayé gagnerait la région qu'il gagnait. Il se dirige donc avec ses troupes vers le même pont [204] et ordonne à la cavalerie de devancer les légions en marche, de manière pourtant à pouvoir, sans fatiguer les chevaux, se replier sur le camp commun. Nos cavaliers, conformément à ces ordres, poursuivent et assaillent l'armée de Dumnacus, et, tombant sur un ennemi en fuite, épouvanté, chargé de bagages, ils lui tuent beaucoup de monde et font un grand butin. Après ce succès, ils rentrent au camp.

XXVIII. — La nuit suivante, Fabius envoie en avant ses cavaliers, avec mission d'attaquer l'ennemi et de retarder toute l'armée en marche jusqu'à son arrivée. Pour mener à bien l'exécution de ces ordres, Quintus Atius Varus, préfet de la cavalerie, homme d'une bravoure et d'un sang-froid remarquables, exhorte ses hommes, rejoint la colonne des ennemis, partage ses escadrons, en place une partie dans des positions favorables et engage avec l'autre un combat de cavalerie. La cavalerie ennemie combat avec plus d'audace que de coutume, soutenue par les fantassins, qui, faisant halte, portent secours à leurs cavaliers contre les nôtres. La lutte est vive : les nôtres, méprisant un ennemi battu la veille, sachant que les légions suivaient à peu de distance, animés par la honte de reculer et par le désir de terminer le combat par eux-mêmes, se battent avec une grande bravoure contre les fantassins ; et les ennemis, ne croyant pas avoir à combattre à plus de troupes que la veille, pensaient avoir trouvé l'occasion de détruire notre cavalerie.

XXIX. — Il y avait un bon moment qu'on se battait avec un acharnement extrême, quand Dumnacus met son armée en ligne de bataille, de façon à pouvoir appuyer tour à tour ses cavaliers. C'est alors que soudain, marchant en rangs serrés, les légions apparaissent à l'ennemi. A leur vue, les escadrons des Barbares bouleversés et les lignes des fantassins ennemis épouvantées, s'embarrassant dans la colonne des bagages, s'enfuient çà et là en jetant de grands cris et en s'éparpillant dans toutes les directions. Nos cavaliers, qui, peu auparavant,

quand l'ennemi résistait, s'étaient battus avec une grande
bravoure, maintenant exaltés par la joie de la victoire,
poussent de toutes parts une grande clameur, enveloppent les fuyards et en tuent autant que les chevaux ont
de force pour les poursuivre, et les bras pour les frapper.
Plus de douze mille hommes sont massacrés, soit les
armes à la main, soit après les avoir jetées dans la panique,
et tout le convoi des bagages tombe en notre pouvoir.

XXX. — A la suite de cette déroute, on sut que cinq
mille fuyards au plus avaient été recueillis par le Sénon
Drappès, le même qui, au début de la révolte de la
Gaule, avait rassemblé une foule d'hommes perdus, d'esclaves appelés à la liberté, d'exilés pris dans tous les
états, de brigands, avec lesquels il avait intercepté les
bagages et les convois des Romains. Quand on sut qu'il
marchait sur la Province de concert avec le Cadurque
Luctérius (qui déjà, comme on l'a vu au livre des
Commentaires précédent, avait tenté, au début de la
révolte gauloise, d'envahir la Province), le lieutenant
Caninius se mit à leur poursuite avec deux légions, pour
éviter la honte insigne de voir la Province terrorisée ou
ravagée par les brigandages de gens sans aveu.

XXXI. — Caïus Fabius, avec le reste de l'armée, part
chez les Carnutes et autres états dont il savait que le
combat livré à Dumnacus avait entamé les forces. Il ne
doutait point, en effet, que leur défaite récente ne les
rendît plus soumis, mais aussi qu'en leur laissant du
temps devant eux, les instances du même Dumnacus ne
pussent leur faire relever la tête. En cette affaire, une
chance extrême et une extrême promptitude à recevoir
la soumission des états favorisent Fabius. En effet, les
Carnutes, qui souvent éprouvés, n'avaient jamais parlé
de paix, donnent des otages et font leur soumission ; les
autres états, situés aux confins de la Gaule, jouxtant
l'Océan, et qu'on nomme armoricains, exécutent sans
délai, à l'arrivée de Fabius et des légions, les conditions
imposées. Dumnacus, chassé de son pays, errant et se
cachant solitaire, fut forcé de se sauver dans les régions
les plus reculées de la Gaule.

XXXII. — Mais Drappès et Luctérius, sachant que
Caninius et ses légions étaient tout proches, sentirent
qu'avec une armée à leurs trousses ils ne pouvaient

entrer dans la Province sans une perte certaine ni continuer en liberté de battre la campagne et de se livrer à
des brigandages : ils s'arrêtent dans le pays des Cadurques. Là, Luctérius qui dans sa prospérité avait eu
autrefois une grande influence parmi ses concitoyens, et
qui, toujours fauteur de révoltes, jouissait d'un grand
crédit auprès des Barbares, occupe avec ses troupes et
celles de Drappès la place d'Uxellodunum [205], qui avait
été dans sa clientèle, ville remarquablement défendue
par la nature, dont il gagne les habitants à sa cause.

XXXIII. — Caïus Caninius y vint aussitôt. Il remarqua
que la place était de tous côtés défendue par des rochers
à pic, dont l'escalade eût été difficile à des hommes
armés, même en l'absence de tout défenseur. Sachant
que les bagages des habitants étaient nombreux, et que
ceux-ci ne pouvaient sortir en secret sans être atteints
par la cavalerie et même par les légions, il divisa ses
cohortes en trois corps, fit trois camps dans une position
très élevée, et de là il commença peu à peu, autant que le
permettait le nombre des troupes, à tracer une ligne de
circonvallation autour de la place.

XXXIV. — A cette vue, les assiégés, inquiets au souvenir lamentable d'Alésia, craignirent d'avoir à subir un
siège semblable ; Luctérius, qui avait assisté à ce désastre,
les avertit avant tous les autres de se pourvoir de blé ;
ils décident, d'un consentement unanime, de laisser là
une partie des troupes et de partir eux-mêmes, avec les
soldats sans bagages, chercher du blé. Cette résolution
est approuvée, et la nuit suivante, laissant deux mille
soldats dans la place, Drappès et Luctérius en sortent
avec les autres. En peu de jours, ils se procurent une
grande quantité de blé sur le territoire des Cadurques,
dont les uns désiraient les aider en les ravitaillant et
dont les autres ne pouvaient les empêcher de faire leurs
provisions ; quelquefois aussi ils font des expéditions
nocturnes contre nos forts. Pour cette raison, Caninius
hésite à achever la ligne de circonvallation, de peur de ne
pouvoir défendre le retranchement effectué, ou de n'avoir
sur la plupart des points que des postes trop faibles.

XXXV. — Après avoir fait une ample provision de
blé, Drappès et Luctérius s'établissent à dix mille pas au
plus de la place forte, pour y faire passer le blé peu à peu.

Ils se partagent les rôles : Drappès, avec une partie des troupes, reste à la garde du camp ; Luctérius conduit le convoi vers la place. Là, il dispose des postes, puis, vers la dixième heure de la nuit, il entreprend de faire entrer le blé par d'étroits chemins forestiers. Les veilleurs du camp entendent le bruit de cette troupe ; on envoie des éclaireurs qui rapportent ce qui se passe ; Caninius, rapidement, avec les cohortes armées qu'il tire des forts les plus proches, tombe sur les pourvoyeurs au petit jour : ceux-ci, épouvantés par cette malchance soudaine, s'enfuient de tous les côtés vers leurs postes ; dès que les nôtres eurent vu ces derniers, leur fureur, à l'encontre d'adversaires armés, redouble, et ils ne veulent faire aucun prisonnier. Luctérius s'enfuit avec un petit nombre des siens, mais ne rentre pas à son camp.

XXXVI. — Après ce beau coup, Caninius apprend par des prisonniers qu'une partie des troupes est restée avec Drappès dans un camp, à une distance de douze milles au plus. Cet avis étant confirmé de plusieurs parts, il comprit que, l'un des deux chefs étant en fuite, il lui serait facile d'accabler, dans leur effroi, le reste des ennemis ; cependant il se rendait compte que ce serait une grande chance qu'aucun de ceux qui avaient échappé au carnage n'eût pris la route du camp pour porter à Drappès la nouvelle du désastre subi. Mais, ne trouvant nul danger à essayer, il envoie en avant sur le camp ennemi toute la cavalerie et les fantassins germains, qui étaient d'une rapidité extrême ; lui-même, après avoir réparti une légion dans les trois camps, il emmène l'autre avec lui sans bagages. Arrivé tout près des ennemis, il apprend, par les éclaireurs qu'il avait envoyés en avant, que, selon leur usage, les Barbares, négligeant les hauteurs, avaient placé leur camp sur le bord d'une rivière ; que les Germains et les cavaliers n'en sont pas moins tombés sur eux à l'improviste, et qu'ils ont engagé le combat. Sur cet avis, il fait avancer sa légion, les armes prêtes et en ordre de bataille. Alors, tout à coup, à un signal donné, surgissant de toutes parts, les troupes s'emparent des hauteurs. Là-dessus Germains et cavaliers, voyant les enseignes de la légion, redoublent de vigueur ; tout d'un coup, toutes les cohortes s'élancent de toutes parts, et, massacrant ou faisant prisonniers tous les ennemis, s'emparent d'un grand butin. Drappès lui-même est fait prisonnier dans le combat.

XXXVII. — Caninius, après cette affaire si heureusement menée, et sans qu'il eût presque aucun blessé,
retourne au siège de la place ; et, débarrassé de l'ennemi
extérieur, dont la crainte l'avait jusqu'alors empêché de
disperser ses postes et d'achever sa ligne de circonvallation, il ordonne de pousser partout les travaux. Le
lendemain, Caïus Fabius arrive avec ses troupes et se
charge d'assiéger un côté de la place.

XXXVIII. — César, cependant, laisse son questeur
Marc Antoine avec quinze cohortes chez les Bellovaques,
pour ôter aux Belges tout moyen de tenter encore une
révolte. Il va voir lui-même les autres états, exige un
plus grand nombre d'otages, rassure par de consolantes
paroles tous les esprits en proie à la peur. Arrivé chez
les Carnutes, qui, les premiers, comme César l'a exposé
dans le précédent livre de Commentaires, avaient
commencé la guerre dans leur état, et voyant que la
conscience de leur faute leur causait des alarmes particulièrement vives, il demande, pour le livrer au supplice,
Gutruatus, principal coupable et auteur de la guerre.
Bien que cet homme ne se fût confié à aucun de ses
compatriotes, on a vite fait néanmoins, en le cherchant
avec soin, de l'amener au camp. César, faisant violence
à son naturel, est obligé de le livrer au supplice, devant
l'immense concours de ses soldats, qui mettaient sur
son compte tous les périls qu'ils avaient courus et toutes
les pertes qu'ils avaient subies et il fallut qu'il fût battu
de verges jusqu'à ce qu'il ne donnât plus signe de vie,
puis livré à la hache.

XXXIX. — Des lettres successives de Caninius apprennent alors à César le sort de Drappès et de Luctérius
et la résistance obstinée des assiégés. Quoique leur petit
nombre méritât le mépris, il pensa qu'il fallait punir
sévèrement leur opiniâtreté, de peur que la Gaule entière ne vînt à croire que, pour résister aux Romains, ce
n'était pas la force qui avait manqué, mais la constance, et
qu'encouragés par cet exemple, les autres états, profitant de positions avantageuses, ne voulussent recouvrer leur indépendance. Les Gaulois savaient d'ailleurs,
il ne l'ignorait pas, qu'il n'avait plus qu'un été à rester
dans sa province, et que s'ils pouvaient tenir jusqu'à
ce terme, ils n'auraient plus ensuite rien à craindre. Il
laissa donc deux légions à son lieutenant Quintus Calénus,

avec ordre de le suivre à étapes normales ; lui-même, avec
toute la cavalerie, rejoint le plus vite qu'il peut Caninius.

XL. — César arriva à Uxellodunum sans être attendu
de personne ; il trouva la place entièrement investie et
se rendit compte qu'on ne pouvait lever le siège à aucun
prix ; ayant su par les transfuges que les assiégés étaient
abondamment pourvus de blé, il essaya de priver d'eau
l'ennemi. Une rivière traversait la profonde vallée qui
entourait presque en entier la montagne [206], où était
située, à pic de toutes parts, la place forte d'Uxellodunum. La nature du lieu empêchait de détourner cette
rivière : elle coulait, en effet, si profondément au pied
du mont, qu'il était impossible de creuser nulle part
des fossés pour la dériver. Mais la descente à cette rivière
était pour les assiégés si difficile et si abrupte que, si
les nôtres en défendaient l'abord, ils ne pouvaient ni
y arriver ni remonter la pente raide sans risquer d'être
blessés ou tués. S'étant rendu compte de cette difficulté,
César disposa des archers et des frondeurs, plaça même
des machines de guerre aux endroits où la descente
était la plus facile, empêchant ainsi les assiégés d'aller
prendre l'eau à la rivière.

XLI. — Toute la population n'avait plus d'autre
endroit où aller puiser de l'eau qu'au pied même du
rempart, où jaillissait une fontaine abondante, dans
l'intervalle d'environ trois cents pieds que la boucle de
la rivière n'entourait pas. On souhaitait qu'il fût possible d'interdire cette fontaine aux assiégés ; César seul
en vit le moyen. Face à la fontaine, il fit pousser des
mantelets contre la montagne et élever une terrasse,
non sans de grandes peines et de continuels combats.
Les assiégés, en effet, descendant à la course de leur
position supérieure, combattaient de loin sans danger
et blessaient quantité des nôtres qui, obstinément,
s'avançaient. Cependant ils n'empêchaient pas nos soldats
de pousser leurs mantelets et de vaincre, par leurs travaux, les difficultés du terrain. En même temps, ils
creusent des galeries couvertes dans la direction des
ruisselets et de la source de la fontaine, genre de travail
qui pouvait se faire sans gêne et sans donner l'éveil à
l'ennemi. On construit une terrasse de soixante pieds
de haut, on y place une tour de dix étages, non point
telle sans doute qu'elle atteignait la hauteur des murs

(car aucun ouvrage ne permettait d'obtenir ces résultats), mais suffisante pour dominer l'endroit de la fontaine. Du haut de cette tour les machines lançaient des projectiles sur les abords de la fontaine, et les assiégés ne pouvant plus se ravitailler en eau sans péril, non seulement les bestiaux et les bêtes de somme, mais les hommes mêmes en grand nombre mouraient de soif.

XLII. — Épouvantés par cette menace, les assiégés remplissent des tonneaux de suif, de poix et de petites lattes, et les font rouler en flammes sur nos ouvrages. En même temps ils livrent un combat acharné pour que les Romains, occupés à une lutte périlleuse, ne puissent éteindre le feu. Une grande flamme jaillit soudain au milieu de nos ouvrages. En effet, tout ce qui avait été lancé sur la pente abrupte, se trouvant arrêté par les mantelets et par la terrasse, embrasait l'obstacle même qui les arrêtait. Nos soldats, par contre, en dépit d'un genre de combat périlleux et d'une position défavorable, faisaient face à tout avec l'intrépidité la plus grande : l'action se passait sur une hauteur, à la vue de notre armée ; une grande clameur s'élevait de part et d'autre. Aussi chacun se signalait-il le plus possible, pour que sa bravoure fût connue et attestée, en s'exposant aux traits des ennemis et à la flamme.

XLIII. — César, voyant qu'il avait déjà beaucoup de blessés, donne l'ordre aux cohortes d'escalader la montagne de toutes parts et de faire croire qu'elles occupent les murs en poussant partout une clameur. Les assiégés, épouvantés par cette manœuvre et se demandant ce qui se passait sur les autres points, rappellent les soldats qui attaquaient nos ouvrages, et les disposent sur les remparts. Ainsi le combat prend fin, et les nôtres éteignent vite l'incendie ou font la part du feu en coupant les ouvrages. Comme la résistance des assiégés se prolongeait, et qu'en dépit de la perte d'un grand nombre des leurs, qui étaient morts de soif, ils demeuraient aussi opiniâtres, à la fin nos canaux souterrains coupèrent et détournèrent les ruisselets de la source. Alors voyant soudain à sec l'intarissable fontaine, les assiégés en ressentirent un si grand désespoir qu'ils virent là l'effet non de l'industrie des hommes, mais de la volonté des dieux. Aussi, contraints par la nécessité, ils se rendirent.

XLIV. — César qui savait sa bonté connue de tous, et qui n'avait pas à craindre qu'un acte de rigueur fût imputé à la cruauté de son caractère, mais qui ne voyait pas la fin de ses desseins, si des révoltes de cette sorte éclataient en divers lieux, résolut de faire un exemple qui intimidât les autres états. En conséquence il fit couper les mains à tous ceux qui avaient porté les armes ; il leur laissa la vie, pour mieux attester le châtiment réservé aux alliés déloyaux. Drappès qui, comme je l'ai dit, avait été fait prisonnier par Caninius, soit humiliation et douleur d'être dans les fers, soit crainte d'un plus cruel supplice, s'abstint de nourriture pendant quelques jours et mourut de faim. Au même moment, Luctérius, qui, comme je l'ai raconté, s'était échappé du combat, était venu se mettre entre les mains de l'Arverne Épasnact ; changeant fréquemment de retraite, il se confiait à beaucoup de gens, car il savait combien César devait le haïr. L'Arverne Épasnact, grand ami du peuple romain, n'hésita pas à le faire charger de chaînes et livrer à César.

XLV. — Sur ces entrefaites Labiénus, chez les Trévires, livre avec succès un combat de cavalerie ; il tue beaucoup de Trévires, ainsi que de Germains, qui ne refusaient à personne leur secours contre les Romains ; il s'empare vivants de leurs chefs, entre autres de l'Éduen Surus, aussi illustre par son courage que par sa naissance, et le seul des Éduens qui n'eût point encore déposé les armes.

XLVI. — A cette nouvelle, César, voyant que tout avait bien marché sur tous les points de la Gaule, et jugeant que ses campagnes précédentes avaient vaincu et soumis la Gaule, partit pour l'Aquitaine, où il n'était jamais allé lui-même, mais où il avait vaincu partiellement grâce à Publius Crassus ; il s'y rendit avec deux légions pour y passer le reste de la saison. Cette expédition, comme les autres, fut promptement et heureusement menée. Tous les états de l'Aquitaine lui envoyèrent, en effet, des députés, et lui donnèrent des otages. Après cela, il partit pour Narbonne avec une escorte de cavaliers ; il mit l'armée en quartiers d'hiver, sous les ordres de ses lieutenants ; il plaça quatre légions en Belgique avec les lieutenants Marc Antoine, Caïus Trébonius, Publius Vatinius et Quintus Tullius ; il en envoya

deux chez les Éduens, dont il savait l'influence capitale
sur toute la Gaule ; il en plaça deux chez les Turons, à
la frontière des Carnutes, pour maintenir toute la région
qui touche à l'Océan ; les deux restantes dans le pays
des Lémovices, non loin des Arvernes, pour ne laisser
aucune partie de la Gaule vide de troupes. Il ne resta
que peu de jours dans la Province, parcourant rapidement
toutes les assemblées, jugeant les controverses politiques,
récompensant les services rendus (il pouvait, en effet,
très facilement reconnaître de quels sentiments chacun
avait été animé envers la République, dans cette révolte
de toute la Gaule, à laquelle la fidélité et les secours de
la Province l'avaient mis en état de résister). Quand
il eut terminé, il revint auprès de ses légions en Belgique,
et hiverna à Nemétocenne.

XLVII. — Là il apprend que Commius l'Atrébate
a livré bataille à sa cavalerie. Antoine était arrivé dans
ses quartiers d'hiver, et l'état des Atrébates demeurait
dans le devoir ; mais Commius, depuis la blessure dont
j'ai parlé plus haut, était toujours prêt à seconder tous
les mouvements de ses concitoyens et à se faire l'agitateur et le chef de ceux qui voulaient entreprendre
la guerre ; tandis que son état obéissait aux Romains,
il se livrait avec sa cavalerie à des actes de brigandage
dont il vivait, lui et ses compagnons, infestant les chemins
et interceptant les convois destinés aux quartiers d'hiver
des Romains.

XLVIII. — Antoine avait pour préfet de cavalerie
Caïus Volusénus Quadratus, qui devait passer l'hiver
avec lui. Il l'envoie à la poursuite de la cavalerie des
ennemis. Volusénus, qui joignait à un courage singulier
une grande haine pour Commius, n'en fit que plus volontiers ce qu'on lui commandait. Aussi, dressant des embuscades, attaquant très souvent les cavaliers ennemis, il
livrait des combats heureux. A la fin, au cours d'un engagement particulièrement vif, et où Volusénus, emporté
par le désir de prendre Commius en personne, le poursui-
vait trop ardemment avec une faible escorte, Commius,
qui l'avait attiré fort loin par une fuite éperdue, invoquant
tout à coup l'honneur et l'aide de ses compagnons, les
prie de ne point laisser sans vengeance les blessures
dues à la perfidie ; et il tourne bride, se sépare des
siens avec audace, s'élance contre le préfet. Tous ses

cavaliers l'imitent, mettent en fuite et poursuivent la
faible troupe des nôtres. Commius presse de l'éperon
son cheval, le pousse sur celui de Quadratus, et, la
lance en avant, le transperce en pleine cuisse avec une
grande violence. Devant la blessure du préfet, les nôtres
n'hésitent pas : ils s'arrêtent de fuir, et faisant demi-
tour, chassent l'ennemi. Alors ils en blessent un grand
nombre, que bouscule l'impétuosité de notre charge,
foulant les uns aux pieds de leurs chevaux dans leur
fuite, et faisant prisonniers les autres. Leur chef ne dut
d'éviter ce malheur qu'à la vitesse de son cheval ; le
préfet, grièvement blessé, et semblant même l'être mortellement, est ramené au camp. Alors Commius, soit
parce que sa vengeance était satisfaite, soit parce qu'il
avait perdu une grande partie des siens, envoie des
députés à Antoine et s'engage, en offrant des otages, à
aller où il lui serait prescrit et à faire ce qu'on lui commanderait. Il ne demande qu'une chose, c'est qu'on accorde
à sa frayeur la permission de ne jamais paraître devant
un Romain. Antoine, jugeant cette demande fondée sur
une crainte légitime, y consentit et reçut ses otages.

[AVERTISSEMENT]

Je sais que César a composé un livre de commentaires
pour chaque année de ses campagnes ; je n'ai pas cru
devoir faire de même, parce que l'année suivante, qui
fut celle du consulat de Lucius Paulus et de Caïus Marcellus, ne comporte en Gaule aucune opération importante. Cependant pour ne pas laisser ignorer où furent
pendant ce temps César et son armée, j'ai résolu d'écrire
et de joindre à ce commentaire quelques pages.

XLIX. — César, en hivernant en Belgique, n'avait
d'autre but que de maintenir les états dans notre alliance
et de ne leur donner ni espoir ni prétexte de guerre. Il
n'était rien, en effet, qu'il ne voulût moins, que de se voir
dans la nécessité de faire la guerre au moment de son
départ, et de laisser derrière lui, au moment où il allait
emmener son armée, une guerre que toute la Gaule entre-
prendrait volontiers si elle n'avait rien à craindre pour
l'instant. Aussi, en traitant honorablement les états, en
comblant de récompenses les principaux citoyens, en
n'imposant aucune charge nouvelle, maintint-il facile-

ment en paix la Gaule épuisée par tant de revers et à qui il
rendait l'obéissance plus douce.

L. — Lui-même, à la fin de ses quartiers d'hiver, partit, contrairement à son habitude, en Italie en faisant les
étapes les plus rapides possible, afin de parler aux municipes et aux colonies, pour leur recommander la candidature au sacerdoce de son questeur Marc Antoine ; il
l'appuyait en effet de tout son crédit, parce qu'il était
heureux de servir un ami intime qu'il avait envoyé peu
auparavant préparer cette candidature, et surtout parce
qu'il luttait avec ardeur contre une faction puissante qui
désirait, en faisant échec à Antoine, ébranler le pouvoir
de César à sa sortie de charge. Il apprit en route, avant
d'atteindre l'Italie, qu'Antoine avait été nommé augure ;
il n'en crut pas moins avoir un juste motif de parcourir
les municipes et les colonies, afin de les remercier de leur
empressement à servir Antoine, et de recommander en
même temps sa propre candidature pour les élections de
l'année suivante [207] ; car ses adversaires se glorifiaient
isolément d'avoir fait nommer consuls Lucius Lentulus et Caïus Marcellus pour dépouiller César de toute
charge et de toute dignité, et d'avoir enlevé le consulat à
Servius Galba, quoiqu'il eût beaucoup plus de crédit et
de suffrages, parce qu'il était lié à César comme ami et
lieutenant.

LI. — César fut accueilli par tous les municipes et par
toutes les colonies avec des honneurs et une affection
incroyables ; c'était, en effet, la première fois qu'il y
venait depuis la guerre générale de la Gaule. On n'oubliait
rien de ce qui pouvait être imaginé pour orner les portes,
les chemins, tous les lieux, où César devait passer. La
population entière, avec les enfants, se portait à sa
rencontre ; partout on immolait des victimes ; les places
publiques et les temples où l'on avait dressé des tables
étaient combles, si bien qu'on pouvait goûter par avance
l'allégresse d'un triomphe vivement attendu [208], tant il
y avait de magnificence chez les riches, d'enthousiasme
chez les pauvres !

LII. — Après avoir parcouru toutes les contrées de
la *Gaule togée*, César revint avec la plus grande célérité
auprès de son armée, à Némétocenne ; il tira les légions
de tous leurs quartiers d'hiver pour les envoyer dans le

pays des Trévires ; il y partit lui-même et y passa l'armée
en revue. Il donna à Titus Labiénus le commandement
de la *Gaule togée*, afin qu'il fût plus à même de le seconder
dans sa candidature au consulat. Lui-même ne faisait
marcher son armée qu'autant qu'il jugeait bon, pour la
santé des troupes, de changer de lieu. Quoiqu'il entendît
fréquemment dire que ses ennemis intriguaient auprès
de Labiénus et qu'il sût que quelques-uns travaillaient
à lui faire enlever, par une intervention du Sénat, une
partie de son armée, on ne lui rendit pas cependant
Labiénus suspect et on ne put l'amener à rien entreprendre contre l'autorité du Sénat. Il jugeait, en effet,
que si les votes des pères conscrits étaient libres, il
gagnerait facilement sa cause. Car Caïus Curion, tribun
de la plèbe, qui avait entrepris de défendre la cause et
la dignité de César, avait souvent pris devant le Sénat
l'engagement suivant : « Si l'on avait quelque ombrage
des armées de César, et puisqu'aussi bien la domination
et les armes de Pompée provoquaient au Forum une
frayeur qui n'était pas médiocre, l'un et l'autre devaient,
désarmer et licencier leurs troupes ; la cité, du coup,
serait libre et reprendrait ses droits. » Et non seulement
il prit cet engagement, mais encore il voulut, de sa
propre initiative, le mettre aux voix ; les consuls et les
amis de Pompée s'y opposèrent, et le Sénat se sépara
en apaisant l'affaire.

LIII. — C'était là un important témoignage des sentiments du Sénat tout entier, et qui s'accordait bien à
un fait antérieur. Marcellus, en effet, l'année précédente [209], cherchant à abattre César, avait, contrairement à la loi de Pompée et de Crassus [210], porté à l'ordre
du jour du Sénat avant le temps, la question des provinces de César ; comme, après discussion, il mettait
aux voix, Marcellus, qui cherchait en attaquant César
à satisfaire toutes ses ambitions, vit le Sénat en grand
nombre se ranger à un autre avis. Ces échecs, loin de
décourager les ennemis de César, les avertissaient seulement de préparer des moyens plus puissants, grâce
auxquels ils pourraient forcer le Sénat d'approuver
leurs propres décisions.

LIV. — Ensuite un sénatus-consulte décide qu'une
légion serait envoyée pour la guerre des Parthes par
Cnéius Pompée, une autre par Caïus César ; mais il est

évident que les deux légions sont prises au même. Car
Cnéius Pompée donne, comme étant de son contingent,
la première légion qu'il avait envoyée à César, après
l'avoir levée dans la province de César. Cependant,
quoique les intentions de ses adversaires ne fussent nullement douteuses, César renvoya à Pompée la légion,
et, conformément au sénatus-consulte, fit remettre en
son nom la quinzième, qu'il avait en Gaule citérieure.
A sa place, il envoie en Italie la treizième, pour tenir
les postes que quittait la quinzième. Il assigne lui-
même des quartiers d'hiver à son armée ; il place Caïus
Trébonius en Belgique avec quatre légions ; il envoie
Caïus Fabius chez les Éduens avec le même nombre.
Il estimait, en effet, que la Gaule serait très tranquille,
si les Belges, qui avaient une très grande bravoure,
et les Éduens, qui avaient une influence capitale, étaient
contenus par des armées. Il partit lui-même pour l'Italie.

LV. — A son arrivée, il apprend que les deux légions
qu'il avait renvoyées et qui, selon le sénatus-consulte,
devaient être menées faire la guerre contre les Parthes,
avaient été remises par le consul Caïus Marcellus à
Cnéius Pompée, et retenues en Italie. Bien que ce fait
ne laissât plus de doute à personne sur ce qui se préparait contre César, César cependant résolut de tout souffrir tant qu'il lui resterait quelque espoir de décider
le différend par le droit plutôt que par les armes. Il
s'efforça...

NOTES

LIVRE I

1. Pomponius Méla (III, 12) Strabon (IV, 5, c. 199) commettent la même erreur que César : la mauvaise orientation des cartes antiques en est cause.

2. Soit 266 kilomètres : ce chiffre dépasse la réalité.

3. C'est le col de l'Écluse, où passe aujourd'hui la grand-route de Lyon à Genève.

4. La montagne nommée le Plat des Roches et plus loin, le Grand Credo.

5. Les Allobroges s'étaient révoltés en 61 et avaient été « soumis » en 62 par Caïus Pomptinus.

6. Le 28 mars 58.

7. César, selon Plutarque, étant venu en huit jours de Rome à Genève, serait donc parti de la Ville le 20 mars.

8. Des marches de cent milles par jour environ.

9. La dixième légion.

10. De Genève jusqu'au Vuache, si le mur s'élevait sur la rive gauche du Rhône, ou de Genève jusqu'au Jura, s'il était construit sur la rive droite. Dion (XXXVIII, 31, 4) ne parle pas d'un mur continu, mais de fortifications intermittentes.

11. C'est une façon de parler, car les Santons étaient à 220 kilomètres de Toulouse.

12. La onzième et la douzième.

13. La septième, la huitième et la neuvième.

14. Par le col du Mont Genèvre.

15. Il emprunte jusqu'à Gap la grand-route de Turin à Tarascon, puis campe à Lyon.

16. Ceux du Pas-de-l'Écluse.

17. Romains et Éduens étaient alliés depuis l'arrivée des Romains en Gaule, en 121.

18. Situé sans doute sur la colline de Fourvières. A en croire les armes trouvées au village de Saint-Bernard, c'est probablement là, près de Trévoux, que la bataille eut lieu.

19. L'ennemi se dirigeait vers Autun, c'est-à-dire en direction du nord-ouest.

20. Vraisemblablement celle de Sanvignes.

21. Établi sans doute à Saint-Romain-sous-Gourdon, sur la Bourbince.

22. Considius était sans doute l'un des centurions de l'armée de Crassus dans la guerre Servile.

23. Le camp de César était établi à Toulon-sur-Arroux et celui des Helvètes à 4 km. ½ à l'ouest, vers Sainte-Radegonde. La bataille eut lieu à Montmort.

24. Par le vieux chemin des hauteurs qui passe par l'Abergement.

25. Celle de Montmort, à l'ouest de Toulon-sur-Arroux.

26. La colline d'Armecy.

27. L'assemblée eut lieu probablement à Bibracte (mont Beuvray); le camp de César était fixé sans doute à Autun.

28. On voit dans le *De Divinatione* (I, 41, 90) qu'il avait été l'hôte de Cicéron, à qui il avait donné des renseignements sur la religion des druides. Un passage des *Panégyriques* (8, 3) le montre parlant devant le Sénat, appuyé sur son bouclier.

29. Le mot est vague. Il est peu probable que les Séquanais se soient joints aux Éduens.

30. Toutes celles de la région qu'occupait Arioviste.

31. L'armée d'Arioviste comprenait déjà un fort appoint de Suèves. Arioviste lui-même était sans doute un Suève.

32. Le mont des Buis.

33. Au combat de Magétobrige, en Alsace, aux alentours de Schlestadt. Cf. chap. XXXI.

34. Pour éviter les forêts et les défilés du Doubs, en gagnant, par un pays plus découvert, c'est-à-dire par Voray et la vallée de l'Ognon, la région de Villersexel.

35. La plaine d'Alsace. — Sur le lieu même de l'entrevue et du combat, l'incertitude plane : environs de Montbéliard ? ou de Sélestat ? ou de Strasbourg ? ou, plus probablement de Cernay ?

36. En 121, sur les bords du Rhône.

37. Il portait donc, suivant l'usage, le prénom et le nom de son père adoptif, et conservait son nom gaulois de Procillus comme surnom.

38. Comme on ignore (cf. note 35), où eut lieu exactement l'entrevue, on n'a pas plus de certitude sur l'emplacement du camp.

39. Ces femmes germaines, matrones et prophétesses, consultaient le sort à l'aide de bouts de bois marqués d'un signe qu'on mêlait sur une étoffe blanche ; on en tirait trois au hasard, en interprétant les signes qu'ils portaient (cf. Tacite, *Germ.*, 10). Les oracles étaient rendus d'après les courants des fleuves et l'interprétation des bruits (cf. Plutarque *César*, XIX, 4).

40. Qui tombait, cette année-là, le 18 septembre.

41. Mais il succomba peu après.

42. Il en restait, selon Plutarque, quatre-vingt mille.

LIVRE II

43. La treizième et la quatorzième.

44. César venait en effet, non point de Besançon, comme l'ont cru certains, mais de la région sud du pays des Séquanais.

45. Très étendu à condition d'y comprendre leurs clients : Silvanectes, Meldes, Viromandues.

46. Ce qui ferait un total de 296 000. Mais tous ces chiffres sont évidemment exagérés.

47. Sans doute à Berry-au-Bac.

48. Sans doute sur la colline de Mauchamp.

49. Le marais de la Miette.

50 Il y a 45 kilomètres de Berry-au-Bac à Soissons (*Noviodunum Suessionum*).

51. A l'embouchure de l'Escaut.

52. La septième, qui avait pris part à la bataille de la Sambre (cf. chap. XXIII et XXV).

53. César désigne surtout les Ubiens.

54. C'est-à-dire d'actions de grâces solennelles, décrétées par le Sénat : Pompée n'en avait eu que douze, après sa victoire sur Mithridate.

LIVRE III

55. Celui du Grand Saint-Bernard.

56. Soit que la récolte eût été mauvaise, soit qu'on y fît alors peu de blé.

57. A Lucques, où eut lieu en avril 56 la célèbre conférence entre les triumvirs ou peut-être encore à Ravenne.

58. Sans doute la rivière d'Auray. La bataille eut lieu probablement dans la baie de Saint-Gildas.

59. Aux environs de Vire, selon Jullian.

60. Des monnaies étaient frappées à son nom, portant REX ADIETVANVS, et au revers SOTIOTA. Nicolas de Damas nomme ce personnage *basileus* (cf. Athénée, VI, 54, p. 249 b). La place forte des Sontiates est sans doute Sos (Lot-et-Garonne).

LIVRE IV

61. Qui commença le 24 janvier 55.

62. Sans doute vers Clèves.

63. Aucun autre écrivain que César n'affirme ce fait.

64. Ce chiffre paraît bien exagéré.

65. De la Gaule cisalpine, où il avait coutume d'aller tous les ans, au début de l'hiver.

66. Erreur. La Meuse descend du plateau de Langres. Les Lingons d'ailleurs n'allaient que jusqu'aux Faucilles.

67. Ce qui indigna si fort Caton, au dire de Plutarque, qu'il demanda au Sénat de livrer César aux Germains. Sa haine de César entraînait parfois Caton un peu loin.

68. A la grande indignation de Caton, qui lui reprocha d'avoir violé le droit des gens. Mais Caton était un orateur qu'aveuglait la haine politique, tandis que César, commandant en Gaule, se rendait compte qu'il fallait passer le Rhin pour assurer la sécurité gauloise.

69. On ignore où elle passa le Rhin, mais c'est probablement soit entre Coblence et Cologne, soit à Cologne même (cf. Jullian II, p. 331, note 9).

70. Peut-être César exagère-t-il un peu. A en croire Suétone (César, XLVII), l'espoir de trouver en Bretagne des richesses n'était pas indifférent à sa décision.

71. Sans doute du port de Boulogne (*Portus Itius*).

72. A la bataille de la Sambre, cf. livre II, chap. XXIII.

73. On était alors au mois d'août.

74. Sans doute à Ambleteuse, à 10 kilomètres environ au nord de Boulogne.

75. Ambleteuse.

76. Le 25, 26 ou 27 août, vers neuf heures du matin.

77. C'est la côte de Douvres.

78. Au nord-est de Douvres, vers Walmer Castle.

79. Ambleteuse.

80. Le camp était sans doute établi sur le plateau de Walmer.

81. 30-31 août 55.

82. Cette consternation est attestée aussi par Strabon.

LIVRE V

83. Du cuivre, du fer et du jonc pour les cordes.

84. Pour la Belgique, cf. livre IV, chap. XXXIV.

85. Les chantiers, à en croire Strabon (IV, 3, c. 193), se trouvaient à l'embouchure de la Seine.

86. Cingétorix était le gendre d'Indutiomare, cf. chap. LVI.

87. D'après les renseignements fournis par Cingétorix.

88. Les quatre légions emmenées chez les Trévires.

89. Sans doute Sandown Castle, au nord de Deal.

90. Sans doute à Cantorbéry.

91. Les monnaies les plus anciennes trouvées en Grande-Bretagne sont, en effet, des pièces d'or.

92. Erreur : les mines d'étain se trouvaient en Cornouailles, les îles Sorlingues, qui prolongent la presqu'île de Cornouailles, étaient nommées dans l'antiquité Cassitérides, « îles de l'étain ».

93. Autre erreur : la Grande-Bretagne contient beaucoup de fer. Il est vrai que les Bretons n'exploitaient que les mines superficielles.

94. Sans doute les Bretons n'exploitaient-ils pas le cuivre de leur île.

95. Erreur, due à la mauvaise orientation des anciennes cartes.

96. Les Hébrides ? les Orcades ? ou les îles situées le long de la côte, entre le canal du Nord et les Hébrides ?

97. Les nuits les plus courtes duraient à Rome 9 heures, en Grande-Bretagne 7 heures et demie.

98. C'est-à-dire, quand nous nous portions du camp de Cantorbéry à la rencontre de l'ennemi.

99. Que bordait au sud la Tamise.

100. Le nom des Ségontiaques se retrouve sur des monnaies. Les autres sont inconnus par ailleurs.

101. Sans doute Vérulamium.

102. La première eut lieu à la fin d'août, la seconde vers la mi-septembre.

103. En 57 cf. livre II, chap. 11.

104. Le camp de Sabinus était à Atuatuca, près de Tongres, celui de Cicéron sans doute à Binche, sur la Sambre, bien qu'il y ait non pas cinquante milles, mais plus de soixante milles, entre Tongres et Binche.

105. La vallée du Geer.

106. Allusion à la défaite de 57; cf. livre II, chap. XIX-XXVIII.

107. C'est-à-dire vers 15 h. 30 : on était alors à la fin d'octobre.

108. En suivant la grand-route d'Amiens à Charleroi.

109. Sans doute, si le camp était à Binche, la petite vallée d'Estine.

110. Celle de César, celle de Cicéron et celle de Crassus.

LIVRE VI

111. Au lieu d'être en Espagne, dont il avait reçu en 55 le commandement pour cinq ans.

112. Les trois légions dont il a été question dans la note 110, plus celle de Fabius, qui hivernait chez les Morins.

113. Sans doute à Agédincum (Sens).

114. Non pas si petite que César veut bien le dire, puisque Labiénus avait 25 cohortes et une nombreuse cavalerie.

115. Il y en avait dix, cf. chap. XXXII.

116. Les dommages à allouer et le prix du sang à payer.

117. César contredit Tacite (*Germ.* IX, 1), qui déclare que les Germains adoraient aussi Mars, Mercure et Hercule.

118. Ainsi celle de Ségovèse, neveu du roi des Bituriges Ambigate. qui remonte, selon Tite-Live (V. 34, 4), à l'époque de Tarquin l'Ancien.

119. Erreur de l'auteur.

120. Autre erreur.

121. Près de Liège; peut-être, comme le suggère Jullian, à Héristal.

122. Près d'Anvers.

123. La colline de Tongres.

124. Publius Sextius Baculus s'était signalé à la bataille de la Sambre, cf. livre II, chap. XXV et dans celle du Valais, cf. livre III, chap. V.

125. Vraisemblablement, à la porte décumane.

126. Depuis cinq mois.

127. César fait preuve d'indulgence à l'égard de Quintus Cicéron. Dans une lettre adressée à Cicéron lui-même, il se montre plus sévère et accuse Quintus d'avoir manqué de prudence et de diligence : *neque pro cauto ae diligente se castris continuit.*

128. Dans les cavernes et abris sous roche ou dans les bois épais qui bordent la rive droite de la Meuse, de Liège à Namur.

129. C'est-à-dire attaché à un poteau, battu de verges, puis décapité.

LIVRE VII

130. Et en profitant aussi du mouvement patriotique des Gaulois.

131. Il se trouvait alors à Ravenne.

132. Pompée avait reçu du Sénat des pouvoirs extraordinaires. Il va sans dire que ce passage a été écrit avant la brouille survenue entre Pompée et César.

133. En réalité, il ne revint pas. Il dut plus tard donner l'ordre à Brutus de ramener ses troupes dans la Province.

134. De son escorte.

135. Sans doute par Yssingeaux et Annonay.

136. Sans doute à Dijon.

137. On était à la mi-février.

138. Au sud-ouest de la place.

139. Sans doute près d'Humbligny.

140. Il l'avait sans doute établi sur la colline située entre les Aix et Rians.

141. C'était la coutume aussi des Germains.

142. Elles sont encore exploitées aujourd'hui.

143. On était en mars.

144. La longueur de cette terrasse correspond au front de la ville actuelle devant l'esplanade Marceau.

145. On était au vingt-septième jour du siège.

146. Il avait fait frapper des statères d'or, portant : à l'avers, sa figure idéalisée et, en exergue, VERCINGETORIXS ; au revers, un cheval au galop et une amphore.

147. Sans doute jusqu'à la mi-avril.

148. Les huitième, neuvième, dixième, onzième, treizième et quatorzième légions.

149. César avait sans doute été induit en erreur par les Éduens, car c'est pendant l'été que l'Allier est guéable.

150. Celui de Moulins sans doute.

151. La hauteur de Risolles (723 m.), le puy de Jussat (661 m.), la Roche-Blanche (561 m.).

152. Il faut entendre du côté de la vallée de l'Auzon et du côté de Jussat.

153. Vers Gannat, après avoir franchi l'Allier à Moulins sur le pont refait par César.

154. Vers Aigueperse.

155. Une colline de 692 m. entre Risolles et Gergovie.

156. Le col des Goules, qui menait au côté ouest.

157. Celles du sud de l'Auzon.

158. Sur la rive gauche de l'Auzon.

159. Celle de Gergovie.

160. La plaine située entre Donnezat, le puy de Marmant, la Roche-Blanche et Gergovie.

161. A Vichy ou à Varennes.

162. Cette crue a lieu, en général, à la fin de mai ou au début de juin.

163. Sans doute vers Nevers.

164. La vallée de l'Essonne.

165. Entre l'île et la rive droite.

166. Sans doute à la hauteur des ponts actuels d'Arcole et Notre-Dame.

167. Le camp de Labiénus était sans doute à Saint-Germain-l'Auxerrois et celui des Gaulois à Saint-Germain-des-Prés.

168. La Seine.

169. Vers 22 heures (fin mai).

170. A Grenelle-Vaugirard.

171. Peut-être Montparnasse.

172. Celles de Vanves et de Clamart.

173. Sans doute vers Joigny.

174. A Bibracte.

175. Elle comptait 80 000 hommes.

176. Arvernes et Gabales.

177. Les Ubiens et les autres.

178. Au sud-est de leur territoire, par Dijon et Langres.

179. Sur les collines d'Hauteville, d'Ahuy et de Vantoux.

180. Vers Bellefond.

181. Sans doute le signal d'Asnières (356 m.).

182. Le ruisseau du Buzon, au pied de la colline de Vantoux.

183. Non point très élevée (418 m.), mais très abrupte ou escarpée. Les fouilles entreprises sur l'ordre de Napoléon III il y a près d'un siècle ne laissaient aucun doute sur l'identification d'Alésia avec une ville gauloise du mont Auxois, près d'Alise, aujourd'hui Alise-Sainte-Reine (Côte-d'Or). Certains Franc-Comtois, appuyés par Quicherat, l'historien de Jeanne d'Arc, puis, au début de notre siècle par Colomb, professeur de sciences naturelles à la Sorbonne, le même qui, sous le nom de Christophe, écrivit les aventures du *Savant Cosinus*, tentèrent d'accréditer l'identification d'Alésia avec Alaise. Nul historien sérieux ne conteste aujourd'hui l'identification d'Alésia et d'Alise. Camille Jullian et Jérôme Carcopino, qui a littéralement pulvérisé les arguments de Colomb, s'accordent sur ce point. On trouvera dans un récent ouvrage de Joël Le Gall, professeur à la Faculté des Lettres de Dijon et directeur actuel des fouilles d'Alésia, une excellente évocation du siège fameux où la reddition de Vercingétorix marque la fin de l'indépendance gauloise (Le Gall, *Alésia*, 1964, éd. Fayard).

184. L'Ose et l'Oserain.

185. La plaine des Laumes.

186. La montagne de Flavigny, le mont Pennevelle, la montagne de Bussy, le mont Réa.

187. Ce chiffre, bien que contesté par Napoléon Ier, est sans doute exact.

188. L'Oserain.

189. Exagération, car il y eut beaucoup d'abstentions.

190. La montagne de Mussy.

191. Ceux du mont Réa, de la montagne de Bussy et de la montagne de Flavigny.

192. Le mont Réa.

193. Sans doute sur la montagne de Flavigny.

194. Celles du mont Réa.

195. Celles de la montagne de Flavigny.

196. Avec la quatorzième légion.

197. Avec la sixième légion.

LIVRE VIII

198. Celui de 53.

199. Elle se trouvait chez les Ambivarètes.

200. La sixième et la quatorzième.

201. Il se trouvait à Cénabum avec la sixième et la quatorzième légion.

202. Le mont Collet.

203. Sans doute celle de Choisy-au-Bac.

204. A Saumur, ou peut-être aux Ponts-de-Cé, près d'Angers.

205. Sans doute le Puy d'Issolu.

206. Il semble qu'Hirtius, si Uxellodunum est bien le Puy d'Issolu, a fait une seule vallée de celles de la Tourmente, de la Dordogne, de la Sourdoire et du petit ruisseau de Fonfrègne.

207. Les élections de 49, pour le consultat de 48.

208. Il ne fut célébré cependant que quatre ans plus tard, en 46.

209. En 51.

210. C'est la Lex Pompeia Licinia, votée en 55.

INDEX
HISTORIQUE ET GÉOGRAPHIQUE

A

Accon. — Chef sénone, chargé du pouvoir suprême après l'expulsion de Cavarinus (voir ce nom), pousse à la révolte les Sénones et les Carnutes. Mis à mort sur l'ordre de César. — VI, 4, 44; VII, I.

Adiatuanus. — Chef des Sontiates, peuple d'Aquitaine, et roi en son pays; se défend énergiquement contre Publius Crassus, lieutenant de César, et ne se soumet qu'après la reddition de la place forte des Sontiates, Sos, dans le Lot-et-Garonne actuel. — III, 22.

Admagetobriga. — Lieu d'une victoire d'Arioviste, aux environs de Sélestat. — I, 31, 12.

Æmilius (L.). — Décurion de la cavalerie auxiliaire de l'armée de César. — I, 23.

Agédincum. — Capitale des Sénones, aujourd'hui Sens. — VI, 44; VII, 10; 57; 59; 62.

Aisne (l'). — En latin *Axona*. — II, 5, 9.

Alésia. — Place forte des Mandubiens, anciennement *Palesia* « roc, falaise », aujourd'hui Alise-Sainte-Reine, sur le mont Auxois, à l'ouest de Dijon. Des fouilles y ont été exécutées de 1861 à 1865, puis reprises en 1906. — VII, 68, 69, 70, 75, 76, 77, 79, 80, 84, 85-89; VIII, 14, 34.

Alexandrie. — Ville d'Égypte. La guerre d'Alexandrie fut faite par César pour installer Cléopâtre sur le trône d'Égypte. — VIII, préf. 2 et 8.

Allier. — La rivière Allier (en lat *Elaver*). — VII, 34, 35, 53.

Allobroges. — Peuple celtique habitant la région montagneuse située entre le Rhône, l'Isère, le lac Léman et les Alpes, et qui correspond à la Savoie et au Dauphiné septentrional. Les Allobroges, vaincus dès 121 par Cnéius Domitius et annexés à la Province, se révoltèrent en 62 et furent soumis par Caïus Pomptinus — I, 6, 10, 11, 14, 28, 44; III, 1, 6; VII, 64, 65.

Alpes — La chaîne des Alpes, servant de limite entre la Gaule et l'Italie supérieure ou Gaule cisalpine. — I, 10; III, 1, 2, 7; IV, 10

Ambarres. — Petit État celtique, client des Éduens; il s'étendait, comme l'indique son nom, sur les deux rives de la Saône (*amb-Arari*) et occupait l'angle formé par la Saône et le Rhône, c'est-à-dire un territoire comprenant une partie du département actuel de l'Ain (région d'Annonay et d'Ambérieu). — I, 11, 14.

Ambibariens. — État de la Celtique; il s'étendait, comme l'indique son nom, sur les deux rives d'une rivière, et occupait sans doute, au nord des Redons, un territoire correspondant au Sud du département actuel de la Manche et au Nord de celui d'Ille-et-Vilaine. — VII, 75.

Ambiens. — État de la Belgique; il s'étendait, comme l'indique son nom, sur les deux rives d'une rivière (la Somme), au nord des Bellovaques, et occupait un territoire correspondant à peu près au département actuel de la Somme. Sa capitale était Samarobriva, aujourd'hui Amiens. — II, 4, 15; VII, 75; VIII, 7.

Ambiliates. — Petit État de la Celtique allié des Vénètes, que les uns identifient avec celui des *Ambibarii*, et que les autres situent au sud des Andes, sur la rive gauche de la Loire, c'est-à-dire dans la partie méridionale du département actuel de Maine-et-Loire. — III, 9, 10.

Ambiorix. — Chef gaulois, élu magistrat suprême des Éburons avec le vieux Cativolcus, ne se laisse point séduire par César; prend une part active au soulèvement du Nord de la Gaule, surprend et massacre dans une embuscade les lieutenants Quintus Titurius Sabinus et Lucius Aurunculéius Cotta et cherche en vain à forcer le camp de Quintus Cicéron; l'année suivante, malgré la mort de Cativolcus, continue la lutte contre César, qui met à feu et à sang le pays des Éburons; lui échappe, et reparaît deux ans plus tard, attirant de nouveaux désastres sur son pays et disparaissant alors de la scène. — V, 24, 26, 27, 29-31, 34, 36-38, 41; VI, 2, 5, 6, 29, 31-33, 42, 43; VIII, 24, 25.

Ambivarètes. — État de la Celtique, client des Éduens, qui sans doute s'étendait au nord-est des Arvernes, et occupait une partie du département actuel de l'Allier. — VII, 75, 90.

Ambivarites. — Petit État de la Belgique, qui s'étendait, comme l'indique son nom, sur les deux rives de la rivière Ivara « soit dans le Brabant hollandais, soit dans les basses terres de Limbourg » (Jullian). — IV, 9.

Anartes. — Peuple de la Germanie au nord de la Dacie et à l'extrémité orientale de la forêt hercynienne, et sur lequel on n'a que quelques rares renseignements de Ptolémée. — VI, 25.

Ancalites. — Peuple de la Grande-Bretagne d'origine belge, qui habitait sans doute le Nord du Berkshire et la partie occidentale du Middlesex. — V, 21.

Andes. — État celtique, qui s'étendait au nord de la Loire et sur les deux rives de la Mayenne, entre les Namnètes à l'ouest, les Aulerques Cénomans au nord et les Turones à l'est, et qui occupait le territoire qui fut depuis l'Anjou (département de Maine-et-Loire et une partie du département de la Sarthe). — II, 35; III, 7; VII, 4, 75; VIII, 26.

Andocumborius. — Chef gaulois, des pays des Rèmes, député avec Iccius auprès de César pour lui offrir la soumission de ses compatriotes. — II, 3.

Antistius Réginus (C.). — Lieutenant de César en 53 et 52; procède à des levées en Gaule; puis, l'année suivante, commande une légion devant Alésia, et, après la prise de la ville, est envoyé chez les Ambivarètes. — VI, 1; VII, 83.

Antoine. — Le futur triumvir Marc Antoine; petit-fils de l'orateur Antoine et fils de Marcus Antonius, qui avait fait la guerre en Crète; parent de César par sa mère Julia Lieutenant de César en Gaule, en 52; questeur en 51; commande, au siège d'Alésia, le secteur de la plaine des Laumes; après la prise de la ville, il commande les quartiers d'hiver de Bibracte, prend part à l'expédition contre les Bellovaques, commande les quartiers d'hiver de Belgique, soumet Commius et est élu augure. — VII, 81; VIII, 2, 24, 38, 46, 47, 48, 50.

Aquilée. — Colonie et place forte de la Gaule transpadane, à la frontière de l'Illyrie; aujourd'hui Aglar, près de Goerz. — I, 10.

Aquitaine. — Troisième partie de la Gaule, sise entre la Garonne, les Pyrénées et l'Océan Elle comprenait un grand nombre d'États d'origine ibérique, recouvrant un vieux fond ligure. — I, 1; III, 11, 20, 21, 23, 26, 27; VII, 31; VIII, 46.

Aquitains. — Habitants de l'Aquitaine (voir le mot précédent). — I, 1; III, 21

Ardennes. — Forêt des Ardennes, qui s'étendait, au temps de César, depuis les rives du Rhin jusqu'aux pays des Rèmes, à travers le territoire des Trévires, c'est-à-dire dans tout le Sud et l'Est de la Belgique actuelle. — V, 3; VI, 29, 31, 33.

Arioviste. — Arioviste, roi des Suèves; appelé en Gaule par les Arvernes et les Séquanais, il bat les Éduens, s'établit sur le territoire des Séquanais et appelle les Germains à la conquête de la Gaule; refusant une entrevue avec César, il occupe Besançon, se rencontre alors avec César à qui il oppose un insolent discours, se fait battre, est blessé, s'enfuit et meurt peu de temps après, peut-être des suites de ses blessures. — I, 31, 32, 33, 34, 36, 37, 38, 39, 40, 41, 42, 43, 44, 45, 46, 47, 48, 49, 50, 53; IV, 16; V, 29, 55; VI, 12.

Aristius (M.). — Marcus Aristius, tribun militaire, est arrêté au sortir de Chalon par les Éduens soulevés — VII, 42, 43.

Armoricains (États). — États celtiques au bord de la mer (are-mori, Armor), entre la Loire et la Seine, c'est-à-dire en Normandie et en Bretagne. — V, 53; VII, 75; VIII, 31.

Arpinéius (C.). — Caius Arpinéius, chevalier romain, ami de Titurius Sabinus, est envoyé à Ambiorix comme parlementaire — V, 27, 28

Arvernes. — L'un des plus puissants États de la Gaule celtique, les Arvernes occupaient l'Auvergne actuelle. Au IIe siècle avant J -C. il avait existé un grand empire arverne, que le père de Vercingétorix, Celtille, avait essayé de reconstituer vers 80. A l'époque de César la limite septentrionale

de l'État des Arvernes se confondait avec celle du Puy-de-Dôme. — I, 31, 45;
VII, 3, 5, 7, 8, 9, 34, 37, 38, 64, 66, 75, 77, 89, 90; VIII, 46.

Atius Varus (U.). — Quintus Atius Varus, préfet de la cavalerie sous les
ordres de Caïus Fabius; le même sans doute qui fut préfet de la cavalerie
de César pendant la guerre civile. — VIII, 28.

Atrebates. — État de la Belgique, qui occupait le pays appelé depuis
Artois (partie des départements actuels de la Somme et du Pas-de-Calais),
avec pour capitale Németocenne. — II, 4, 16, 23; IV, 21; V, 46; VII, 75;
VIII, 7, 47.

Atrius (Q.). — Quintus Atrius, officier chargé des commandements de la
flotte romaine en Grande-Bretagne pendant une absence de César. — V, 9, 10.

Atuatuque. — Atuatuque, place forte de l'État des Éburons, qu'il ne faut
pas confondre avec l'oppidum des Atuatuques. Elle était située sans doute
sur la colline de Berg, un peu au nord-ouest de la ville actuelle de Tongres,
dans le Limbourg belge. C'est dans les environs de cette place que Sabinus
et Cotta furent attirés dans une embuscade et massacrés avec la plus grande
partie de leur armée (54); et c'est là que, l'année suivante, Quintus Cicéron
à qui César avait confié la garde des bagages de l'armée, fut attaqué par les
Sicambres. — VI, 32, 35.

Atuatuques. — État de la Belgique, dont les habitants d'origine germanique, descendaient d'un détachement de Cimbres et de Teutons laissé à la
garde des bagages. Il s'étendait sur les rives de la Meuse et de la Sambre, dans
les provinces actuelles de Liège et de Namur. Leur oppidum, *Atuatucorum
oppidum*, est placé par Napoléon III à Namur même, et par Goelzer sur le
mont Falhize, près de Huy. — II, 4, 16, 29, 31; V, 27, 38, 39, 56; VI, **2**, 33.

Aulerques. — Important État de la Gaule celtique, qui occupait à peu près
la Normandie actuelle et se subdivisait en trois tribus :
1re Les *Aulerci Diablintes*, qui occupaient le bassin de la Mayenne;
2e Les *Aulerci Cenomani*, qui occupaient, au sud-est des Diablintes, le
département actuel de la Sarthe;
3e Les *Aulerci Eburovices*, qui occupaient au nord-est des Diablintes, le
département de l'Eure. — II, 34; III, 17, 29; VII, 4, 75; VIII, 7.

Aulerques Brannovices. — Fraction isolée du peuple aulerque, les
Aulerques Brannovices étaient des clients des Éduens, que certains localisent
entre la Saône et la Loire, dans l'actuel département de Saône-et-Loire. —
VII, 75.

Ausques. — État de l'Aquitaine, qui s'étendait entre les Élusates, à l'ouest,
et les Tolosates, à l'est, dans le territoire appelé Armagnac (département du Gers). Sa capitale, Iliberris, devint sous Auguste, *Augusta Auscorum*,
aujourd'hui Auch. — III, 27.

Avaricum. — Capitale des Bituriges, littéralement « la ville qui est sur
l'Avara » (Yèvre), aujourd'hui Bourges. C'était, avant le désastre de 52, l'une
des trois ou quatre plus belles et plus riches cités de la Gaule; elle ne retrouva
pas cette prospérité à l'époque romaine. — VII, 13, 15, 16, 18, 29, 30, 31,
32, 47, 52.

B

Bacenis (forêt). — Forêt de la Germanie qui, au dire de César, séparait
les Chérusques des Suèves. Elle comprenait les hauteurs boisées de la Hesse.
— VI, 10.

Baculus (P. Sextius). — Centurion primipile de la 12e légion, se signale
dans la bataille livrée aux Nerviens sur les bords de la Sambre, puis à l'attaque
du camp de Galba à Octodurus, enfin à celle du camp de Cicéron à Atuatuque.
— II, 25; III, 5; VI, 38.

Balbus (L. Cornélius). — Lucius Cornélius Balbus, né à Gadès, en
Espagne, reçut de Pompée, sur la recommandation de Lucius Cornélius Lentulus, le droit de cité romaine pour les services qu'il avait rendus à l'armée
dans la guerre contre Sertorius, se vit disputer ce droit par un de ses concitoyens, mais fut défendu victorieusement par Pompée, Crassus et Cicéron;
servit sous César dès 61 en qualité de *praefectus fabrum*; s'entremit pour
réconcilier Pompée et César après leur rupture, mais n'y réussit pas; suivit
alors César, mais sans porter les armes contre Pompée, s'employa auprès de
César en faveur de Cicéron, fut consul suffect en 40 et laissa à sa mort des
sommes considérables au peuple romain. C'est pour lui que Cicéron prononça
le *Pro Balbo*. C'est à lui qu'Hirtius a adressé la préface du livre VIII de la
guerre des Gaules. — VIII, Préf.

Baléares. — Habitants des îles Baléares et frondeurs renommés, qui servaient dans l'armée romaine comme mercenaires. — II, 7.

Balventius. — Titus Balventius, centurion primipile, grièvement blessé en combattant les Éburons, qui avaient surpris l'armée romaine dans une embuscade tendue à Cotta et à Sabinus. — V, 35.

Basilus. — Lucius Minucius Basilus, fils de Satrius et fils adoptif du riche Minucius Basilus; nommé lieutenant de César en 53, il commande la cavalerie envoyée à la poursuite d'Ambiorix; prend part, l'année suivante, au siège d'Alésia et hiverne chez les Rèmes; préteur en 45, il entre, au sortir de sa charge, dans la conspiration de Brutus et Cassius contre César et meurt quelques mois après, assassiné par ses esclaves. — VI, 29, 30; VII, 90.

Bataes. — Peuple d'origine germanique, qui habitait l'île formée par le Rhin, le Waal et la mer du Nord, aujourd'hui Betuwe. — IV, 10.

Belges. — Habitants de la Belgique, dont certaines tribus se répandirent en Grande-Bretagne. Ils étaient de la même origine que les Celtes, mais venaient d'au delà du Rhin : c'est ce qui explique que César les déclare « issus de Germains ». — I, 1, 5; II, 1, 2, 3, 4, 5, 6, 14, 15, 17, 19; III, 7, 11; IV, 38; V, 24; VIII, 6, 38, 54.

Belgique. — Nom par lequel César (deux fois) et Hirtius (quatre fois) semblent désigner non point tout le pays occupé par les Belges, mais le cœur de ce pays, c'est-à-dire le territoire habité par les Bellovaques, les Ambiens et les Atrébates. — V, 12, 25; VIII, 46, 49, 54.

Bellovaques. — État de la Belgique, qui occupait, de la Somme à l'Oise et à la Seine, le pays de Beauvais. — II, 4, 5, 10, 13, 14; V, 46; VII, 59, 75, 90; VIII, 6, 7, 12, 14, 15, 16, 17, 20, 21, 22, 23, 38.

Besançon. — Place forte des Séquanais (latin *Vesontio*). — I, 38, 39.

Bibracte. — Capitale des Éduens, sur le mont Beuvray, dans le Morvan, à 23 kilomètres à l'ouest d'Autun; la ville tirait sans doute son nom d'une source coulant sur le plateau et adorée sous le nom de *Dea Bibracte*. Les fouilles de 1867 ont mis au jour l'enceinte, des rues, des maisons et des ateliers à métaux. — I, 23; VII, 55, 63, 90; VIII, 2, 4.

Bibrax. — Place forte des Rèmes, aujourd'hui sans doute le bourg de Beaurieux, sur l'Aisne, à 11 kilomètres de Berry-au-Bac. — II, 6.

Bibroques. — Peuple de la Grande-Bretagne, qui habitait la forêt d'Anderida et occupait le territoire des comtés actuels de Surrey et de Sussex, l'Ouest du comté de Kent, et un peu du Hampshire et du Berkshire. — V, 21.

Bigerrions. — État de l'Aquitaine, dans la haute vallée de l'Adour, qui a laissé son nom au pays de Bigorre, dans le département actuel des Hautes-Pyrénées. — III, 27.

Bituriges. — L'un des plus puissants peuples de la Gaule celtique, dont le territoire occupait, outre une partie du Bourbonnais et de la Touraine, le pays appelé depuis Berry (départements actuels du Cher, de l'Indre, partie septentrionale de l'Allier). Sa capitale était *Avaricum* (Bourges). A en croire Tite-Live, V, 34-35, ce serait un roi des Bituriges, Ambigat, qui, en envoyant ses deux neveux, Bellovèse et Sigovèse, l'un en Italie, l'autre vers l'Orient, aurait fondé l'empire gaulois, qui, au IVe siècle s'étendait sur la Grande-Bretagne, l'Europe centrale (sauf la Suisse), l'Italie du Nord et la région du Moyen et du Bas-Danube. Au Ve siècle, les Bituriges avaient exercé l'hégémonie en Gaule. — I, 18; VII, 5, 8, 9, 11, 12, 13, 15, 21, 29, 75, 90; VIII, 2, 3, 4, 11.

Boduognatus. — Chef des Nerviens, qui, à la bataille de la Sambre, commandait l'aile gauche opposée aux Romains. — II, 23.

Boïens. — Peuple d'origine celtique, amenés de Germanie en Gaule par les Helvètes, vaincus avec ceux-ci, autorisés par César à s'installer sur le territoire des Éduens, entre la Loire et l'Allier, autour d'une place forte, Gorgobina. — I, 5, 25, 28, 29; VII, 9, 10, 17, 75.

Brannoviens. — Petit État de la Gaule celtique, client des Éduens, qui s'étendait sans doute, au nord des Aulerques Brannovices, dans une partie de l'ancien Bourbonnais (département actuel de l'Allier). — VII, 75.

Bratuspantium. — Capitale des Bellovaques, dans le voisinage de Beauvais. — II, 13.

Bretons. — (En latin *Britanni*, d'où îles *Britanniques*), habitants de la Grande-Bretagne. — IV, 21; V, 11, 14, 21

Bretagne. — Grande-Bretagne. — II, 4, 14; III, 8, 9; IV, 20, 21, 22, 23, 27, 28, 30, 37, 38; V, 2, 6, 8, 12, 13, 22; VI, 13; VII, 13; VII, 76.

Brutus (D. Junius). — Fils du consul de 77 et de Sempronia; fut adopté par Aulus Postumius Albinus, lieutenant de César en Gaule, commande tout

jeune (*adulescens*) la flotte romaine contre les Vénétes et détruit la flotte ennemie; conduit, en 52, sous les ordres de César, un corps d'armée sur le territoire
des Helviens, prend part au siège d'Alésia, où il commande une des deux
légions de réserve; commande, en 49, la flotte de César devant Marseille et
remporte une victoire navale sur Lucius Domitius, gouverneur de la Gaule
transalpine, en 48; il réprime, en 46, un soulèvement des Bellovaques; comblé
de faveurs par César, désigné par lui comme l'un de ses héritiers, il se laisse
cependant entraîner par son parent Marcus Brutus dans la conjuration des
ides de Mars; à la mort de César se voit disputer par Antoine le gouvernement
de la Gaule cisalpine et soutient un long siège dans Modène; poursuivi
comme meurtrier de César, il est abandonné par ses troupes et par Octave et
mis à mort sur l'ordre d'Antoine. — III, 11, 14; VII, 9, 87.

C

Caburus. — Caïus Valérius Caburus, chef gaulois du pays des Helviens,
admis au droit de cité romaine par Caïus Valérius Flaccus. — I, 47; VII, 65.
  Cadurques. — État celtique client des Arvernes, qui occupait la région
du Quercy (département du Lot actuel et partie septentrionale du Tarn-et-
Garonne). Ils ont transmis leur nom à la ville de Cahors. — VII, 4, 64, 75;
VIII, 32, 34.
  Calénus. — Quintus Fufius Calénus, de l'illustre famille Fufia; tribun du
peuple en 61, dévoué à Clodius; préteur durant le consulat de César (59);
lieutenant de César en Gaule; dans la guerre civile, suivit César tour à tour à
Brindes, puis en Espagne, puis en Épire; consul en 47 avec Vatinius; à la
mort de César, se rangea du côté d'Antoine; commandait une armée en Gaule
transalpine lorsqu'il mourut subitement en 41. — VIII, 39.
  Calètes. — Petit État de la Gaule Belgique, client des Bellovaques, qui
occupait l'actuel pays de Caux (département de la Seine-Inférieure) — II,
4; VII, 73; VIII, 8.
  Camulogénus. — Chef gaulois du pays des Aulerques, chargé, malgré son
grand âge, du commandement des forces réunies contre Labiénus, lui livra
à Lutèce un combat acharné et périt dans l'action. — VII, 57, 59, 62.
  Cantabres. — Peuple du nord de l'Espagne allié des Aquitains, qui occupait à peu près l'actuelle Biscaye; les Cantabres ne furent complètement soumis que sous Auguste. — III, 26
  Cantium. — Contrée de la Grande-Bretagne, sur la côte sud-est, aujour-
d'hui le comté de Kent. — V, 13, 14, 22.
  Carnutes. — État de la Gaule celtique, dont le territoire embrassait l'Orléa-
nais, le Blésois et le pays chartrain jusqu'à Mantes et la Seine, c'est-à-dire la
plus grande partie des départements actuels du Loiret, du Loir-et-Cher et de
l'Eure-et-Loir. Sa capitale était Génabum (Orléans). Il formait le centre géo-
graphique de la Gaule. C'est dans les forêts des Carnutes que se trouvait le
siège principal du culte druidique. — II, 35; V, 25, 29, 56; VI, 2, 3, 4, 13,
44; VII, 2, 3, 11, 75; VIII, 4, 5, 31, 38, 46.
  Carvilius. — L'un des quatre chefs du Cantium, allié de Cassivellaune. —
V, 22.
  Casses. — Peuple de la Grande-Bretagne, dont la position n'est pas très
déterminée Il était voisin des Trinovantes. — V, 21.
  Cassivellaune. — Chef breton, qui incarna en 54 la résistance contre
César; mais, abandonné par les chefs des tribus maritimes, il traita avec les
Romains et consentit à payer un tribut annuel. — V, 11, 18, 19, 20, 21, 22.
  Casticus. — Chef gaulois du pays des Séquanais, fils de l'ancien roi Cata-
mantaloédis; invité par l'Helvète Orgétorix à reprendre l'autorité royale. —
I, 3.
  Catamantaloédis. — Roi des Séquanais, père de Casticus, honoré par le
Sénat du titre d'ami du peuple romain. — I, 3.
  Caturiges. — Petit peuple celtique, qui habitait la haute vallée de la
Durance, capitale *Eburodunum* (Embrun) Son nom se retrouve dans le village
de Chorges, situé dans la région, à l'est de Gap. — I, 10
  Catuvolcus. — Chef gaulois du pays des Eburons, en partage la magistra-
ture suprême avec Ambiorix, aide celui-ci dans sa lutte contre les Romains;
mais, accablé par l'âge et les revers, il s'empoisonne en 53 — V, 24, 26; VI, 31.
  Cavarillus. — Chef gaulois, du pays des Éduens, succède à Litaviccus,
comme commandant de l'infanterie auxiliaire envoyée à César; puis, après la

défection générale des Éduens, est fait prisonnier au combat de Dijon. — VII, 67.

Cavarinus. — Roi des Sénones, porté au pouvoir par César, détrôné par ses sujets révoltés; rétabli par César sur le trône, il commande la cavalerie sénone dans la campagne contre les Trévires et Ambiorix. — V, 54; VI, 5.

Cavillon. — Place forte des Éduens, aujourd'hui Chalon-sur-Saône. — VII, 42, 90.

Celtes. — César désigne par Celtes tous les peuples de la Gaule celtique, entre la Belgique et l'Aquitaine. Antérieurement à César, les Celtes avaient occupé une grande partie de la Germanie, s'étaient répandus au nord, dans la Grande-Bretagne; au sud, dans l'Espagne (Celtibères); avaient même poussé jusqu'en Asie Mineure (Galates). — I, 1.

Celtille ou **Celtill.** — Chef arverne, père de Vercingétorix, avait eu le commandement suprême de toute la Gaule et avait été mis à mort par ses compatriotes parce qu'il aspirait à la royauté. — VII, 4.

Cénabum ou **Génabum.** — Capitale des Carnutes, plus tard *Civitas Aurelianorum*, aujourd'hui Orléans. Les manuscrits du livre VII portent toujours Génabum, et non Cénabum; mais l'orthographe Cénabum est attestée par les autres auteurs et par une inscription d'Orléans. Ses habitants sont les *Cenabenses* — VII, 3, 11, 14, 17; VIII, 5, 6, 28.

Cénimagnes. — Peuple de la Grande-Bretagne, voisin des Trinovantes, qui occupait les comtés de Norfolk et de Cambridge. — V, 21.

Cénomans. — Voir *Aulerci*.

Cérèses. — Petit État belge, client des Trévires, qui occupaient, au nord de Trèves, une partie de l'Eifel. — II, 4

César. — Caïus Julius César, l'auteur des *Commentaires* sur la guerre des Gaules. — Voir l'introduction et la notice biographique.

César (L. Julius). — Lucius Julius César, fils de Lucius Julius César consul en 90, et frère de Julie, mère de Marc Antoine, fut lui-même consul en 64 avec Lucius Marcius Figulus; lieutenant de César en Gaule, en 52; préfet de la Ville, en 47; après la mort de César, s'éloigna du parti d'Antoine et n'échappa aux proscriptions du second triumvirat que grâce à la protection de sa sœur Julie. On ignore quelle fut sa fin. — VII, 65.

Ceutrones. — 1° Petit peuple celtique de la haute vallée de l'Isère ou Tarentaise (dans la Savoie actuelle). — I, 10.

2° Petit peuple belge, client des Nerviens, qui habitait non loin de la Meuse, aux confins des Grudii et des Menapii. — V, 39.

Cévenne (mont). — Les Cévennes, dont la chaîne séparait les Arvernes des Helviens. — VII, 8, 56.

Chérusques. — Peuple de la Germanie, habitant entre l'Elbe et le Weser et séparé des Suèves par la *silva Bacenis*. — VI, 10.

Cicéron (Q. Tullius Cicero). — Quintus Tullius Cicéron, frère cadet de l'orateur, né en 102, épousa Pomponia, sœur d'Atticus, fut édile en 66, préteur en 62, gouverneur d'Asie en 61, et resta dans cette province jusqu'en 58; devient lieutenant de César en Gaule en 54, y combat les Nerviens et voit son camp assiégé par l'armée d'Ambiorix, mais lui oppose une résistance énergique qui permet à César de venir le dégager; commande la quatorzième légion au camp d'Atuatuque, où il subit encore une attaque imprévue des Sicambres; après le siège d'Alésia, est envoyé en quartiers d'hiver à Chalon-sur-Saône; en 51, quitte la Gaule et va rejoindre son frère, proconsul de Cilicie; se déclara d'abord pour Pompée pendant la guerre civile, puis se rallia à César après Pharsale; après la mort du dictateur, il se prononça violemment contre Antoine, fut proscrit et tué en 43. — V, 24, 27, 38, 39, 40, 41, 45, 48, 49, 52, 53; VI, 32, 36; VII, 90.

Cimbérius. — Chef germain de la nation des Suèves, et frère de Navua. — I, 37.

Cimbres. — Peuple germain originaire de Jutland (Chersonèse cimbrique), avaient, unis aux Teutons, envahi et ravagé la Gaule en 113, et avaient été écrasés par Marius, en 102, à Verceil, près d'Aix-en-Provence. — I, 33, 40; II, 4, 29; VII, 77.

Cingétorix. — 1° Roi breton du pays de Kent, allié de Cassivellaune. — V, 22.

2° Chef gaulois du pays des Trévires, gendre d'Indutiomare à qui il dispute le pouvoir; l'emporte sur lui avec l'aide des Romains. — V, 3, 4, 56, 57; VI, 8.

Claudius. — Appius Claudius Pulcher, consul en 54 avec Domitius Ahenobarbus; défavorable à César — V, 1.

Clodius. — Publius Clodius Pulcher, frère du précédent, agitateur populaire; tribun de la plèbe en 58, il fit exiler Cicéron; tué le 18 janvier 52, sur la voie Appienne, par les esclaves de Milon, ami de Cicéron et de Pompée. — VII, 1.

Cocosates. — État de l'Aquitaine, qui s'étendait sur la partie méridionale du département actuel de la Gironde et la partie nord-ouest du département des Landes Sa capitale était *Coequosa*, entre Dax et Bordeaux. — III, 27.

Commius. — Chef atrébate, fait roi par César; d'abord dévoué aux Romains, il accompagne César dans sa première expédition en Grande-Bretagne (55), sert l'année suivante d'intermédiaire au Breton Cassivellaune pour obtenir la paix; puis, en 53, est chargé de surveiller les Ménapiens récemment soumis. Mais en 52, il prend part au soulèvement général de la Gaule, marche au secours d'Alésia; l'année suivante, cherche de nouveau à soulever la Gaule, commande l'armée des Bellovaques de concert avec Correus, et, après la mort de celui-ci, s'enfuit d'abord chez les Germains, puis continue quelque temps encore la guerre de partisan et finit par se soumettre en se rendant à Antoine. On croit qu'il se retira ensuite en Grande-Bretagne (cf. Frontin, *Stratag.*, II, 13), où l'on a découvert des médailles à l'effigie de son fils. Anatole France, dans *Clio*, a écrit un fort joli conte, en marge de César, qui a pour titre *Komm l'Atrébate*. — IV, 21, 27, 35; V, 22; VI, 6; VII, 75, 76, 79; VIII, 6, 7, 10, 21, 23, 47, 48.

Conconnetodumnus. — Chef gaulois du pays des Carnutes, dirige, avec Gutruatus, le massacre des citoyens romains établis à Génabum (52). — VII, 3.

Condruses. — Petit peuple de la Belgique, client des Trévires, et dont l'État s'étendait au sud de la Meuse, dans l'ancien Condroz, de Namur à Liège.

Considius. — Publius Considius, officier romain, qui s'était signalé sous Sylla et Crassus; sert dans la guerre contre les Helvètes (58), mais, envoyé en éclaireur, induit César en erreur par un rapport inconsidéré. — I, 21, 22.

Convictolitave. — Chef gaulois du pays des Éduens, est élu magistrat su prême par les druides et les magistrats, et, malgré l'opposition de Cotus, se maintient au pouvoir avec l'appui de César; puis, à l'instigation des Arvernes, se déclare contre les Romains. — VII, 37, 39, 42, 55, 57.

Coriosolites. — Peuple de l'Armorique, établi dans le département actuel des Côtes-du-Nord, autour de la baie de Saint-Brieuc. Son nom se retrouve dans celui du bourg de Courseul, près de Dinan. — II, 34; III, 7, 11; VII, 75.

Corréus. — Chef gaulois du pays des Bellovaques, prend la tête du mouvement des États du nord de la Gaule contre les Romains (54) et périt dans une embuscade qu'il avait tendue à l'armée romaine sur les bords de l'Aisne. — VIII, 6, 7, 17, 18, 19, 20, 21

Cotta. — Lucius Aurunculéius Cotta, lieutenant de César; en 57, prend part à la campagne contre les Belges, et, de concert avec Sabinus, ravage le territoire des Ménapiens; en 56, enfermé avec son collègue dans le camp d'Atuatuque, résiste d'abord aux tentatives d'Ambiorix pour lui faire quitter ses positions, puis cède aux instances de Sabinus; surpris par l'ennemi, périt dans le combat — V, 24, 26, 28, 29, 30, 31, 33, 35, 36, 37.

Cotuat. — Chef gaulois du pays des Carnutes. — VII, 3.

Cotus ou **Cot.** — Chef gaulois du pays des Éduens, dispute en vain le pouvoir à Convictolitave, rejoint Vercingétorix, et tombe, dans un combat, au pouvoir des Romains. — VII, 39, 67.

Crassus. — 1° *Marcus Licinius Crassus Dives*, deux fois consul avec Pompée en 70 et 55, fit partie du premier triumvirat et reçut en partage le gouvernement de la Syrie; mais, défait complètement à Carrhes (53), il tomba entre les mains des Parthes et fut mis à mort. — I, 21; IV, 1; VIII, 53.

2° *Marcus Licinius Crassus Dives*, fils aîné du précédent, succède à son frère cadet comme lieutenant de César, en 56, avec le titre de questeur; est envoyé avec trois légions dans le Belgium, puis chez les Bellovaques, d'où il est appelé au secours de Quintus Cicéron assiégé par Ambiorix; en 53, prend part à la soumission des Ménapiens; demeure fidèle à César pendant la guerre civile, devint, en 49, gouverneur de la Gaule cisalpine. — V, 24, 46, 47; VI, 6.

3° *Publius Licinius Crassus Dives*, *adulescens*, fils cadet du consul et frère du précédent, part avec César pour la guerre des Gaules en qualité de lieutenant, participe à la guerre contre Arioviste et à la soumission des États maritimes des côtes de l'Océan; puis, soumet une partie de l'Aquitaine; devient augure en 56; emmené par son père en Syrie, périt en 53 au combat livré à Carrhes contre les Parthes. — I, 52; II, 34; III, 7, 8, 9, 11, 20, 21, 22, 23, 24, 25, 26, 27; VIII, 46.

Crétois. — Habiles archers, étaient employés comme mercenaires dans l'armée romaine. — II, 7.

Critognat. — Chef gaulois du pays des Arvernes; enfermé dans Alésia, il s'oppose à toute capitulation et propose de nourrir les défenseurs de la place avec les corps de ceux que leur âge rendait inutiles à la guerre. — VII, 77, 78.

Curion. — *Caïus Scribonius Curio*, tribun de la plèbe en 50, avait sauvé la vie à César menacé de mort par les chevaliers pour avoir défendu les complices de Catilina; il suivit d'abord le parti de Pompée, puis, perdu de dettes, se vendit à César, dont il devint un agent très habile; pendant la guerre civile, il chassa Caton de la Sicile et passa de là en Afrique, mais battu par Juba et Varus, il se perça de son épée (47). — VIII, 52.

D

Daces. — Peuple thrace, qui occupait à peu près la Roumanie actuelle. La Dacie devint une province romaine en 107, sous Trajan. — VI, 25.

Danube. — Le *fleuve* Danube. — VI, 25.

Decize. — Anciennement *Decetia*, ville des Éduens.

Diablintes. — Voir *Aulerques*.

Dis Pater. — Pluton. César donne son nom à une grande divinité gauloise, peut-être Teutatès, dont les Gaulois se disaient issus. — VI, 18.

Diviciac. — 1º Diviciac, druide gaulois du pays des Éduens, frère de Dumnorix, dévoué aux Romains; en 63, était allé à Rome implorer le secours du Sénat contre les Séquanais, n'obtenant que de bonnes paroles; au moment de l'invasion des Helvètes, engage les Éduens, en dépit de Dumnorix, à appeler au secours les Romains et obtient de César la grâce de Dumnorix; demande à César, au nom de toute la Gaule, d'intervenir contre Arioviste; l'année suivante, pousse les Éduens à marcher contre les Belges, puis intercède en faveur des Bellovaques. Il n'est plus question de Diviciac après la mort de Dumnorix, tué sur l'ordre de César; on ignore ce qu'il devint. — I, 3, 16, 18, 19, 20, 31, 32, 41; II, 5, 10, 14, 15; VI, 12; VII, 39.

2º Diviciac, roi des Suessions qui étendit sa domination jusqu'en Grande-Bretagne. — II, 4.

Divicon. — Chef helvète du pays des Tigurins, qui avait défait et tué le consul Lucius Cassius Longinus en 107; est député auprès de César après la défaite subie par les Helvètes en 58, mais ne peut faire accepter ses propositions. — I, 13, 14.

Domitius. — Lucius Domitius Ahenobarbus, consul en 54 avec Appius Claudius Pulcher. — V, 1.

Domnotaurus. — Caïus Valérius Domnotaurus, chef gaulois du pays des Helviens, fils de Caburus, frère de Procillus, périt dans un combat contre les peuples voisins soulevés par Vercingétorix. — VII, 65.

Doubs. — La rivière Doubs (en lat. *Dubis*) I, 38.

Drappes. — Chef gaulois du pays des Sénones, fait aux Romains une guerre de partisans et intercepte leurs convois; en 51, tente, avec Lucérius, d'envahir la Province; mais est forcé de se réfugier dans Uxellodunum; tombe au pouvoir des Romains dans un combat d'avant-poste et se laisse mourir de faim. — VIII, 34, 35, 36, 39, 44.

Dumnacus. — Chef gaulois du pays des Andes, est mis à la tête de la confédération des peuples de l'Ouest soulevés en 51; assiège dans Lemonum (Poitiers) le traître Duratius, roi des Pictons, mais est forcé de lever le siège par Caïus Fabius; battu dans sa retraite, il se réfugie, après la soumission des Andes, dans les forêts de l'Armorique. — VIII, 26, 27, 29, 31.

Dumnorix. — Chef gaulois du pays des Éduens, frère de Diviciac, mais du parti opposé à celui des Romains; il épouse la fille de l'Helvète Orgétorix, qui le pousse à s'emparer du pouvoir suprême (61) et intervient secrètement auprès des Séquanais pour qu'ils livrent passage aux Helvètes (58); chef de la cavalerie éduenne, auxiliaire de César, il se laisse volontairement battre par les Helvètes, et ne doit sa grâce qu'à l'intervention de son frère Diviciac; César, sur le point de partir pour la Grande-Bretagne, veut l'emmener, par prudence, avec lui, mais Dumnorix s'échappe et se fait massacrer dans sa fuite. — I, 3, 9, 18, 20; V, 6, 7.

Duratius. — Chef gaulois, roi des Pictons, allié des Romains; assiégé par Dumnacus dans Lemonum, il est délivré par Caïus Fabius; il obtient de César le droit de cité romaine. — VIII, 26, 27.

Durocortore. — Capitale des Rèmes, aujourd'hui Reims. — VI, 44.

E

Éburons. — Peuple de la Belgique, client des Trévires, qui occupait une partie des provinces de Liège et de Limbourg, et s'avançait jusqu'au Rhin, vers Cologne, par l'ancien duché de Juliers. — II, 4; IV, 6; V, 24, 28, 29, 39, 47, 58; VI, 5, 31, 32, 34, 35.

Éduens. — (Lat. *Haedui*), l'un des plus puissants peuples de la Gaule, allié des Romains, qui habitant, entre Loire et Saône, un territoire s'étendant sur les départements actuels de la Saône-et-Loire, de la Nièvre, et, partiellement, de la Côte-d'Or et de l'Allier. Les Éduens, rivaux des Arvernes, partageaient avec ceux-ci l'hégémonie de la Gaule celtique, au Ier siècle. Situés au point de jonction des vallées de la Loire, de la Seine et de la Saône, ils étendaient leur influence jusqu'en Belgique par leur alliance avec les Bellovaques. — I, 10, etc.

Eleutètes. — Peuple de la Gaule, client des Arvernes. — VII, 75.

Elusates. — Peuple d'Aquitaine, dans l'ancien comté du Condomois (nord-ouest du département actuel du Gers); la capitale de leur pays était Elusa, aujourd'hui Eauze. — III, 27.

Epasnactus. — Epasnactus, chef gaulois du pays des Arvernes, connu par son dévouement servile aux Romains; après la prise d'Uxellodunum, livre à leur vengeance le fugitif Lucter, qui lui avait demandé asile. — VIII, 44.

Eporedorix. — 1° Chef gaulois du pays des Éduens, rival de Viridomare, commande avec celui-ci un corps de cavalerie auxiliaire de César; donne avis au proconsul de la trahison de Litaviccus, mais, bientôt après, d'accord avec Viridomare, il trahit à son tour César et se met à la disposition de Vercingétorix; il est l'un des quatre chefs gaulois mis à la tête de l'armée de secours d'Alésia. — VII, 38, 39, 40, 54, 55, 63, 64, 76.

2° Autre chef gaulois, du même pays, mais dont on ne sait s'il est le père ou même le parent du précédent; commande en chef dans la guerre contre les Séquanais, et reparaît dans l'armée de Vercingétorix pour être fait prisonnier à la bataille de Dijon. — VII, 67.

Ératosthène. — Ératosthène de Cyrène, le plus grand géographe de la Grèce, né en 275, étudia à Alexandrie sous Lysanias et Callimaque, puis suivit à Athènes les leçons des philosophes Ariston de Chios et Arcésilas; rappelé à Alexandrie par Ptolémée III Evergète, il se vit confier en 230, après la mort de Callimaque, les fonctions de conservateur de la grande bibliothèque; il se donna la mort en 194; il avait écrit beaucoup d'ouvrages dont il ne reste que quelques fragments publiés par Hiller en 1872. Poète, archéologue, mathématicien, géographe, il était universel. — VII, 24.

Escaut. — (Latin *Scaldis*.) César en fait, par erreur, un affluent de la Meuse, parce que les deux fleuves communiquaient sans doute vers leurs embouchures; au XVIe siècle encore, la Vieille Meuse et l'Escaut communiquaient. — VI, 33.

Espagne. — Ou plutôt toute la péninsule ibérique actuelle (Espagne et Portugal). Les Romains y avaient formé deux provinces : l'*Espagne citérieure*, en deçà de l'Èbre, et l'*Espagne ultérieure*, au delà de l'Èbre. — I, 1; V, 13, 27; VII, 55.

F

Fabius. — 1° *Quintus Fabius Maximus Allobrogicus*, consul en 121, remporta une grande victoire sur les Arvernes et les Ruténes. — I, 45.

2° *Caïus Fabius*, nommé lieutenant de César en 56; il commande, en 54, une légion chez les Morins, la mène délivrer Quintus Cicéron assiégé dans son camp, prend part à la soumission des Ménapiens, au siège de Gergovie, au siège d'Alésia, à la campagne contre les Bellovaques; conduit 25 cohortes en Aquitaine, défait sur sa route Dumnacus, chef des Andes, va soumettre les Carnutes et les Armoricains, revient prendre part au siège d'Uxellodunum; en dernier lieu, il établit ses quartiers d'hiver chez les Éduens — V, 24, 46, 47, 53; VI, 6; VII, 40, 41, 87, 90; VIII, 6, 24, 27, 28, 37, 54.

3° *Lucius Fabius*, centurion de la septième légion, se signale par son courage à Gergovie, monte sur le rempart et y trouve la mort. — VII, 47, 50.

Fufius. — Caïus Fufius Cita, chevalier romain chargé de l'intendance des vivres, est assassiné à Cénabum, en 52, par les Carnutes. — VII, 8.

G

Gabales. — Peuple celtique client des Arvernes, qui occupait au sud des Arvernes, à l'est des Rutènes et au nord de la Province, les Casses du Gévaudan (département actuel de la Lozère). Leur capitale était *Ant'eritum*, aujourd'hui Anterrieux.

Gabinius. — Aulus Gabinius, tribun du peuple en 69, fit passer la loi qui accordait à Pompée pleins pouvoirs pour détruire les Pirates; consul en 58 avec Lucius Pison, il se ligua avec Clodius contre Cicéron; nommé gouverneur de Syrie en 57, il défit Aristobule près de Jérusalem, puis se maintint plusieurs années dans sa province en dépit du Sénat, et aida même le roi Ptolémée Aulète à remonter sur le trône d'Égypte; exilé pour ces motifs, fut rappelé à Rome par César, chargé après Pharsale du gouvernement de l'Illyrie, et mourut à Salone en 47. — I, 6.

Galba. — 1° *Galba*, roi gaulois du pays des Suessions, successeur de Diviciac; il reçoit le commandement suprême des Belges ligués contre César, se fait battre et doit livrer ses deux fils en otages aux Romains. — II, 4, 13.

2° *Servius Sulpicius Galba*, petit-fils de l'orateur de ce nom, consul en 144, avait déjà fait la guerre en Gaule en 61, lorsqu'il fut choisi comme lieutenant par César. En 55, il est chargé d'assurer les communications à travers les Alpes et livre plusieurs combats aux Nantuates, aux Seduniens et aux Véragres, est assiégé dans son camp par ceux-ci, et, après avoir repoussé les assaillants avec peine, revient dans la Province; quitte l'armée en 54, est élu préteur, échoue en 50 au consulat. Malgré l'amitié que César lui avait montrée, participa à la conjuration des ides de Mars et servit ensuite contre Antoine sous le consul Hirtius; poursuivi plus tard comme meurtrier de César, il s'enfuit et mourut en exil. — III, 1, 3, 5, 6; VIII, 50.

Garonne. — Le fleuve Garonne. — I, 1.

Garumnes. — Peuple de l'Aquitaine, qui habitait les pentes des Pyrénées, vers les sources de la Garonne, dans le Midi du département de la Haute-Garonne — III, 27.

Gates. — Peuple de l'Aquitaine, habitant au confluent du Gers et de la Garonne, dans le département actuel du Gers. — III, 27.

Gaule. — César désigne sous le nom de Gaule (lat. *Gallia*) tantôt la Gaule indépendante tout entière (Belgique, Celtique et Aquitaine), tantôt la Gaule celtique proprement dite. Hirtius l'emploie une fois (VIII, 46) pour désigner la Belgique et la Celtique, par opposition à l'Aquitaine.

La Gaule soumise aux Romains avant César est appelée par lui *Gallia provincia* ou *Provincia* (voir ce mot) : c'est la Gaule transalpine, appelée, à partir d'Auguste, Narbonnaise.

La Gaule indépendante, avec la Province, forme un ensemble que César appelle *Gallia transalpina* ou *ulterior*, par opposition à la *Gallia cisalpina* ou *citerior*, qui est l'Italie du Nord, réduite en province dès 191, et qui est appelée encore par César *citerior Provincia*, par opposition à la Narbonnaise. Cette Province citérieure comprend deux parties : la Cispadane, dont les habitants sont citoyens romains depuis 89, et le Transpadane dont les habitants ne reçurent le droit de cité qu'en 48 D'où le nom de *Gallia togata*, donné par Hirtius à la Gaule cisalpine, qui avait adopté les mœurs romaines et dont les habitants portaient la toge

Dans cet ordre d'idées la *Gallia togata* s'opposait à la *Gallia braccata* (Province narbonnaise et Aquitaine), dont les habitants portaient des espèces de pantalons appelés braies (*braccatae*)

Enfin, par *Gallia comata*, on entend la Gaule proprement dite, dont les habitants portaient de longs cheveux.

Gaulois. — Les Gaulois (de la racine *gal*, brave) sont les habitants de la Gaule indépendante Dans deux passages (I, 1 et VII, 30), le mot désigne seulement les habitants de la Gaule celtique, opposés aux Aquitains et aux Belges — I, 1, etc.

Geidumnes. — Petit peuple de la Belgique client des Nerviens, qui habitait sur la rive droite de la Meuse, entre les Atuatuques et les Pleumoxiens. — V, 39

Genabum. — Voir *Cenabum*

Genève. — (Lat *Genova* ou *Genua*), place forte de la Province romaine, à l'entrée du lac Léman et sur la frontière du pays des Helvètes; devient sous l'Empire un *vicus* de la colonie de Vienne. — I, 6, 7

Gergovie. — Capitale de l'État des Arvernes, place forte située sur un plateau isolé, dit aujourd'hui plateau de Gergoy, commune de La Roche-Blanche (Puy-de-Dôme), à 6 kilomètres au sud de la ville actuelle de Clermont-Ferrand, et qui commandait la plaine de la Limagne. Le nom de Gergovie est porté depuis 1862 par le village voisin, autrefois Merdogne. — VII, 4, 34, 36, 37, 38, 40, 41, 42, 43, 45.

Germains, Germanie. — Sous le nom de Germains, César entend surtout les peuples qui habitent au delà du Rhin *(Germani transrhenani)*, mais il donne aussi ce nom à un certain nombre de peuples habitant en deçà du Rhin *(Germani cisrhenani).* — I, 1, etc.

Gobannition. — Chef gaulois du pays des Arvernes, oncle de Vercingétorix, veut s'opposer aux projets de révolte de son neveu; le chasse de Gergovie, mais il en est chassé à son tour par les partisans de Vercingétorix. — VII, 4.

Gorgobina. — Place forte des Boïens, située soit au confluent de l'Allier et de la Loire, et ce serait aujourd'hui Saint-Parize-le-Châtel (Nièvre), soit plutôt dans la vallée de l'Aubois, petit affluent de gauche de la Loire, et ce serait aujourd'hui La Guerche. — VII, 9.

Graiocèles. — Petit peuple habitant les pentes des Alpes Grées, près du mont Cenis. — I, 10.

Grudiens. — Peuple de la Belgique, client des Nerviens, habitant sans doute le territoire de la Flandre orientale, aux environs d'Oudenarde.

Gutruat. — Chef gaulois du pays des Carnutes, instigateur du grand soulèvement qui suivit le supplice d'Acco en 52, survit au désastre d'Alésia et se dérobe quelque temps à la poursuite des Romains; mais, après la soumission des Bellovaques, César se le fait livrer par les Carnutes eux-mêmes et lui inflige un cruel supplice. — VIII, 38.

H

Harudes. — Peuple de la Germanie, qui occupait à peu près les territoires de l'Elbe inférieure, dans la région de Hambourg. — I, 31, 37, 51.

Helvètes. — Peuple de race celtique, qui occupait la Suisse actuelle, après avoir longtemps habité, selon Tacite, entre la forêt hercynienne, le Rhin et le Main. Leur État se divisait en quatre « pays », dont deux : le pays *Tigurin* et le pays *Verbigène*, sont nommés par César; il comptait 42 places fortes et 400 bourgs. — I, 1 et *passim;* IV, 10; VI, 25; VII, 75.

Helviens. — Peuple de la Gaule celtique, qui occupait, à la lisière de la Province romaine, l'ancien Vivarais (département actuel de l'Ardèche); les Cévennes les séparaient, au nord-ouest, des Arvernes. — VII, 7, 8, 64, 65.

Hercynienne (forêt). — La forêt hercynienne s'étendait de la Forêt-Noire jusqu'aux Carpathes. — VI, 24, 25.

Hibernie. — Aujourd'hui l'Irlande. — V, 13.

Hirtius. — Aulus Hirtius, ami de Cicéron, qui embrassa le parti de César, dont il fut le lieutenant en Gaule et dont il compléta les *Commentaires* par le 8e livre; consul en 43 avec Caïus Vibius Pansa, il périt à Modène avec son collègue. — VIII, *Préf.*

I

Iccius. — Chef gaulois du pays des Rèmes est député auprès de César, puis défend Bibrax attaqué par les Belges. — II, 3, 6, 7.

Illyrique. — Province romaine, comprenant, sur la côte orientale de l'Adriatique, une partie du Frioul, de l'Istrie et de la Dalmatie. — II, 35; III, 7; V, 1.

Indutiomare. — Chef gaulois du pays des Trévires, dispute le pouvoir à son gendre Cingétorix qui est appuyé par les Romains; essaie d'attirer les Germains dans son parti, appelle à lui tous les proscrits de la Gaule, soulève plusieurs États, fait déclarer Cingétorix traître et ennemi de la patrie; il est vaincu et tué en attaquant le camp de Labiénus. — V, 3, 4, 26, 53, 55, 57, 58; VI, 2.

Italie. — Nom par lequel César désigne tantôt la Gaule cisalpine, tantôt toute la péninsule italique. — I, 10, 33, 40; II, 29, 35; III, 1; V, 1, 29; VI, 1, 32, 44; VII, 1, 6, 7, 55, 57, 65; VIII, 50, 54, 55.

Itius Portus. — Port du pays des Morins, sans doute Boulogne. — V, 2, 5.

J

Junius. — Quintus Junius, Espagnol au service de César. — V, 27, 28.
Jupiter ou **Juppiter.** — César lui assimile le dieu gaulois Téranis. — VI, 17.
Jura. — Le mont Jura. — I, 2, 6, 8.

L

Labérius. — Quintus Labérius Durus, tribun militaire, tué au cours de la seconde expédition de Bretagne. — V, 15.
Labiénus. — Titus Attius Labiénus, le meilleur lieutenant de César en Gaule, tribun du peuple en 63, accusateur de Rabirius; en 61, prend part à la guerre des Helvètes et commande l'armée en l'absence de César; en 60, prend part à la campagne contre les Belges, puis est chargé de maintenir dans le devoir les peuples du nord-est et de fermer aux Germains le passage du Rhin, de réprimer la révolte des Morins, enfin d'assurer le retour de César lors de sa seconde expédition en Bretagne; en 54, campé chez les Rèmes, arrête le soulèvement des États limitrophes, porte la guerre chez les Trévires, défait et tue leur chef Indutiomare, les soumet, puis porte les armes romaines jusqu'à l'Océan, aux frontières de Ménapiens; en 52, marche contre les Sénones et les Parisiens, défait et tue Camulogène près de Lutèce, rejoint César, participe aux dernières opérations contre Alésia, hiverne chez les Séquanais; en 51, achève la destruction des Éburons, réduit et fait prisonniers les chefs Trévires. Quand la guerre civile éclata, bien que comblé des faveurs de César et enrichi par la guerre des Gaules, Labiénus prit le parti de Pompée, passa après Pharsale en Afrique, puis en Espagne, où il trouva la mort à Munda, en 45. — I, 10, 21, 22, 54; II, 1, 26; III, 11; IV, 38; V, 8, 11, 23, 24, 27, 37, 46, 47, 53, 56, 57, 58; VI, 5, 7, 8, 33; VII, 34, 56, 57, 58, 59, 61, 62, 86, 87, 90; VIII, 6, 23, 24, 25, 45, 52.
Latovices. — Peuple germain, voisin des Helvètes, mentionné seulement dans César. — I, 5, 28, 29.
Léman. — Le lac Léman — I, 2, 8; III, 1.
Lémonum. — Place forte et capitale des Pictons, au confluent du Clain et de la Boivre, aujourd'hui Poitiers. Le nom vient de *lemo « orme »*. — VIII, 26.
Lémovices. — 1° Peuple de l'Armorique, qui habitait sans doute la région de Paimbœuf et de Clisson — VII, 4, 75, 88.
2° Peuple de la Gaule, les Limousins actuels. — VIII, 46.
Lentulus. — Lucius Cornélius Lentulus, consul en 49 avec Caïus Claudius Marcellus, se déclara pour Pompée, le suivit en Égypte et périt égorgé avec lui. — VIII, 1, 50.
Lépontes. — Peuple de la Province romaine, qui habitait sans doute, entre le Saint-Gothard et le lac Majeur, dans le canton du Tessin, la région nommée Lévantine *(Valle Levantina)*. — IV, 10.
Leuques. — Peuple de la Belgique, habitant le pays de Toul. — I, 40.
Lévaques. — Petit peuple de la Belgique, client des Nerviens, habitant sur les bords de la Lièvre, près de Gand — V, 39.
Lexoviens. — Peuple de la Celtique, dans l'Armorique, habitant le pays de Lisieux. — III, 9, 11, 17, 29; VII, 75.
Lingons. — Peuple de la Celtique, qui occupait la plus grande partie du département de la Haute-Marne, et une fraction des départements de l'Aube, de l'Yonne et de la Côte-d'Or. Sa capitale était Langres. — I, 26, 40; IV, 10; VI, 44; VII, 9, 63; VIII, 11
Liscus. — Chef gaulois du pays des Éduens, vergobret en 58 dénonce à César les projets de Dumnorix. — I, 16, 18.
Litaviccus. — Chef gaulois du pays des Éduens et de la ville de Chalon, entre avec ses frères dans les projets de Convictolitave, pousse à la révolte un corps de 10 000 Éduens envoyé à César, est dénoncé par Eporédorix, et obligé de s'enfuir à Gergovie; reparaît à Bibracte, où il travaille à entraîner les Éduens du côté de Vercingétorix — VII, 37, 38, 39, 40, 42, 43, 54, 57.
Loire. — Le fleuve Loire (lat. *Liger*). — III, 9; VII, 5, 11, 55, 56, 59; VIII, 27.
Longinus. — Lucius Cassius Longinus, consul avec Marius en 107, se laissa surprendre par les Helvètes commandés par Divicco, et périt avec la plus grande partie de son armée. — I, 7, 12, 13.

Lucanius. — Quintus Lucanius, centurion primipile, est tué en combattant courageusement avec l'armée surprise dans une embuscade des Éburons, près d'Atuatuque. — V, 35.

Luctérius. — Luctérius, chef gaulois du pays des Cadurques, est chargé par Vercingétorix, en 52, de soulever les Rutènes et de menacer la Province romaine, puis prend part à la défense d'Alésia ; en 51, après avoir tenté une seconde fois d'envahir la Province romaine, s'enferme dans Uxellodunum, y soutient un siège opiniâtre et n'échappe au vainqueur que pour tomber aux mains de l'Arverne Epasnactus, qui le livre à César — VIII, 30, 32, 34, 35, 39.

Lugotorix. — Chef breton du pays de Kent, allié de Vercassivellaune, fait prisonnier par les Romains. — V, 22

Lutèce. — Ville de la Gaule celtique, anciennement *Lucotetia* et capitale des Parisiens, aujourd'hui la Cité, au centre de Paris. — VI, 3 ; VII, 57, 58.

M

Mâcon. — Ville des Éduens (lat. *Matisco*). — VII, 90.

Magétobrige. — Ville de la Gaule celtique, dans le pays des Séquanais. — I, 31.

Mandubiens. — Petit peuple de la Gaule celtique client des Éduens, qui occupait, entre les Lingons et les Éduens, l'ancien pays d'Auxois (Côte-d'Or). Sa capitale était Alésia — VII, 68, 71, 78.

Mandubracius. — Chef breton du pays des Trinobantes, se réfugie en Gaule auprès de César, après la mort de son père tué par Cassivellaune ; est ramené dans son pays et rétabli dans son autorité par César. — V, 20, 22.

Manlius. — Lucius Manlius, envoyé comme proconsul dans la Narbonnaise en 77, à la place de Lépide, alla porter secours en Espagne à Quintus Metellus, mais fut battu par Hirtuléius, questeur de Sertorius ; à son retour en Gaule, se laissa surprendre par les Aquitains, perdit tout ce qui lui restait de troupes et rentra presque seul dans la Province romaine. — III, 20.

Marcellus. — 1° *Caïus Claudius Marcellus*, consul en 49, ennemi de César. — VIII, 50.

2° *Caïus Claudius Marcellus*, consul en 50, cousin du précédent. — VIII, 48, 55

3° *Marcus Claudius Marcellus*, consul en 49, frère du premier, ennemi de César. — VIII, 53

Marcomans. — Peuple de la Germanie qui, comme l'indique son nom, occupait les marches de la frontière, sur le Mein ; plus tard, émigra en Bohême. — I, 51.

Marius. — Caïus Marius, le célèbre vainqueur des Cimbres et des Teutons en 102 et 101. — I, 40

Marne (la). — (Lat *Matrona*). — I, 1.

Mars. — Dieu de la guerre, que César apparente au dieu gaulois Ésus. — VI, 17.

Mediomatrices. — Peuple de la Belgique, cantonné sur la Moselle, entre les Trévires et les Leuques Sa capitale était *Divodurum*, plus tard *Mettis*, aujourd'hui Metz — IV, 10 ; VII, 75

Meldes. — Petit peuple de la Gaule, habitant, entre la Seine et la Marne, la plaine de la Brie ; sa capitale était Meaux — V, 5.

Ménapiens (ou Ménapes). — Peuple belge cantonné aux bouches du Rhin et de l'Escaut, au nord des Morins, des Nerviens et des Éburons. — II, 4 ; III, 9, 28 ; IV, 4, 22, 38 ; VI, 2, 33.

Messala. — Marcus Valérius Messala, consul en 61 avec Marcus Puppius Pison Il est question de lui dans Cicéron, *Brutus* et *Ad Atticum*. — I, 2, 25

Métius. — Marcus Métius, hôte d'Arioviste, est député vers lui par César avec le Gaulois Marcus Valérius Procillus, mais est retenu prisonnier et ne doit son salut qu'à la défaite d'Arioviste ; c'était sans doute quelque négociant italien — I, 47, 53

Metlosedum. — Place forte des Sénones, que les manuscrits orthographient Meclosedum, Mellosedum, Metiosedum et Metlosedum, c'est-à-dire demeure de Metlos, plus tard Metlodunum, château de Metlos, et aujourd'hui Melun — VII, 58, 60, 61

Meuse (la). — IV, 9, 10, 12, 15, 16 ; V, 24 ; VI, 33

Mona. — Ile de Man, à mi-chemin entre la Grande-Bretagne et l'Irlande, qui portait le même nom qu'Anglesey, située au plus sud. — V, 13.

Morins. — Peuple de la Belgique maritime, entre les Ambiens et les Ménapiens, c'est-à-dire occupant la partie occidentale des départements du Pas-de-Calais, du Nord, des provinces belges de Flandre et de Zélande — II, 4; III, 9, 28; IV, 21, 22, 37, 38; V, 24; VII, 75, 76.

Moritasgus. — Chef gaulois du pays des Sénones, roi avant l'arrivée de César et frère de Cavarinus; un dieu du même nom avait son temple sur le plateau d'Alésia. — V, 54

Munatius Plancus (L.). — Lucius Munatius Plancus, issu d'une illustre famille plébéienne; fut l'un des plus fidèles partisans de César; après la seconde expédition en Grande-Bretagne, commande une légion dans le Belgium, puis chez les Carnutes; lieutenant de César en Espagne (49), puis en Afrique; en 44, gouverneur de la Gaule transalpine, moins la Narbonnaise et la Belgique, il y fonde les colonies de Lugdunum (Lyon) en 43, et de Raurica; consul en 42, prit part à la guerre de Pérouse, devint gouverneur de Syrie, suivit d'abord Pompée en Égypte, puis passa à Antoine, à qui il proposa, en 37, de décerner le titre d'Auguste; censeur en 22 Il était le voisin de campagne et l'ami d'Horace qui lui a dédié l'une de ses odes (I, 7). On ignore la date de sa mort. — V, 24, 25.

N

Nammeius. — Chef gaulois du pays des Helvètes, est député auprès de César avec Veraclutius pour lui demander le passage à travers la Province romaine. — I, 7

Namnètes. — Peuple de l'Armorique, qui habitait la région actuelle de Nantes. — III, 9

Nantuates. — Peuple de la haute vallée du Rhône, vers Saint-Maurice — III, 1, 6; IV, 10.

Narbonne. — Narbonne, colonie romaine fondée en 118 sous le nom de *Narbo Martius*, et devenue la capitale de la Gaule narbonnaise. — III, 20; VII, 7; VIII, 46.

Navua. — Chef germain du pays des Suèves, frère de Cimbérius, commandait avec lui les cent *pagi* qui essayèrent de passer le Rhin. — I, 37

Némates. — Peuple de la Germanie, cantonné à peu de distance à droite du Rhin, dans la région de Spire. — I, 51; VI, 25.

Nemetocenne. — Ville des Atrébates, sans doute Arras, qui est nommée d'habitude Nemetacum. — VIII, 46, 52.

Nerviens. — Peuple belge, cantonné entre l'Escaut et la Sambre et qui occupait au nord jusqu'à la région occidentale d'Anvers. — II, 4, 15, 16, 17, 19, 23, 28, 29, 32; V, 24, 38, 39, 41, 42, 45, 46, 48, 56, 58; VI, 2, 3, 29; VII, 75.

Nitiobroges ou Nitiobriges. — Peuple de la Gaule celtique, habitant sur les deux rives du Lot, le pays voisin d'Agen. — VII, 7, 31, 46, 75.

Noreia. — Capitale du Norique, aujourd'hui Neumarkt (Styrie).

Norique. — Le Norique, région comprenant la Styrie, la Carinthie et la Carnie; il était gouverné, en 58, par un roi, Voecion. — I, 5, 53.

Noviodunum. — C'est-à-dire Château-Neuf

1° *Noviodunum Biturigum*, place forte des Bituriges, sans doute Neuvy-sur-Barangeon. — VII, 12, 14.

2° *Noviodunum Haeduorum*, place forte des Éduens, sans doute Nogent, village de la commune de Lamenay, à 2 kilomètres sur la rive gauche de la Loire, en amont de Decize. — VII, 55

3° *Noviodunum Suessionum*, place forte des Suessions, sur la colline de Pommiers, près de Soissons. — II, 12.

Numides. — Peuple du nord-est de l'Afrique, qui fournissait à César des contingents d'infanterie légère — II, 7, 10, 24.

O

Océan. — 1° L'Atlantique. — I, 1; II, 34; III, 7, 9, 13; IV, 29; VII, 4, 75; VIII, 31, 46.

2° La Mer du Nord. — IV, 10; VI, 31, 33.

Ocelum. — Capitale des Graiocèles, sans doute Avigliana, sur la Dora Riparia — I, 10.

Octodurus. — Capitale des Véragres, sur les deux rives de la Drance, affluent du Rhône, aujourd'hui Martigny dans le Valais. — III, 1

Ollovicon. — Roi des Nitiobriges, père de Teutomatus, reçoit du Sénat romain le titre d'ami. — VII, 31.

Orgétorix. — Chef gaulois du pays des Helvètes, engage ses compatriotes à émigrer en Gaule; invite Casticus et Dumnorix à s'unir à lui pour soumettre toute la Gaule; ses projets ambitieux sont dénoncés aux Helvètes; il échappe à une condamnation, mais meurt presque aussitôt; sa fille, mariée par lui à Dumnorix, tombe au pouvoir des Romains. — I, 2, 3, 4, 9, 26.

Osismes. — Peuple de l'Armorique, habitant le Finistère. — II, 34; III, 9; VII, 75.

P

Parisiens. — Petit peuple de la Gaule, habitant au confluent de la Seine et de la Marne; sa capitale était Lutèce. — VI, 3; VII, 4, 34, 57, 75.

Paulus (L. Æmilius). — Fils de Lépide, d'abord au nombre des accusateurs de Catilina, puis, acheté par César, passa du côté de celui-ci; consul en 50 avec Caïus Claudius Marcellus. — VIII, 48.

Pedius. — Quintus Pedius, neveu de César par sa sœur aînée Julie, et son lieutenant en Gaule; en 57, y conduit deux légions nouvellement levées en Italie et prend part à la campagne contre les Belges; en 55, quitte l'armée; en 54, devient édile; lutta pour César pendant la guerre civile et attacha son nom à la loi votée contre les meurtriers du dictateur; consul subrogé en 43, mourut cette année même. — II, 2, 11.

Pémanes. — Petit peuple de la Belgique, d'origine germanique et client des Trévires, habitant à l'est de la Meuse. — II, 4.

Petrocoriens. — Peuple de la Celtique, habitant l'ancien Périgord, dans le département actuel de la Dordogne. — VII, 75.

Petronius. — Marcus Petronius, centurion de la 8ᵉ légion, se sacrifie pour sauver ses soldats à Gergovie. — VII, 50.

Petrosidius. — Lucius Petrosidius, porte-aigle, périt en combattant courageusement après la surprise de l'armée romaine par les Éburons. — V, 37.

Pictons. — Peuple de la Gaule, dans l'ancien Poitou, plus tard *Pictavi*, aujourd'hui Poitevins. Sa capitale était *Lemonum* (Poitiers). — III, 11; VII, 4, 75; VIII, 26, 27.

Pirustes. — Peuple barbare voisin de l'Illyrie, habitant probablement le nord de l'ancienne Épire et de l'actuelle Albanie. — V, 1.

Pison. — 1º *Lucius Calpurnius Piso Caesoninus*, consul en 112 avec Marcus Livius Drusus, suivit en Gaule le consul Lucius Cassius Longinus et périt avec lui, en 107, en combattant les Tigurins. — I, 16.

2º *Marcus Pupius Piso Calpurnianus*, consul en 61 avec Marcus Valérius Messala. — I, 2, 35.

3º *Lucius Calpurnius Piso Caesonianus*, petit-fils du premier, fit épouser à César sa fille Calpurnia; consul en 58 avec Aulus Gabinius, fit exiler Cicéron; gouverneur de la Macédoine en 57, s'y fit remarquer par ses débauches et ses rapines; censeur en 50. — I, 6, 12.

4º *Pison*, cavalier aquitain d'illustre naissance, fait citoyen romain par un Calpurnius Piso, est tué avec son frère dans un combat de cavalerie contre les Germains. — IV, 12.

Pleumoxiens. — Petit peuple de la Belgique, client des Nerviens. — V, 39.

Pô. — Le fleuve Pô (lat. *Padus*). — V, 24.

Pompée. — 1º *Le grand Pompée, Cnéius Pompéius Magnus*, rival de César; né en 106, consul en 70, en 55 et en 52; triumvir avec César et Crassus en 60 et en 56. — César, dans les *Commentaires*, mentionne son second consulat et l'empressement avec lequel il répond, en 53, à sa demande de lui envoyer les recrues faites en Cisalpine sous son dernier consulat; il loue la fermeté avec laquelle Pompée réprime les troubles qui suivent le meurtre de Clodius. La guerre civile éclate entre les deux rivaux en 49; vaincu à Pharsale en 48, Pompée s'enfuit en Égypte, où il périt égorgé sur l'ordre du roi Ptolémée. — IV, 1; VI, 1; VII, 6; VIII, 52, 53, 54, 55.

2º *Cnéius Pompéius*, personnage gaulois, dont le père avait sans doute reçu le droit de cité de Pompée pendant la guerre contre Sertorius, et qui est cité comme interprète de Quintus Titurius Sabinus; on est porté à croire qu'il s'agit du père de l'historien Trogue Pompée. — V, 36.

Præconinus. — Lucius Valérius Præconinus, lieutenant en Narbonnaise vers 80, vaincu et tué par les Aquitains. — III, 20.

Procillus. — Caïus Valérius Procillus, chef gaulois du pays des Helviens, fils de Caburus et frère de Donnotaurus, dévoué à César, est envoyé comme député auprès d'Arioviste avec Marcus Metius, est retenu prisonnier et ne doit la vie qu'à la défaite des Suèves. — I, 47, 53.

Province. — La Gaule du Sud-Est, réduite en province en 118 et dont une partie a conservé le nom de Provence. César dit aussi *Gallia provincia* « la province de Gaule », *Provincia nostra* « notre Province », *Provincia ulterior* « la Province ultérieure » (par opposition à la *Provincia citerior* ou Gaule cisalpine). — I, 1, etc.

Ptianes. — Petit peuple de l'Aquitaine, qui habitait sans doute vers Orthez. — III, 27.

Pullon. — Titus Pullo, centurion de la légion de Cicéron, rivalise de bravoure avec son camarade Vorénus. — V, 4.

Pyrénées (les). — I, 1.

R

Rauraques. — Peuple de la Gaule habitant sur les deux rives du Rhin, vers le coude que forme le fleuve près de Bâle (Alsace méridionale et canton de Bâle). Leur capitale fut, à partir d'Auguste, *Augusta Rauracorum*, Augst, sur le Rhin, à 10 kilomètres à l'est de Bâle — I, 5, 29; VI, 25; VII, 75

Redons. — Peuple de l'Armorique, dont le territoire embrassait la plus grande partie du département actuel d'Ille-et-Vilaine. Leur nom se retrouve dans celui de Rennes. — II, 34; VII, 75.

Rèmes. — L'un des plus puissants peuples de la Belgique, allié fidèle des Romains. Leur territoire s'étendait le long de l'Aisne. Leur capitale était *Durocatorum*, aujourd'hui Reims. Une des places fortes les plus importantes était *Bibrax*. — II, 3, 4, 5, 7, 12; III, 11; V, 3, 24, 53, 54, 56; VI, 4, 12, 44; VII, 63, 90; VIII, 6, 11.

Rhin. — Le fleuve Rhin. — I, 1, 2, 5, 27, 28, 31, 33, 35, 37, 43, 44, 53, 54; II, 3, 4, 29, 35; III, 11; IV, 1, 3, 4, 6, 10, 14, 15, 16, 17, 19; V, 3, 24, 27, 29, 41, 55; VI, 9, 24, 29, 32, 35, 41, 42; VII, 65; VIII, 13.

Rhône. — Le fleuve Rhône (lat. *Rhodanus*). — I, 1, 2, 6, 8, 10, 11, 12, 33; III, 1; VII, 65.

Romains. — I, 1, etc.

Rome. — I, 31; VI, 12; VII, 90.

Roscius. — Lucius Roscius, commandant de la troisième légion, prend part sans doute à la deuxième expédition de Grande-Bretagne, est envoyé en quartiers d'hiver chez les Éburons; fut préteur en 49 et député auprès de César à Ariminium par Pompée avec des propositions de paix; tué à Modène en 43. — V, 24, 53.

Rutènes. — Peuple gaulois qui occupait l'ancien Rouergue (département de l'Aveyron). Une partie de ce peuple, au sud du Tarn, se trouvait déjà incorporée à la Province romaine, *Ruteni provinciales*. — I, 45; VII, 5, 7, 64, 75, 90.

S

Samarobriva. — Capitale des Ambiani, dont le nom signifie pont sur la Samaro, aujourd'hui Amiens. — V, 24, 47, 53.

Sambre (la). — La Sambre (lat *Sabis*) — II, 16, 18.

Santons. — Peuple de la Gaule, qui occupait l'ancienne Saintonge, l'ancien Aunis et l'ancien Angoumois (Charente, Charente-Maritime, une petite partie de la Gironde). — I, 10, 11; III, 11; VII, 75.

Saône (la). — En latin *Arar*, en bas-latin *Sauconna*. — I, 12, 13, 16; VII, 90; VIII, 4.

Sedullus. — Chef gaulois du pays des Lémovices, tué devant Alésia. — VII, 88.

Sédunes. — Peuple gaulois de la haute vallée du Rhône, cantonné à l'est de Véragres dans la région de Sion. — III, 1, 2, 7.

Sédusiens. — Petit peuple germain, qui habitait sans doute entre le Rhin et le Neckar — I, 51

Ségnes. — Petit peuple belge client des Trévires, voisin des Condruses et des Éburons, dans la haute vallée de l'Ourthe, aux environs de Givet. — VI, 32.

Ségontiaques. — Peuple breton, voisin des Trinobantes, dans le Hampshire et le Berkshire. — V, 21.

Ségovax. — Chef breton, l'un des quatre rois du Cantium, allié de Cassivellaune. — V, 22.

Ségusiaves. — Peuple gaulois client des Éduens, habitant la région du Forez et du Lyonnais. Lyon fut fondé sur leur territoire par Munatius Plancus, en 44.

Seine. — Le fleuve Seine (lat. *Sequana*). — I, 1; VII, 57, 68.

Sempronius. — Marcus Sempronius Rutilus, officier de César et sans doute préfet de la cavalerie. — VII, 90.

Senones ou **Senons.** — L'un des plus puissants peuples de la Gaule, habitant le Sud de la Champagne et le Nord de la Bourgogne. Leur capitale était *Agedincum*, Sens. Les places fortes principales, *Metlosedum*, Melun, et *Vellaunodunum*, Montargis ou Villon. — II, 2; V, 54, 56; VI, 2, 3, 44; VII, 4, 11, 34, 56, 58, 75.

Séquanais ou **Séquanes.** — Peuple de la Gaule, habitant entre la Saône, le Rhône, le Jura, le Rhin et les Vosges (département du Jura, du Doubs, de la Haute-Saône et partie du Haut-Rhin). Leur capitale était *Vesontio*, aujourd'hui Besançon. — I, 1, 2, 3, 6, 8, 9, 10, 11, 12, 19, 31, 32, 33, 35, 38, 40, 44, 48, 54; IV, 10; VI, 12; VII, 66, 67, 75, 90.

Sertorius. — Quintus Sertorius, lieutenant de Marius, préteur en 85, passa en Espagne quand Sylla devint dictateur, la souleva ainsi que la Gaule romaine, lutta avec succès contre Métellus et Pompée, mais périt assassiné traîtreusement par son lieutenant Perpenna, en 73. — III, 23.

Sextius. — Titus Sextius, lieutenant de César, est chargé en 53 avec Silanus et Antistius Réginus de procéder à de nouvelles levées; prend une part importante au siège de Gergovie, où il occupe le camp avec la treizième légion, puis au siège d'Alésia; établit ensuite ses quartiers d'hiver chez les Bituriges, et en sort pour conduire sa légion au camp de César contre les Bellovaques. En 44, fut nommé gouverneur de Numidie, disputa ensuite à Quintus Cornificius la possession de la province d'Afrique et s'y maintint jusqu'en 41. On ignore ce qu'il devint ensuite. — VI, 1; VII, 49, 51, 90; VIII, 11.

Sibuzates. — Peuple aquitain, habitant le pays de Saubusse, entre Bayonne et Dax. — III, 27.

Silanus. — Marcus Julius Silanus, fils de Servilie et frère utérin de Marcus Brutus; devient lieutenant de César en 53; après le meurtre de César, servit d'abord Brutus, puis passa à Antoine, et, après la défaite d'Antoine, rejoignit en Sicile Sextus Pompée; revint à Rome en 39; consul avec Auguste en 25. — VI, 1.

Silius. — Titus Silius, préfet ou tribun militaire, envoyé chez les Vénètes par Crassus. — III, 7, 8.

Sontiates ou **Sotiates.** — Peuple d'Aquitaine, qui habitait le Sud-Ouest du département actuel de Lot-et-Garonne et une partie des départements des Landes et du Gers. Leur capitale était Sos (Lot-et-Garonne). — III, 20, 21.

Suessions. — Peuple belge, cantonné sur l'Aisne, entre Berry-au-Bac et le confluent de l'Oise, dans l'ancien Soissonnais. Leur capitale était *Noviodunum*. — II, 3, 4, 12, 13; VI, 35.

Suèves. — Puissante confédération de peuples germaniques *(centum pagi)*, qui occupait la région au nord du Rhin et qui a donné son nom à la Souabe. — I, 37, 51, 54; IV, 1, 3, 4, 7, 8, 16, 19; VI, 9, 10, 29.

Sugambres. — Peuple germain, appartenant à la confédération des Suèves, et habitant au nord des Ubiens, dans la région de la Ruhr et de la Lippe. — I, 16, 18, 19; VI, 25.

Sulpicius. — Publius Sulpicius Rufus, lieutenant de César en 55; en 54, défend Portus Itius, prend part au siège d'Alésia et hiverne chez les Éduens; en 49, servit la cause de César en Espagne, commanda ensuite une flotte sur la côte du Brutium et devint gouverneur d'Illyrie — IV, 22; VII, 90.

Surus. — Chef gaulois du pays des Éduens, refuse de se soumettre, se réfugie chez les Trévires, mais tombe au pouvoir de Labiénus. — VIII, 45.

Sylla. — Lucius Cornélius Sylla (138-78), le dictateur, rival de Marius. — I, 21.

T

Tamise. — Le fleuve Tamise. — V, 11, 18.

Tarbeles. — Peuple aquitain de la région du Labour (Basses-Pyrénées). — III, 27.

Tarusates. — Peuple aquitain de la région de Tartas (Landes), entre Dax et Mont-de-Marsan. — III, 23, 27.

Tasgetius. — Chef gaulois du pays des Carnutes, descendant des anciens rois du pays, rétabli par César sur le trône de ses pères, mais au bout de trois ans fut massacré par le peuple révolté (52). — V, 25, 29.

Taximagulus. — Chef breton, l'un des quatre rois du Cantium, allié de Cassivellaune. — V, 22.

Tenchthères ou **Tenctères.** — Peuple de la Germanie, qu'on trouve toujours nommé avec les Usipètes. — IV, 1, 4, 16, 18; V, 55; VI, 35.

Tergestins. — Habitants de Tergeste, sur l'Adriatique, aujourd'hui Trieste. — VIII, 24.

Terrasidius. — Titus Terrasidius, préfet ou tribun militaire de la 7e légion, est envoyé chez les Uxelles en 56 pour se procurer des vivres, et est retenu prisonnier contre le droit des gens. — III, 7.

Teutomate. — Chef gaulois, roi des Nitiobroges, fils d'Ollovicon, amène à Vercingétorix devant Gergovie un corps de cavalerie; il se laisse surprendre dans sa tente et n'échappe qu'avec peine à l'ennemi. — VIII, 31, 46.

Teutons. — Peuple germain, originaire du Jutland, comme les Cimbres; se joignirent aux Cimbres pour leur grande invasion de 113 en Gaule et en Italie; furent battus à Aix, en 102, par Marius. — I, 33, 40; II, 4, 29; VII, 77

Tigurins. — Ils formaient l'un des quatre pays *(pagi)* de la nation des Helvètes, occupant à peu près le territoire des cantons de Vaud et de Fribourg et une partie du canton de Berne. — I, 12.

Titurius. — Quintus Titurius Sabinus, lieutenant de César, issu d'une famille sabine; en 57, prend part à la campagne contre les Belges et à la défense de Bibracte; en 56, à la tête de trois légions, il tient en respect les Uxelles, les Coriosolites, etc., et inflige une sanglante défaite à Viridorix, qui l'avait attaqué dans son camp; en 55, il est chargé avec Cotta d'aller ravager le territoire des Ménapiens; après la seconde expédition en Grande-Bretagne, il commande avec ce même Cotta 15 cohortes établies en quartiers d'hiver à Atuatuque chez les Éburons; trompé par les paroles d'Ambiorix, il décide son collègue à sortir du camp pour aller rejoindre la légion la plus voisine, tombe dans l'embuscade préparée par les Éburons, consent à se rendre, et est égorgé avec la plupart des siens. — II, 5, 9, 10; III, 11, 17, 18, 19; IV, 22, 38; V, 24, 26, 27, 29, 30, 31, 33, 36, 37, 39, 41, 47, 52, 53; VI, 1, 32, 37.

Tolosates. — Peuple de la Province romaine, formant la plus importante fraction des Volques Tectosages et occupant le territoire de l'ancien diocèse de Toulouse (département de la Haute-Garonne presque entier, et département du Gers en partie). — I, 10; VII, 7.

Toulouse. — En latin *Tolosa*. — III, 20.

Trébius. — Marcus Trébius Gallus, préfet ou tribun militaire, envoyé chez les Coriosolites en 56 pour se procurer des vivres et retenu prisonnier par ceux-ci. — III, 7, 8.

Trébonius. — 1o *Caïus Trebonius*, chevalier romain, commande le détachement des Vétérans envoyés par Cicéron au fourrage. — VI, 40.

2o *Caïus Trébonius*, questeur en 60, tribun du peuple en 55, propose la loi qui prorogeait pour cinq ans le commandement de César; légat en Gaule en 55, il y resta jusqu'à la fin de la guerre; prend part à la seconde expédition en Grande-Bretagne, au siège de Vellaunodunum, à celui d'Alésia, où il commande avec Marc Antoine le secteur de la plaine des Launes, participe à la campagne contre les Bellovaques, etc ; il fut ensuite envoyé en Espagne contre Afranius, puis chargé d'assiéger Marseille par terre. Préteur urbain en 48, puis gouverneur d'une Espagne, consul en 45, chargé de la province d'Asie, il entra dans la conjuration des ides de mars. Après la mort de César, il se rendit dans sa province d'Asie, mais il y périt, tué à Smyrne par Dolabella, qui était venu pour le remplacer. — V, 17, 24; VI, 33; VII, 11, 81; VIII, 6, 11, 14, 46, 54.

Trévires. — L'un des plus importants États de la Gaule, sur les deux rives de la Moselle, avec pour capitale Trèves, depuis Auguste, *Augusta Treverorum*. — I, 37; II, 24; III, 111; IV, 6, 10; V, 2, 3, 4, 24, 47, 53, 55, 58; VI, 2, 3, 5, 6, 8, 9, 26, 29, 32, 44; VII, 63; VIII, 25, 45.

Tribocques. — Peuple germain, habitant sur la rive gauche du Rhin, dans la région de Strasbourg. — I, 51; IV, 10.

Trinobantes ou **Trinovantes.** — Peuple de la Grande-Bretagne, habitant le territoire des comtés de Suffolk et d'Essex.

Tulinges. — Peuple germain voisin des Helvètes et habitant sans doute dans l'ancien grand-duché de Bade. — I, 5, 25, 28, 29.

Turones. — Peuple de la Gaule, dans l'ancienne Touraine. — II, 35; VII, 4, 75; VIII, 46.

U

Ubiens. — Peuple de Germanie qui habitait sur la rive droite du Rhin depuis la Lahn jusqu'au-dessous de Cologne — I, 54; IV, 3, 11, 16, 19; VI, 9, 10, 29.

Ulterior (ou **superior**) **Portus.** — Port des Morins, au nord de Portus Itius, sans doute Ambleteuse (Pas-de-Calais).

Uxelles. — Peuple de la Gaule, qui habitait dans la presqu'île du Cotentin, département actuel de la Manche. — II, 34; III, 11, 17, 19.

Usipètes. — Peuple de Germanie, qui semble avoir habité dans le Nassau. — IV, 1, 4, 16, 18; VI, 35.

Uxellodunum. — Place forte des Cadurques sans doute le Puy d'Issolu, près de Vayrac (Lot). Son nom signifie « château haut, haute forteresse ». — VIII, 32, 40.

V

Vacalus. — Le Wahal, l'un des bras du Rhin à son embouchure. — IV, 10.

Valérius. — 1º *Caïus Valérius Caburus*, chef gaulois du pays des Helviens, admis au droit de cité par Caïus Valérius Flaccus, père de Domnotaurus (voir plus bas) et de Procillus (voir ce mot) — I, 47; VII, 65.

2º *Caius Valérius Domnotaurus*, chef gaulois du pays des Helviens, fils du précédent, tué dans un combat contre les États voisins soulevés par Vercingétorix. — VII, 65.

3º *Caïus Valérius Flaccus*, gouverneur de la Gaule narbonnaise, triompha deux fois en 83 et 81 pour ses succès sur les Gaulois et les Celtibères; donne le droit de cité à Caburus. — I, 47.

4º *Caïus Valérius Trucillus*, notable gaulois de la Province, sert d'interprète à César auprès de l'Éduen Diviciac. — I, 19.

Valétiacus. — Chef gaulois du pays des Éduens, vergobret en 52 et frère de Cotus — VII, 32.

Vangions. — Peuple de la Germanie, habitant sur les bords du Rhin, au nord des Némètes Sa capitale était *Borbetomagus*, plus tard *Vangionum civitas*, auj Worms — I, 51.

Vatinius. — Publius Vatinius, questeur en 63; servit en Espagne sous le proconsul Caïus Cosconius et fut ensuite un des accusateurs de Sextius; lieutenant de César à la fin de la guerre des Gaules, il suivit son parti dans la guerre civile, défendit Brindes contre Lélius; consul en 47, puis proconsul d'Illyrie; après la mort de César, remit ses légions à Brutus et se retira à Epidamne; obtint cependant le triomphe en 43 pour ses victoires sur les Dalmates. — VIII, 46.

Vélanius. — Quintus Vélanius, préfet ou tribun militaire de la septième légion, est envoyé avec son collègue Silius chez les Vénètes pour acheter des vivres et est retenu prisonnier par ceux-ci. — III, 7, 8.

Véliocasses. — Peuple de la Belgique, au dire de César, mais peut-être de la Gaule, qui habitait le Vexin normand, dans le département actuel de la Seine-Maritime. — II, 4; VII, 75; VIII, 7

Vellaunodunum. — Place forte des Sénones, peut-être Triguères, peut-être Montargis, peut-être Villon (entre Montargis et Château-Landon). — VII, 11, 14.

Vellaves. — Petit peuple de la Gaule, client des Arvernes et cantonné dans l'ancien Velay (département actuel de la Haute-Loire) — VII, 79.

Vénètes. — Peuple de la Gaule, qui habitait dans l'Armorique la région de Vannes (Morbihan) — II, 34; III, 7, 9, 11, 16, 17; VII, 75.

Vénétie. — Pays des Vénètes — III, 9.

Véragres. — Peuple gaulois de la haute vallée du Rhône, dans la région de Martigny — III, 1, 2.

Verbigène. — Le pays Verbigène, l'un des quatre pays de la nation helvétique, qui occupait à peu près les cantons actuels de Soleure, d'Argovie, de Lucerne et une partie du canton de Berne.

Vercassivellaune. — Chef arverne, cousin de Vercingétorix, l'un des quatre chefs de l'armée de secours d'Alésia, fait prisonnier au cours de l'attaque. — VII, 76, 83, 85, 88.

Vercingétorix. — Vercingétorix, fils de Celtill, chef arverne, soulève une grande partie de la Gaule contre les Romains, assiège Gorgobina, ville des Éduens, mais en lève le siège à l'approche de César, qu'il ne peut empêcher de prendre ni Vellaunodunum ni Noviodunum; essaie en vain de sauver Avaricum, suit César le long de l'Allier, sans pouvoir l'empêcher de traverser la rivière; oblige César à lever le siège de Gergovie; commandant suprême des Gaulois après la défection des Éduens, se retire et s'enferme dans Alésia, où il est obligé de se rendre à César, en dépit des efforts de ses troupes et de l'armée de secours; il est livré au vainqueur. Il orna le triomphe de César et fut mis à mort. — VII, 4, 8, 9, 12, 14, 15, 16, 18, 20, 21, 26, 28, 31, 33, 34, 35, 36, 44, 51, 53, 55, 63, 66, 67, 68, 70, 71, 75, 76, 81, 82, 83, 84, 89.

Vertico. — Chef gaulois du pays des Nerviens, arrive comme transfuge au camp de Cicéron à Atuatuque; réussit par un esclave à faire parvenir deux messages à César. — V, 45, 49.

Vertiscus. — Chef gaulois du pays des Rèmes, commande malgré son grand âge la cavalerie des Rèmes dans la campagne contre les Bellovaques, périt dans une escarmouche. — VIII, 12.

Verucloétius. — Chef gaulois du pays des Helvètes. — I, 7.

Vienne. — Capitale des Allobroges. — VII, 9.

Viridomare. — Chef gaulois du pays des Éduens, protégé par Diviciac et César; dispute le premier rang à Éporédorix et commande avec lui un corps de cavalerie éduenne auxiliaire; s'unit à Éporédorix pour passer à Vercingétorix; est l'un des quatre chefs qui commandent l'armée de secours d'Alésia. — VII, 38, 39, 40, 54, 55, 63, 76.

Viridovix ou **Viridorix.** — Chef gaulois du pays des Uxelles, est mis à la tête des Uxelles, des Aulerques, des Eburovices et des Lexoviens confédérés, attaque le camp de Titurius Sabinus et est honteusement repoussé. — III, 17, 18, 19.

Viromanduens ou **Veromanduens.** — Peuple belge, occupant le territoire de l'ancien Vermandois (partie des départements actuels de l'Aisne et de la Somme). — II, 4, 16, 23.

Vocates. — Petit peuple d'Aquitaine qu'on assimile aux *Boiates* dont parle Pline; et qui habitait, croit-on, le pays de Buch avec pour capitale *Boii*, aujourd'hui Lamothe. — III, 23, 27.

Voccio. — Roi du Norique, envoie sa sœur en Gaule à Ariovaste, qui l'épouse. — I, 53.

Vocontiens. — Peuple de la Province romaine, dont le territoire, aux confins de l'ancien Dauphiné et de l'ancienne Provence, occupait les départements actuels de l'Isère et de la Drôme. Sa capitale était *Vasio*, aujourd'hui Vaison-la-Romaine.

Volcacius. — Caïus Volcacius Tullus, officier de l'armée de César, sans doute fils du consul de 66 et père du consul de 33, est chargé de défendre la tête du pont construit sur le Rhin en 53; on le retrouve dans l'armée de César à Dyrrachium, au cours de la guerre civile. — VI, 29.

Volques. — Peuple important de la Province romaine (lat. *Volcae*). On distinguait :

1° Les *Volcae Arecomici*, qui occupaient les départements de l'Hérault et du Gard, avec *Nemausus*, aujourd'hui Nîmes pour capitale. — VII, 7, 64.

2° Les *Volcae Tectosages*, à l'ouest des premiers (ils en étaient séparés par l'Orb), qui occupaient les départements de l'Aude, des Pyrénées-Orientales, de l'Ariège et de la Haute-Garonne, avec *Tolosa*, aujourd'hui Toulouse, pour capitale. On ignore si les Volques Tectosages qui habitaient la Bohême occidentale étaient une colonie de ces Volques du Languedoc, comme le dit César, ou un résidu des Volques, venus à une époque incertaine de Germanie en Gaule. — VI, 24.

Volusénus. — Caïus Volusénus Quadratus, officier de César, tribun militaire en 56; chargé en 55 par Servius Sulpicius Galba d'opérer une reconnaissance sur les côtes de la Grande-Bretagne; commande en 53, pendant l'expédition contre les Éburons, un corps de cavalerie auprès de César; reçoit la mission de tuer perfidement l'Atrébate Commius, mais ne réussit qu'à le blesser; est attaché à Marc Antoine comme préfet de la cavalerie dans le pays des Atrébates, et, dans une rencontre, est blessé grièvement de la main de Commius lui-même; tribun du peuple en 43, fut l'un des partisans d'Antoine. — III, 5; IV, 21, 22; VI, 41; VIII, 23, 48.

Vorénus. — Lucius Vorénus, centurion de la légion de Cicéron, rivalise de bravoure avec son collègue Pullo. — V, 44.

Vosges. — César leur rattachait les Faucilles et le plateau de Langres. — IV, 10.

Vulcain. — César lui assimile une divinité germanique. — VI, 21.

TABLE DES MATIÈRES

GF Flammarion

252174-II-2021 – Impression MAURY IMPRIMEUR, 45330 Malesherbes.
N° d'édition L.01EHPNFG0012.A020 – 3ᵉ trimestre 1964 – Printed in France.